Читайте романы
примадонны иронического детектива
Дарьи Донцовой

Сериал «Любительница частного сыска Даша Васильева»:

1. Крутые наследнички
2. За всеми зайцами
3. Дама с коготками
4. Дантисты тоже плачут
5. Эта горькая сладкая месть
6. Жена моего мужа
7. Несекретные материалы
8. Контрольный поцелуй
9. Бассейн с крокодилами
10. Спят усталые игрушки
11. Вынос дела
12. Хобби гадкого утенка
13. Домик тетушки лжи
14. Привидение в кроссовках
15. Улыбка 45–го калибра
16. Бенефис мартовской кошки
17. Полет над гнездом Индюшки
18. Уха из золотой рыбки
19. Жаба с кошельком
20. Гарпия с пропеллером
21. Доллары царя Гороха
22. Камин для Снегурочки
23. Экстрим на сером волке
24. Стилист для снежного человека
25. Компот из запретного плода
26. Небо в рублях
27. Досье на Крошку Че
28. Ромео с большой дороги
29. Лягушка Баскервилей
30. Личное дело Женщины–кошки
31. Метро до Африки
32. Фейсконтроль на главную роль
33. Третий глаз–алмаз
34. Легенда о трех мартышках
35. Темное прошлое Конька–Горбунка
36. Клетчатая зебра
37. Белый конь на принце

Сериал «Евлампия Романова. Следствие ведет дилетант»:

1. Маникюр для покойника
2. Покер с акулой
3. Сволочь ненаглядная
4. Гадюка в сиропе
5. Обед у людоеда
6. Созвездие жадных псов
7. Канкан на поминках
8. Прогноз гадостей на завтра
9. Хождение под мухой
10. Фиговый листочек от кутюр
11. Камасутра для Микки–Мауса
12. Квазимодо на шпильках
13. Но–шпа на троих
14. Синий мопс счастья
15. Принцесса на Кириешках
16. Лампа разыскивает Алладина
17. Любовь–морковь и третий лишний
18. Безумная кепка Мономаха
19. Фигура легкого эпатажа
20. Бутик ежовых рукавиц
21. Золушка в шоколаде
22. Нежный супруг олигарха
23. Фанера Милосская
24. Фэн–шуй без тормозов
25. Шопинг в воздушном замке
26. Брачный контракт кентавра
27. Император деревни Гадюкино

Сериал «Виола Тараканова. В мире преступных страстей»:

1. Черт из табакерки
2. Три мешка хитростей
3. Чудовище без красавицы
4. Урожай ядовитых ягодок
5. Чудеса в кастрюльке
6. Скелет из пробирки
7. Микстура от косоглазия
8. Филе из Золотого Петушка
9. Главбух и полцарства в придачу
10. Концерт для Колобка с оркестром
11. Фокус–покус от Василисы Ужасной
12. Любимые забавы папы Карло
13. Муха в самолете
14. Кекс в большом городе
15. Билет на ковер–вертолет
16. Монстры из хорошей семьи
17. Каникулы в Простофилино
18. Зимнее лето весны
19. Хеппи–энд для Дездемоны
20. Стриптиз Жар–птицы
21. Муму с аквалангом
22. Горячая любовь снеговика
23. Человек–невидимка в стразах
24. Летучий самозванец

Сериал «Джентльмен сыска Иван Подушкин»:

1. Букет прекрасных дам
2. Бриллиант мутной воды
3. Инстинкт Бабы–Яги
4. 13 несчастий Геракла
5. Али–Баба и сорок разбойниц
6. Надувная женщина для Казановы
7. Тушканчик в бигудях
8. Рыбка по имени Зайка
9. Две невесты на одно место
10. Сафари на черепашку
11. Яблоко Монте–Кристо
12. Пикник на острове сокровищ
13. Мачо чужой мечты
14. Верхом на «Титанике»
15. Ангел на метле
16. Продюсер козьей морды

Сериал «Татьяна Сергеева. Детектив на диете»:

1. Старуха Кристи – отдыхает!
2. Диета для трех поросят
3. Инь, янь и всякая дрянь
4. Микроб без комплексов
5. Идеальное тело Пятачка

А также:

Кулинарная книга лентяйки
Кулинарная книга лентяйки–2. Вкусное путешествие
Кулинарная книга лентяйки–3. Праздник по жизни
Простые и вкусные рецепты Дарьи Донцовой
Записки безумной оптимистки. Три года спустя. Автобиография

Дарья Донцова

Летучий самозванец

роман

Москва
2009

Глава 1

Если хочешь быть красивой, не переусердствуй!

Я осторожно покосилась на свои ярко-зеленые ногти, попыталась сжать пальцы в кулак и оставила эту затею. Вот к чему приводит желание произвести на окружающих самое приятное впечатление! Вчера я спешно сбегала в салон красоты, уложила волосы, сделала маникюр и показала мастеру на пузырек с нежно-розовым лаком.

— Давно не модный оттенок, — скривилась девушка. Им теперь лишь старухи пользуются! Все молодые красятся альтернативными цветами.

Мне страстно захотелось влиться в ряды юных и прекрасных, поэтому я смело сказала:

— Вот тот зелененький — очень симпатичный! Собираюсь провести несколько дней на природе, как раз подойдет.

— Супер, — одобрила маникюрша, — шикарный выбор.

И вот теперь я не знаю, куда спрятать руки. Даже Юра удивленно поднял брови, увидев ноготки спутницы, а он никогда не демонстрировал мне своего неодобрения. И вообще, до сих пор ему во мне нравилось абсолютно все!

— Желаете оладьи? — прошептал мне в ухо вкрадчивый тенор.

Я вздрогнула, ощутив, как бретелька нового топика пытается свалиться с плеч, быстро дернула ее назад и вернулась в реальность. Я сижу за большим столом в окружении людей, из которых я знаю лишь Юру Шумакова. Голос принадлежит официанту: он предлагает мне выбрать горячее блюдо.

— Есть овсянка, — продолжал официант, — омлет по-английски, сосиски.

— Спасибо, — ответила я. — Я привыкла завтракать одним йогуртом.

— А вот я не откажусь от омлета с беконом, — сообщил Юра. — В сытом теле здоровый дух.

— Колбасные изделия несут в себе смерть! — отчеканила сидевшая напротив нас дама, надевшая к завтраку, на мой взгляд, слишком большое количество вульгарной бижутерии. — Они пропитаны токсинами стресса и ужаса убитого животного! А еще на мясокомбинатах водятся гигантские крысы, иногда они попадают в мясорубки.

Шумаков судорожно сглотнул и быстро изменил свое решение:

— Лучше, наверное, заказать омлет с помидорами и пармезаном.

Но дама не успокоилась. Указательным пальцем, на котором было сразу два кольца, она ткнула в блюдо посередине стола:

— Видите? Что это?

— Сыр, — растерянно ответил Юра, — сорт не назову.

— Если будете употреблять этот продукт, ваш

мозг станет похож на него, — торжественно объявила тетенька.

Наш с Юрой роман начался не очень давно, он пока находится в романтической фазе. Мы нравимся друг другу во всех отношениях, недавно отметили первый юбилей — месяц совместной жизни, но еще не перешли на тот этап, когда мужчина начисто забывает про комплименты и мелкие знаки внимания. Однако я уже успела понять: Шумаков не из тех людей, которые лезут за словом в карман. Вот и сейчас, услышав идиотское заявление, он сохранил серьезный вид, но нашел адекватный ответ:

— Мой мозг превратится в сыр? Это здорово облегчит мне жизнь на пенсии. Под рукой всегда будет вкусный, полезный, а главное, бесплатный ингредиент для хорошего бутерброда.

Гость, который сидел слева от Шумакова, хохотнул и тут же сделал вид, что с аппетитом ест творог. Вздорная дама залилась румянцем.

— Холестерин, содержащийся в продуктах, разъедает кровеносные сосуды, ваши полушария испещрятся дырками, как эти ломти маасдама! И не говорите потом, что я вас не предупреждала!

Юра повернулся к официанту:

— Ну тогда принесите оладьи!

— От них умрет поджелудочная железа, — мгновенно прокомментировала его решение бойкая тетенька.

Шумаков притворился глухим и повторил:

— Оладьи! А к ним сметану!

Официант кивнул.

— Конечно, разрешите подать полный набор соусов?

— Отлично, — согласился Юра, — очень есть хочется.

— Блины с жирной добавкой равносильны петарде, попавшей в желудок! — каркнула соседка и начала демонстративно жевать веточку петрушки. — Вы согласны?

Поскольку последние слова она произнесла, глядя на меня в упор, я быстренько придвинула к себе небольшую стеклянную баночку с йогуртом, с которой чья-то рука заботливо сняла крышечку, и сделала вид, что увлечена едой. Похоже, путешествие обещает стать забавным.

Неделю назад Юра неожиданно спросил:

— Как ты относишься к теплоходам?

— Понятия не имею, — честно ответила я, — но, думаю, они вполне уютны.

— Ты никогда не плавала на корабле? — удивился Шумаков.

— Нет, — призналась я.

— Тогда стоит принять предложение, — протянул Юра. — Думаю, тебе понравится. Василий Олегович пригласил нас отдохнуть на воде, десять дней спокойного досуга на комфортабельном судне под поразительным названием «Летучий самозванец».

Я не скрыла удивления.

— Сомневаюсь, что Василий Олегович меня приглашал. Я даже не понимаю, о ком идет речь! Кто он такой?

— Мой дядя, — спокойно сообщил Юра, — владелец фабрики по производству конфет, Самойлов Василий Олегович. Вернее, ему принадлежит целый холдинг, предприятия разбросаны по всей России.

Я удивилась еще сильнее.

— Ты никогда не рассказывал мне о богатом родственнике.

— А зачем? — пожал плечами Юра. — Ты, кстати, тоже помалкиваешь о своих близких. Я знаю лишь, что твой, Вилка, бывший муж — майор Олег Куприн. Да и то эта информация просочилась исключительно потому, что моя сестра Аня Наварро работает у Куприна в отделе.

Я вздохнула.

— Мне похвастаться особо некем. С мамой я никогда не была знакома, а отец[1]... Давай-ка лучше сменим тему. Каков повод для путешествия?

Юра включил свой ноутбук.

— Самый подходящий. Василий Олегович открыл в Москве, в самом центре, большой фирменный магазин.

— Я что-то слышала, — протянула я. — Ехала по Тверской в конце августа, заметила толпу, тучу воздушных шариков, услышала духовой оркестр, притормозила и увидела, как известный телеведущий на пару с лысым мачо несут огромную конфету, перевязанную красной лентой.

— Лысый мачо и есть мой дядя, — весело подхватил Юра. — Он обожает спектакли с помпой, фейерверки, артистов, мишуру и блестки. Человек-праздник!

---

[1] Подробно детали биографии Виолы Таракановой рассказаны в книге Дарьи Донцовой «Черт из табакерки», издательство «Эксмо».

Я смутилась:

— Извини, неудачно выразилась.

Шумаков уставился в экран компьютера.

— Ты права. По паспорту Василию годков немало, но в душе он двадцатилетний юноша, обожающий новые модели сотовых телефонов, модные шмотки и машины. Иначе, как «лысый мачо», его не назвать.

— А как относится к его забавам жена? — Я решила поподробнее узнать о дяде.

Юра поднял бровь.

— Катерина? Она занимается благотворительностью, основала приют для девочек-сирот.

— Понятно... — протянула я. — Дама закрывает глаза на забавы муженька, увлекается своим делом и не лезет к супругу с нотациями.

— Идеальный вариант, — подхватил Юра. — Нет хуже жены, которая считает, что печать, поставленная в загсе, делает ее рабовладелицей.

Я моментально полезла в драку:

— Значит, для тебя идеальный вариант отношений выглядит так: он творит, что хочет, а она ему не мешает?

Юра скривился:

— Вилка, Самойловы женаты сто лет, сошлись еще школьниками. Катерина всегда была рядом с мужем, поддерживала его во всех начинаниях. У них есть сын, который появился на свет, едва родителям исполнилось восемнадцать. Когда Василий решил заниматься бизнесом, у них не было вообще ничего. Он продал квартиру и машину и вложил средства в дело. Никто не обещал быстрого успеха. Самойлов понятия не имел, что со временем станет одной из основных фигур на своем рынке. Мог ведь все потерять, оставить семью без жилья и средств к существованию. Согласись, не каждая жена одобрит такое поведение, но Катя протестовать не стала.

— Героическая женщина, — согласилась я.

— Брак держится на толерантности супругов! — заявил Шумаков. — Чем меньше скандалов, тем лучше. Отпусти мужика с приятелями на рыбалку или в гараж, дай ему с собой всякой еды — и живо станешь победительницей конкурса «Супруга года».

— Да? — с сомнением протянула я. — Так просто?

— Конечно, — сказал Юра. — Представь такую картину. Сели парни рыбу ловить, откупорили бутылочку, закусон вытащили. Один разворачивает газету, а в ней не очень свежая колбаса. Ну и вырывается у бедолаги в сердцах:

— Блин! Вернусь домой, объясню своей бабе, кто в семье хозяин. Сначала скандал закатила, что без нее на природу собрался, а когда велел жрачки дать, сунула мне пакет со словами: «Вам под водку и это сойдет».

— Все они одинаковые, — подхватывает второй. — Мне позавчерашнюю отварную картошку вручили.

И тут открываю сумку я! А там! Салаты свежие в коробочках, мясо запеченное, конфеты, печенье. Парни рты поразевают, а я и говорю:

— Ешьте, наслаждайтесь, моя хозяйка специально нам наготовила, сказала: «Юрочка, ты так много работаешь, отдохни по полной программе». Друзья от восторга завоют, а что для парня главное? Чтобы его женщина товарищам по сердцу пришлась!

Я не удержалась от ехидства:

— Ты был знаком с такой идеальной девушкой? Почему разорвал с ней отношения? Она тебя достала излишней заботливостью? Наматывала кавалеру в июле шерстяной шарф на шею? Просила в августе надеть валенки и трусы на меху?

— Нет, — после легкой заминки признался Юра. — Просто я описал свой идеал, он существует в теории, на практике пока не встречал. Поверь: для мужчины товарищи роднее братьев.

Я предусмотрительно не отреагировала на программное заявление кавалера. Ну какой смысл восклицать: «Чем реже мужик катается с приятелями на мальчишники, тем меньше глупостей он совершит!»

Никогда не надо раскрываться до конца даже перед любовником, за которого не собираешься замуж. Сначала спокойно понаблюдайте за ним, решите, подходит он вам или нет, а уж потом медленно начинайте его дрессировать, разумно используя кнут и пряник.

Я ощутила легкое прикосновение и вынырнула из своих раздумий, машинально улыбнувшись даме, увешанной бижутерией. Она по-прежнему сверлила меня взглядом.

— Какой ужас! — неожиданно воскликнула дама.

Я удивилась. Неужели я так плохо выгляжу?

— Вилка, ты хорошо себя чувствуешь? — шепнул Юра.

— Да, — кивнула я.

— Все в порядке? — не успокаивался он. — Завтрак вкусный?

— Йогурт странный, — призналась я, черпая из стеклянного стаканчика желтоватую массу. — Фруктов нет, но и на натуральный он мало похож. Может, его сделали из овечьего молока?

Юра взял салфетку.

— Это майонез.

— Спасибо, не употребляю, — заявила я.

На лице Юры появилось хитрое выражение.

— Я знаю. Поэтому очень удивился, увидев, как ты наворачиваешь этот продукт ложкой. И уж совсем впал в недоумение, услышав твое заявление про фрукты. Извини, клубнику с малиной никогда не кладут в смесь желтков, горчицы и растительного масла.

— Майонез? — повторила я, глядя на пустую стеклянную баночку, содержимое которой успешно перекочевало в мой желудок. — Ты хочешь сказать, что я слопала двести граммов?

— Ужас! — эхом подхватила тетка, восседавшая напротив. — Вы проверялись у доктора на наличие кишечных паразитов? Невозможно употреблять в столь огромном количестве калорийную заправку и оставаться тощей, как больная циррозом селедка!

— У рыбы есть печень? — моментально забыл про меня Юрасик. — Она ею думает?

Тетка скривила губы.

— Молодой человек, мыслительную деятельность осуществляет не желудок, это я вам как врач говорю. Мозг — вот наш центр управления. Обратите внимание на режим питания вашей матери и, если не хотите остаться сиротой в ближайший год, посоветуйте ей перейти на здоровую пищу.

— Мать? — поразилась я. — Вы о ком сейчас говорите?

Гость слева от Юры фыркнул, словно высунувшийся из воды тюлень, и вмешался в беседу:

— Насчет мозга святая правда, только необходимо уточнить, что у мужчин и женщин он находится в разных местах. У милых дам ум заключен в руках.

— Да, — охотно согласилась мадам. — Мы, как правило, умеем делать все: шить, вязать, готовить.

— Я не о том, — заявил мужчина. — Если попросить у женщины руку, то потом всю жизнь будешь находить ее в своем кармане. Уж не знаю, как насчет домовитости, но вот талантом расфурыкивания денег леди обладают с рождения!

Я стряхнула с себя временное оцепенение и спросила у почтительно согнувшегося официанта:

— Это майонез?

— Да, сударыня, — чопорно подтвердил тот. — Еще желаете?

Меня затошнило.

— Я приняла провансаль за йогурт!

Врач тем временем налетела на мужчину, рискнувшего открыто заявить о корыстолюбии слабого пола:

— Отвратительный шовинизм! Гендерный геноцид!

— Майонез фасуют в банки или пакеты, — растерянно бубнила я. — А вот йогурт часто кладут в стеклянные стаканчики, точь-в-точь как этот. Кому пришла в голову идея поместить сюда соус для салатов?

Официант склонился еще ниже:

— Правила сервировки не допускают на столе магазинной тары. То, что вы назвали стаканом, является тассеном.

— Тазом? — не поняла я.

— Тассеном, — терпеливо повторил официант. — Это часть сервировки стола, в которой подают соусы. Разрешите отойти за горячим?

Я машинально кивнула. Фигура в синем сюртуке скользнула в небольшую дверь. Мне оставалось лишь признать произошедшее: я слопала большое количество майонеза и теперь лучше не прикасаться к еде двое суток.

— Ну что же, господа! — громко произнес хозяин мероприятия, поднимаясь со стула. — Думаю, нам следует провести церемонию знакомства. Вчера вечером у нас не получилось общего ужина, на теплоход мы все поднимались в разное время. Зато за завтраком мы в полном сборе. Что ж, начну с себя. Я — Василий Олегович Самойлов, босс половины тех, кто сидит за столом. Так уж получилось, что, тесно сотрудничая во время работы, мы никогда не устраивали общих посиделок. Это неправильно, мы почти родственники, вот я и подумал: поездка на теплоходе — лучший способ познакомиться. Итак, я буду представлять своих коллег, а те расскажут, с кем пришли на наш первый совместный праздник.

Глава 2

Василий Олегович обвел взглядом присутствующих.

— Вначале хочу представить вам свою жену Катюшу.

Коротко стриженная брюнетка, на мой взгляд, едва ли справившая тридцатипятилетие, помахала изящной рукой и улыбнулась. Я была поражена моложавостью супруги Самойлова.

— Классно выглядит, да? — шепнул мне Юра. — Вероятно, не прикасается к майонезу.

Я исподтишка показала ему кулак.

— Слева от Кати сидит Леонид Зарецкий, заведующий нашим научно-исследовательским отделом, — продолжал Василий Олегович.

— Зачем кондитерской фабрике держать ученых? — тихонько спросила я у своего спутника.

Василий Олегович тем временем говорил:

— Создание новой конфеты — дело трудное. Обыватель считает, что очень просто смешать в котле сгущенку, орехи, какао и получить шоколадку. На самом деле разработка рецепта может занять годы, и никогда заранее не знаешь, что придется по сердцу потребителю. Например, «Коровка», к сожалению, не наша придумка, достаточно простая, без сложных составляющих, но любима не одно десятилетие. Сколько ни пытались улучшать «Коровку», добавляли в нее мак, арахис, покрывали глазурью, но народ предпочитает классический вариант. Карамель «Гусиная лапка», конфеты «Белочка», «Трюфель», шоколадка «Аленка» — вот высота, к которой нам нужно стремиться. Но и мы тоже имеем вполне конкурентоспособный товар: в свое время очень удачно стартовали с изделием «Свадьба», потом появился «Колокол»[1]. Надеюсь, Леня, мы и дальше не сбавим оборотов. Ты сегодня вместе с женой?

Лысый толстячок лет сорока пяти, одетый в пронзительно-голубой джинсовый костюм, кивнул:

— Да, знакомьтесь: Вика, моя супруга, она врач, психотерапевт и психолог.

Я едва не поперхнулась капучино, который как раз в этот момент отпила из чашки. Меньше всего стройная блондинка с кукольным, чересчур сильно для утреннего времени накрашенным личиком похожа на специалиста по ремонту душ. Доктору положено носить серьезную прическу, блузку на пуговичках под горло, не увлекаться макияжем и иметь строгий вид. Вика же щеголяет в обтягивающей маечке, щедро усыпанной стразами, низкое декольте почти полностью открывает бюст, который слишком совершенен, чтобы быть натуральным. На изящной шее висят многочисленные бусы, на запястьях бренчит с десяток браслетов, но больше всего меня поразили ее руки. Пальцы Вики заканчивались почти семисантиметровыми пластинами, загнутыми, словно когти у грифа. Но в отличие от птички Вика явно посещала маникюршу: ее ногти были покрыты ярко-красным лаком и вдобавок украшены изображением ромашек.

— Рада познакомиться, — тут же защебетала

---

[1] Названия придуманы автором, любые совпадения случайны.

она. — Я обожаю прогулки на воде. Так прикольно! Папочка, помнишь, как мы веселились в Испании, когда взяли напрокат яхту? Можно сегодня искупаться? Хоть и сентябрь, но очень жарко. Я прихватила с собой бикини из последней коллекции!

— Дорогая, съешь круассан. — Леонид поспешил заткнуть жене рот.

— Отлично! — излишне весело воскликнул Василий Олегович. — Но сначала продолжим знакомство. Прошу любить и жаловать — главный художник Никита Редька с женой Анечкой.

Пара довольно полных людей, облаченных в клетчатые рубашки, мило заулыбалась присутствующим.

— Кит, вымолви словечко, — попросил начальник.

Редька взъерошил кудрявые волосы.

— Ну... э... э... Лучше нарисовать!

Анечка звонко рассмеялась.

— Василий Олегович, вы, наверное, знаете, что Никита не оратор. В нашем доме трещотка я!

Мне Анна понравилась сразу. У нее был ясный приветливый взгляд и, очевидно, веселый нрав.

Директор кивнул.

— Теперь поприветствуем нашего пиар-директора Манану. Прости, дорогая, но выговорить твою фамилию я не способен. Понимаю, что это неприлично, невоспитанно, но даже пытаться не стану.

Очень худая женщина с огромными карими глазами и слишком большим для мелкого лица носом оторвалась от омлета.

— Ничего особенного, Гигиенимишалавили.

Сидевшие за столом засмеялись, а Манана продолжила:

— Я москвичка, родилась в столице, фамилия досталась мне от папы, а имя от бабушки. В школе меня звали Маня, очень смешно было наблюдать, как учителя, желая вызвать к доске девочку Гигиенимишалавили, сначала шевелили губами, потом хмурились, сдвигали брови и говорили в конце концов: «Горина, выходи». В результате Оля Горина, которую вытаскивали вместо меня, исходила тихой ненавистью, а я, наверное, была единственной ученицей, которая практически не отвечала устно. Предлагаю отбросить церемонии и звать меня Маней. Благодарю Василия за любезное приглашение, и еще раз огромное спасибо, что разрешил приехать мне вместе с дочкой. Поздоровайся, милая.

— Здрасте, — звонко разнеслось над столом. — Меня зовут Тина. Мама, я не люблю оладьи, а этот дядя мне их положил! Я просила сосиски, но он меня не послушал! Пожалуйста, дайте сосиски, это моя любимая еда! И кетчуп! Кетчуп — самое вкусное! Мамочка, не волнуйся, я не закапаю чистое платье, я аккуратная. Можно мне сосиски? И кетчуп! Пожалуйста!

На несколько секунд в столовой повисла тишина. В словах малышки, наивно признающейся в горячей любви к колбасным изделиям и томатному соусу, не было бы ничего необычного, детская непосредственность всегда вызывает у взрослых улыбку умиления. Но Тина выглядела по меньшей мере лет на двадцать, однако возраст не мешал ей прижимать к груди плюшевую игрушку самого дурацкого вида: то ли поросенка, то ли медвежонка.

Манана растерянно оглянулась и быстро ответила:

— Конечно, солнышко, сейчас принесут.

— Нет проблем, — подхватил Самойлов. — Эй, вы там, подайте Тиночке то, что она просит.

Девушка захлопала в ладоши и повернулась к даме, которая сидела напротив меня.

— Хотите, поделюсь с вами? Я умею резать еду ножом, это очень просто: вжик, вжик — и готово!

— Гастрономические изделия не забава, — растерянно ответила тетка, то ли не понявшая, с кем поддерживает беседу, то ли категорически не умевшая общаться с особенными людьми.

— Вот мы и добрались до моих друзей! — легко перекричал ее Василий Олегович. — Перед вами Алина Сергеевна Бортникова, диетолог, психолог и моя бывшая одноклассница, она...

— ...крайне удивлена нездоровым набором продуктов на столе, — быстро перебила его Алина. — Я готова дать любому присутствующему консультацию по правильному питанию. А в особенности вам!

Бортникова бесцеремонно ткнула пальцем в мою сторону.

— Не стоит употреблять майонез тазами!

— Это тассен, — вдруг сказала Аня, — разновидность соусника. Название происходит от немецкого слова «tasse», что означает чашка.

Я ощутила новый прилив дружелюбия к жене художника, а Василий Олегович картинно потер руки:

— Юра Шумаков, мой племянник, и его очаровательная, восхитительная, талантливая, гениальная спутница, наша великая писательница Арина Виолова. Ура!

В моей груди возникло тепло, потом жар, быстро поднявшись по шее, наполнил голову. Меня очень смущают похвалы, намного комфортнее я чувствую себя как объект критики.

— Простите, — прочирикала Алина. — Я плохо расслышала вашу фамилию: Толстая или Достоевская?

— Вау! — закричала Тина. — Я вас читаю! Прикольно! Больше всего мне понравилось, когда теньку дома в ванне утопили, а потом в море кинули, но врач все равно понял, в чем дело. Он мертвую шприцем проткнул! Хрясь! Под микроскоп сунул и все понял! Мама, я выучила новое слово! Микроскоп! Мама, я его у ней в книжке вычитала! Мама, похвали меня!

— Умница, — ответила Манана. — Но надо говорить «у нее», а еще лучше сказать «у писателя».

Алина закатила глаза.

— Куда катится мир! Люди читают всякие бредни!

Юра стиснул зубы. Я поняла, что он сейчас сделает, положила руку ему на колено и чуть сжала ногу. Шумаков крайне нервно относится к людям, готовым ткнуть длинной иглой в больное место литераторши Виоловой. Я многократно объясняла ему: «Поверь, я не реагирую на щипки, давно привыкла к глупостям, которые пишут обо мне журналисты, и игнорирую злобные высказывания в свой адрес».

Но Юра все равно бросается на моего обидчика с шашкой наголо, вот и сейчас он произнес ледяным тоном:

— Женщине, которая рассказывает о превращении мозга в сыр, не следует критиковать чужое творчество. Вы читали хоть один роман Виолы?

— Нет, — с брезгливостью выдала диетолог. — Никогда не возьму в руки подобную литературу.

— Если вы не читали ее произведения, откуда такое пренебрежение? — Шумаков явно решил поставить Алину на место.

Та растерялась, и тут оживилась Аня:

— Если вы прихватили на судно пару своих детективов, дайте мне, я вас обожаю. Арина — это псевдоним?

— Да, — слегка успокоился Юрасик, — по паспорту она Виола Тараканова.

— Разве можно ожидать душевной тонкости от людей, которые с утра набивают желудок сосисками?! — выпустила очередную отравленную стрелу Алина.

Юра вновь побледнел, но тут Самойлов встрепенулся и взял инициативу в свои руки:

— У нас остались три красавицы: Ирочка, Света и Лизонька. Катя, моя жена, занимается благотворительностью, она основала приют для девочек-сирот. Мы берем в свою семью несколько воспитанниц по очереди, и они некоторое время живут с нами.

— Очень благородно, — вякнула Манана.

— Ирочка, она в зеленом платье, — продолжал

Василий Олегович. — Круглая отличница, ходит в седьмой класс; Светлана больше увлекается спортом, имеет разряд по художественной гимнастике, но ей надо подтянуть математику, так?

Одна из девочек, сидевших в самом конце стола, смущенно кивнула.

Воспитанницы были в разной одежде, а вот в волосах у них я заметила одинаковые заколки, украшенные пластиковыми божьими коровками. У Иры было два «краба», у Светы один.

— Ну, ничего! — отечески улыбнулся Самойлов. — В этом учебном году будешь заниматься усердней и догонишь Ирину по успеваемости. Лизонька у нас выпускница, ей в ноябре исполняется восемнадцать и... А где Елизавета?

Все гости одновременно повернули головы в сторону сирот.

— Ира, — спросила Катя, — почему Лиза не вышла к завтраку?

— Не знаю, — еле слышно ответила та.

— Она вчера отравилась, — неожиданно заявила Светлана. — Я к ней утром зашла, а ей плохо, она сказала: «Голова сильно кружится».

Катя покачала головой.

— Светлана, причешись! Где твоя вторая заколка? С одной ты выглядишь растрепанной!

— Я ее потеряла, — призналась Света.

Катя сдвинула брови, потом встала и вышла из столовой. Василий Олегович завел громкую беседу с Зарецким, жена ученого начала строить глазки главному художнику, официант приволок очередной кофейник, а я, дождавшись момента, когда присутствующие увлекутся разговорами, тихонько выскользнула в коридор и поторопилась в свою каюту. Почему-то очень захотелось принять душ.

Ванная комната, примыкавшая к спальне, оказалась неожиданно большой, в ней висело много полотенец вкупе с четырьмя халатами.

Я постояла под струями воды, потом завернулась в полотенце и стала расчесывать волосы. Наверное, зря я согласилась принять участие в поездке, меньше всего мне нравится в чужом пиру похмелье. Что за странная идея пришла в голову Василию Олеговичу? Если его фирма никогда не устраивала корпоративных мероприятий, на которые сотрудников зовут семьями, то зачем сейчас стихийно разжигать дружбу?

— Надо срочно вызвать бригаду! — неожиданно раздался голос Юры.

Сначала мне показалось: пока я мылась, Шумаков вошел в комнату. Поэтому я высунулась из ванной, хотела спросить, о чем он ведет речь, и увидела, что в каюте пусто.

— Может, все обойдется? — воскликнул Василий Олегович. — Не хочу бросать дело. Вероятно, Лиза просто потеряла сознание.

— Неужели вы ничего не поняли? — сухо сказал Юра. — Немедленно соединитесь с берегом.

И тут я сообразила: очевидно, впритык к нашей ванной прилегает еще одна комната, ванная рассчитана на две каюты, вон дверь. Я нажала на ручку и увидела пустую, похоже, никем не занятую спальню. Значит, Шумаков и Самойлов беседуют в коридоре. Я вернулась в ванную. Кондитер показался мне слегка испуганным.

— Что делать? — задал он классический вопрос.

— Немедленно причалить и вызвать на набережную «Скорую», — ответил Юра.

— Мне необходимо докопаться до истины, — невпопад заявил Самойлов.

— Лучше поменять планы, — решительно предложил Юра.

— Это невозможно!

Василий Олегович что-то неразборчиво забормотал, я вошла в спальню и легла на кровать. Нехорошее предчувствие тихо вползло в душу. Возник вопрос: почему Юра зовет родного дядю на «вы»? По какой причине директор фабрики носит фамилию Самойлов, а мой приятель — Шумаков?

Дверь в коридор дернулась, потом раздался стук.

— Кто там? — на всякий случай спросила я.

— Юра, — ответил мужской голос.

Я встала и распахнула створку.

— Я не запирала! Похоже, замок сам заблокировался.

Шумаков подергал туда-сюда ручку и сказал:

— Замок заедает! Ерунда! Я видел доску с запасными ключами, отопрем, если не сработает!

— Не разделяю твоего оптимизма, — фыркнула я. — Если на круизном теплоходе не работает замок в каюте, то и в моторе могут обнаружиться неполадки!

— У тебя плохое настроение? Голова болит? — заботливо осведомился Юра. — Что ты предпочитаешь: растворимый аспирин или цитрамон?

— Почему ты Шумаков, а твой дядя Самойлов? — задала я вертевшийся на кончике языка вопрос.

Юра сел на край кровати.

— Василий Олегович — брат моей матери, та стала Шумаковой, когда вышла замуж.

Я испытала большое облегчение, а потом досаду: самой следовало додуматься до элементарно простого ответа.

— Так аспирин или цитрамон? — спросил Юра. — Правда, таблетки и растворы не всегда эффективны. Я знаю лишь одно стопроцентно срабатывающее средство от мигрени, но ты не согласишься его принять.

Меня в секунду охватило любопытство.

— Какое?

— Гильотина, — сообщил Юра. — Нет головы — нет проблемы.

— Слишком радикально, — оценила я его предложение, — обойдусь аспирином. Что случилось?

— Где? — прикинулся дурачком Шумаков.

— У Василия Олеговича, — терпеливо ответила я.

— Дядя без всяких происшествий пошел в каюту, — лихо солгал Шумаков.

Я потрогала мокрые волосы.

— Я слышала вашу беседу, опрометчиво болтать в коридоре.

Юра быстро заморгал, а я спросила:

— Кому-то плохо? Кстати, почему на людях племянник «тыкает» дядюшке, а оставшись с ним наедине, переходит на «вы»? Обычно бывает наоборот.

Юра вытянулся на койке.

— Может, нам не стоит тратить время на обсуждение всяких глупостей? Скоро теплоход причалит к городку Паново, пойдем, погуляем?

— Вроде остановку обещали после обеда, — напомнила я.

— Василий передумал, — улыбнулся Юрасик. — Вспомнил, что в Паново открыт замечательный рынок народных ремесел, местечко славится своими лоскутными одеялами.

— Наверное, там и больница есть, — воскликнула я. — Бьюсь об заклад, когда гости во главе с Василием Олеговичем поспешат за пледами из тряпочных обрезков, ты останешься на борту и поможешь запихнуть в машину «Скорой помощи» носилки с бедной Лизой. Что случилось с воспитанницей приюта, и как ты собирался вытурить меня на рынок одну?

Глава 3

Юра хлопнул ладонью по покрывалу:

— Ну, извини.

— Ничего, ври, пока врется, — пожала я плечами. — В первый раз это прощается, но знай: я не стану иметь дело с профессиональным лгуном. Либо ты говоришь мне правду, либо до свидания.

— Я не имел права нарушить тайну клиента, — смутился Юра. — Но Василию сразу сказал: «Вилка умная, интуитивная, лучше работать с ней в паре».

— Понятненько, — процедила я. — Самойлов тебе вовсе не дядя.

— Я знаю Василия Олеговича с младенчества, — заворковал Шумаков. — Он наш сосед по даче, я с его сыном на велике гонял. Отказать не смог.

— Хорошо, — пожала я плечами. — Дальше можешь не продолжать.

— Давай объясню...

— Не надо! — остановила я Шумакова. — Дружба дружбой, а табачок врозь. Не следует смешивать работу с личной жизнью. В другой раз откровенно предупреждай: я нахожусь при исполнении служебных обязанностей, и никаких проблем. Я отлично понимаю специфику твоей деятельности, поэтому не стану задавать вопросов. Только врать не надо.

— Вилка, — забормотал Юра и попытался меня обнять. Я вывернулась из-под его руки.

— Все, больше не беседуем на данную тему. Точки расставлены, просто скажи: «Вилка, иди на рынок за лоскутным одеялом, мне надо решить проблему, твоя помощь не нужна».

— Как раз помощь очень даже нужна, неспроста я тебя сюда пригласил. Еще вчера хотел подробности рассказать, — вздохнул Шумаков, — спросить совета, но не успел.

— И что тебе помешало? — ехидно спросила я.

Юра опять похлопал рукой по кровати и засмеялся. Я потупилась.

— А утром нас позвали завтракать, — весело продолжал он. — Я думал, выпьем кофе и все обсудим. Вот только ситуация завернулась винтом. Ты меня слушаешь?

Я кивнула:

— Очень внимательно. Но пока поняла лишь

одно: ты вчера пристал ко мне, а потом заснул без задних ног, поэтому не успел объяснить цель поездки на теплоходе.

— Минуточку, — ухмыльнулся Юрасик. — Давай выясним, кто к кому первый лапки протянул, а?

— Какая разница, — отмахнулась я. — В результате же под одеялом очутились вместе. Так что происходит на теплоходе?

Шумаков пересел в небольшое кресло в углу.

— Начну по порядку.

— Хорошая мысль, — одобрила я.

Юра покосился на меня и стал излагать.

Василий Олегович действительно является соседом отца Шумакова по дачному участку. Дом Самойлову достался от родителей, можно сказать, это родовое гнездо, поэтому, затевая производство конфет, Василий продал городскую квартиру, а не дачу в деревне Обуховке. Семья перебралась на фазенду и жила там до тех пор, пока Самойлов не смог купить новые апартаменты. В отличие от многих нуворишей быстро разбогатевший кондитер не стал строить новые хоромы, он отремонтировал старые, пристроил к ним несколько комнат и остался в Обуховке. Юра знает Василия Олеговича много лет, а тот считает Шумакова кем-то вроде своего племянника, поэтому, когда у бизнесмена возникла нешуточная проблема, он обратился за помощью к нему.

Василий Олегович тратит большие средства на исследовательскую работу. В свое время Леониду Зарецкому удалось придумать рецепт замечательной конфеты, а Самойлову пришло в голову на редкость удачное название «Свадьба». Фантик был выполнен в бежево-золотистых тонах, по бокам шла надпись «Желаем счастья», а в середине красовались два сердца. Стоит ли объяснять, что шоколадки стали покупать к праздничному столу? Вдохновленный успехом, Самойлов освоил выпуск наборов с таким же названием и оформлением, в коробке, кроме самих конфет, были еще и марципановые фигурки жениха с невестой. «Свадьба» в мгновение стала хитом продаж и принесла хозяину фабрики сверхприбыль.

Василий велел Зарецкому продолжать работу, но, увы, следующие проекты оказались почти провальными, они не вызвали ажиотажа у потребителя, их покупали, но очень вяло. Самойлов подгонял Леонида, требовал от него креативных решений, и в конце концов Зарецкий создал, на взгляд хозяина, настоящий шедевр — простой, необычайно вкусный и недорогой по цене. Не подкачали и специалисты, которые занимались названием. После длительных споров выбрали вариант «С днем варенья»[1]. С одной стороны, практически все россияне видели культовый советский мультфильм про очаровательного Винни Пуха, с другой — эта фраза давно вышла в народ и ассоциируется у всех с днем рождения.

В августе Самойлов с помпой открыл в самом центре Москвы фирменный магазин, выкинуть новинку на рынок решили первого сентября. А к началу ноября предполагалось выставить на при-

---

[1] Конфеты «С днем варенья» — фантазия автора, все совпадения случайны.

лавки коробки, украшенные знаками зодиака. На крышке золотом вытеснили «С днем варенья», а чуть ниже названия красовались рисунки астрологических символов: Близнецы были голубого цвета, Овен — красного, Рыбы — синего и так далее.

Чтобы подготовить рынок к новому продукту, пиар-служба фабрики устроила мощную рекламную акцию, метро и маршрутные такси завесили плакатами со слоганом: «Без чего нет настоящего дня рождения? Ну, понятно, без варенья. Что такое день рождения? Это просто день варенья!»

Первого августа в семь утра Василия разбудил Леонид.

— Я держу в руках коробку «С днем варенья»! — закричал он в трубку.

Самойлов, еще не окончательно проснувшись, недовольно протянул:

— Молодец. Но зачем меня в такую рань поднял?

— Ты не понял! — заорал Леня. — Я купил конфеты в магазине!

Василий подпрыгнул на матрасе.

— Как они туда попали? Только не говори, что кто-то перепутал месяц и решил отгрузить со склада наборы оптовикам! У нас намечена всероссийская премьера! Одновременный старт в сорока городах первого сентября. Первого сентября! Не первого августа!

— Ты не понял, — тихо повторил Леонид. — Я приобрел не наши конфеты!

— А чьи? — обомлел Василий Олегович.

— Фабрики Бурцева, — прошептал Зарецкий. — Коробка оранжевого цвета, «С днем варенья», знак зодиака Лев.

Самойлов ринулся на работу. По дороге он завернул в супермаркет, в отдел, где торговали шоколадом, и сам увидел наборы.

Пока шеф пытался осознать произошедшее, Леонид помчался в лабораторию, подверг чужую продукцию тщательному анализу и выяснил: фабрика Бурцева использовала рецепт, разработанный специалистами Самойлова, были только крохотные различия.

Юра перевел дух и посмотрел на меня:

— Понимаешь?

Я кивнула.

— У Василия Олеговича в конторе завелся шпион, который слил информацию конкуренту.

— Причем сделал это изощренно, — подхватил Юра, — растрепал об упаковках, рекламной кампании. Это очень похоже на месть, уж больно ловко устроили продажу первого августа. Естественно, Самойлов сначала опешил, потом взбесился, но быстро взял себя в руки и сделал вид, что ничего страшного не случилось. Более того, Василий собрал совещание руководства предприятия, на котором задал перца своим сотрудникам. Самые острые молнии полетели в Зарецкого.

— Отдел топчется на месте, — чеканил Василий. — Хватается за первую попавшуюся идею, а наши конкуренты не дремлют! И вот результат: создание идентичной продукции. Леонид, от твоей лаборатории ждут креативности!

Следом Самойлов переключился на Манану:

— День варенья! Ну и ну! Еще оригинальнее

было бы назвать новинку «Столица» или «Московские»! Хватаетесь за первую пришедшую в голову идею!

Короче, досталось всем, даже уборщице, которая попалась в злосчастный день директору без обязательной шапочки на голове. Но никто не обиделся на Василия Олеговича, все понимали, как сильно задет хозяин.

— Странное поведение, — перебила я Юру. — Неужели Самойлов настолько наивен, что не понял: в конторе завелся стукач?

Шумаков положил ногу на ногу:

— Да все он сообразил! Василий Олегович совсем не дурак! Идиот никогда не поднимет бизнес с нуля. Самойлов страстно хочет найти предателя. Вот ты бы как стала действовать в подобной ситуации?

Я посмотрела в иллюминатор, за которым отражалось голубое небо.

— Для начала выяснила бы, кто мог иметь доступ к полному пакету информации. Если конкурент повторил весь проект, значит, его шпион может входить в любые двери на фабрике. Ну, допустим, сотрудник пиар-отдела способен слить название, но он ничего не скажет о рецептуре. А лаборант Зарецкого знает, сколько какао, масла, орехов и прочих ингредиентов добавлено в шоколадку, но понятия не имеет о всяких рекламных примочках. Водителей, дворников, упаковщиц и прочий персонал, находящийся у подножия служебной лестницы, в расчет принимать не стоит. Думаю, научный отдел закрыт и для случайных посетителей?

— Точно, — согласился Юра. — Они там даже убирают сами.

Я приободрилась — приятно, когда твое мнение признают авторитетным. Надо отдать должное Шумакову, он понимает, что я слегка комплексую, и старается лишний раз дать мне понять: я самая умная, красивая, талантливая. Пустячок, а приятно.

— Выделив узкий круг посвященных, — продолжала я, — необходимо изучить их материальное положение, постараться засунуть нос в банковские счета, проверить, насколько расходы совпадают с доходами. Допустим, Н купил шикарный автомобиль, но у него неработающая супруга, трое детей и алименты на отпрысков от первого брака. Откуда деньги? Или М постоянно просил в долг, брал кредиты в банках, а затем — хоп! — расплатился по всем обязательствам и поехал отдыхать на Сейшелы. Резкое изменение материального положения в лучшую сторону при сохранении прежней зарплаты — настораживающий фактор. Хотя возможны варианты, допустим, получение наследства. Я доходчиво объясняю?

Юра встал, пересел на кровать и обнял меня.

— Ты умница. Василий Олегович именно так и поступил. Он просчитал все варианты и понял: всю подноготную о новинке знали Леня Зарецкий, главный художник Никита Редька, пиар-директор Манана, чью фамилию я не берусь воспроизвести, и Алина Бортникова.

— Диетолог? — удивилась я. — Вот уж кого никогда бы не включила в список.

Юра улыбнулся:

— Алина — очень близкий Василию Олеговичу человек. Мало того что они учились в одном классе, так еще Бортникова давно является лечащим врачом семьи Самойловых. Ее не стесняются, при ней обсуждаются все проблемы. К услугам Алины прибегает и Никита. Кстати, Манана тоже хочет к ней обратиться. Согласись: с человеком в белом халате пациенты откровенны, мы считаем, что понятие «врачебная тайна» распространяется не только на медицинские, но и на наши личные секреты. Однако не все Гиппократы умеют держать язык за зубами.

Под потолком раздался щелчок, тихое покашливание, а затем красивый баритон произнес:

— Господа, наш теплоход приближается к городу Паново. Стоянка продлится три часа. Вы можете посетить местный краеведческий музей, при котором работает рынок народных ремесел. Паново славится своими лоскутными одеялами и вышитыми рубашками. Просьба не опаздывать к отплытию. Желаем вам хорошо провести время.

Я встала, открыла шкаф и не удержалась от замечания:

— Редька и его жена излишне полные люди, я понимаю, зачем им понадобился диетолог. Но Манана! Она смахивает на грабли в обмороке. Ей нет необходимости ограничивать себя ни в сладком, ни в жирном. Зачем ей обращаться к Бортниковой?

Юра изогнул дугой бровь.

— Ты видела Тину? Дочь Мананы.

— Конечно, мы вместе завтракали.

— И ты не удивилась?

Я сняла с вешалки белый кардиган. На улице тепло не по-осеннему, но лучше прихватить на прогулку что-нибудь теплое.

— Девушка не показалась тебе странной? — не успокаивался Шумаков.

— Тина, вероятно, имеет небольшие умственные отклонения, — предположила я.

Юра улыбнулся:

— Ты слишком деликатна. Она дебил. Девчонке двадцать лет, а она ведет себя как детсадовка. Манана наивно надеется, что дочь можно вылечить при помощи правильно подобранного питания. Судя по хвалебной оде, которую Тина спела сосискам с кетчупом, ее морят голодом. Мать решила обратиться к диетологу, и это был лишний повод для Василия Олеговича позвать на теплоход Алину.

— Как тебе не стыдно! — возмутилась я. — Люди бывают разные. Те, кого ты презрительно называешь «дебил», всегда остаются милыми детьми, они ласковые, послушные, трогательные. У меня Тина вызывает лишь положительные эмоции, просто с ней надо общаться как с малышкой, не обращая внимание на ее возраст и формы. Надеюсь, Алина не согласится курировать девушку. Бортникова отлично понимает: мать готова на все, чтобы вылечить своего ребенка. Чем взрослее несчастный, тем сильнее это желание. Диетолог не имела права втягивать Манану в такую авантюру, думаю, особое меню никак не поспособствует умственному развитию Тины.

Теплоход вздрогнул, ровный гул моторов, который был постоянным фоном путешествия, стих, зато ожило радио.

— Господа, наш теплоход причалил к городу Паново. Стоянка три часа. Для вашего удобства начало обеда перенесено на семнадцать ноль-ноль. Просьба не опаздывать к отплытию. Экипаж желает вам удачной прогулки.

— Здесь есть команда? — запоздало удивилась я.

Юра заморгал:

— Ну, конечно! Теплоходом управляют капитан с помощником. У них в подчинении матросы, повар, горничные, какой-нибудь механик, я не в курсе.

— Действительно, — пробормотала я, — глупый вопрос.

Юра не упустил возможности ввернуть комплимент:

— Из уст красавицы любое заявление звучит приятно.

Все-таки женщины легко покупаются на избитые уловки. Вот сейчас я отлично понимаю: Юра мне льстит, меня никак нельзя назвать красоткой. Я умная, надежная, веселая, обладаю стройной фигурой и при вечернем освещении, со спины, сойду за юную девушку. Но ангельской внешностью господь госпожу Тараканову не одарил. В подростковые годы я переживала из-за не очень густых, слишком светлых волос, близко посаженных к носу глаз и небольшого рта с тонкими губами. В четырнадцать лет я была не гадким утенком, а отвратительным жабенком, отсутствие модной одежды лишь подчеркивало мое внешнее уродство. Мне до зубовного скрежета хотелось походить на самую красивую девочку школы Маргариту Некрасову. У Риты была копна каштановых кудрей, очи, напоминавшие чернослив, и нежный смуглый цвет лица. Родители Некрасовой работали в сфере торговли, единственную дочь они одевали как куклу. Став писательницей, я получила возможность тратить деньги на тряпки, научилась делать макияж и сейчас выгляжу вполне прилично, однако Мисс Привлекательность мне никогда не стать. Но Юра сейчас так искренне сказал о моей красоте! Я глупо заулыбалась.

Из коридора послышались шаги и гул голосов.

— Если найду одеяло в фиолетовых тонах, непременно куплю два, — сказала Манана. — На даче пэчворк.

— Папочка, мы возьмем пледики? — прочирикала Вика Зарецкая. — Прикольно иметь такие тряпочки, это очень модно!

— Конечно, дорогая, — ответил Леонид. — Ты выберешь самые лучшие.

— Девочки, не отставайте, — долетели издалека слова Кати Самойловой. — Ира, где Света?

— Здесь, — раздалось в ответ. — Бегу, только сумку возьму.

Я взялась за ручку двери.

— Стой, ты куда? — воскликнул Юра.

Я обернулась.

— После нашей беседы мне стало понятно, что Самойлов созвал тусовку неспроста. Василий Олегович надеется, что в процессе совместного отдыха предатель расслабится и невольно себя выдаст. А «племяннику» Юре нужно постоянно быть начеку и держать ушки топориком. Ты охотничья собака, которая бежит по следу.

— Верно, но произошло нечто, сильно усложнившее ситуацию, — признался Шумаков.

Притихшее было любопытство вспыхнуло в моей душе с новой силой.

— Что случилось?

— Супруга Самойлова — владелица приюта для девочек-сирот. Не знаю, по каким критериям она отбирает воспитанниц, но, если сиротка попадает в Катин детский дом, ее жизнь становится похожа на сказку. Катерина дает ребенку отличное образование, поддерживает его материально и морально. Раз в месяц она приглашает нескольких воспитанниц к себе в гости, Катя тщательно следит за соблюдением справедливости, она не допускает появления любимиц-фавориток. В подмосковном доме Самойловых рано или поздно побывают все дети. В нынешнем сентябре счастливицами стали Ира, Светлана и Лиза. Им повезло, Василий Олегович затеял круиз, и девочки попали на теплоход.

— Думаю, они в восторге, — сказала я.

— Ага, — кивнул Юра. — В особенности Елизавета, которая лежит сейчас в каюте мертвая.

Глава 4

Я содрогнулась:

— Что произошло?

Юра развел руками:

— Пока непонятно. Света сказала, будто вчера вечером перед посадкой на теплоход Елизавета соблазнилась шаурмой, которую продавали на речном вокзале, и купила лепешку с курицей. Катя категорически запрещает воспитанницам приближаться к фастфуду, Ирина со Светланой послушные, боязливые девочки, им и в голову не придет ослушаться Самойлову. Елизавета была строптива, имела по каждому вопросу собственное мнение, и она значительно старше подружек. Лиза в этом году поступила в художественное училище, она отлично рисовала, и Катя хотела, чтобы девушка стала дипломированным живописцем. Занятия начинаются 6 октября, Катя решила сделать Лизе сюрприз, подарила ей поездку на «Летучем самозванце».

— Если мать просит тебя не лопать на улице пятисортное угощение, то не стоит злиться, вероятно, она права, — мрачно констатировала я.

— Ну и попробуй объяснить это девушке, которая вот-вот вырвется из-под твоей опеки, — хмыкнул Юрий. — Лиза решила, что предостережение Кати: «Никогда не ешьте ничего из палаток и ларьков!» — есть проявление старческого занудства, глупости взрослого человека, который пугается собственной тени. Ну, что может случиться с Лизочкой? Она же бессмертна, а шаурма так аппетитно пахнет! Капризница полакомилась от души. Пока Катя устраивала Иру, а потом Свету на теплоходе, Лиза ждала у трапа и с аппетитом лопала курицу в лаваше. Итог печален. Утром, когда Света зашла в каюту Лизы, она увидела, что ту сильно тошнит. Девочка испугалась и хотела броситься к Катерине, но Лиза ее остановила, велела помалкивать, призналась, что ела шаурму на причале, и попросила:

— Светка, никому ни слова, Катерина разозлится, начнет меня отчитывать, занудит: «Я тебе сто раз говорила, и вот результат?» Ну подумаешь, живот заболел, часа через два пройдет! Если выдашь меня, отомщу тебе по полной.

Света испугалась и пошла в каюту к Ире. Семиклассницы очень гордились тем, что именно их взяли в эту поездку, они решили не ударить в грязь лицом и все время до завтрака сооружали друг другу прически, покрывали ногти лаком, пытались накрасить ресницы.

Лиза не вышла к завтраку, ее отсутствие заметили лишь в конце трапезы. Катя пошла в каюту, нашла Лизу в кровати, ей показалось, что она без сознания. Самойлова позвала мужа, тот прихватил меня. Когда я увидел девушку, то сразу понял: она мертва.

— Ты не реаниматолог, — тихо произнесла я. — Следовало срочно вызвать «Скорую».

Юра ткнул рукой в сторону иллюминатора:

— Куда? Мы плывем по реке, по берегам только мелкие деревушки, к ним не пристать, катера у местной больницы нет. Капитан соединился с Паново и попросил врачей прибыть туда. По плану нам предстоит шевелить веслами без остановки до Волынска[1]. Я уже связался с милицией. Как только гости теплохода сойдут на берег и двинутся в сторону рынка, на борт поднимутся санитары и оперативники. Я останусь улаживать формально-

---

[1] Название придумано автором, любые совпадения случайны.

сти, мне нужна твоя помощь. Понимаешь, я внезапно подумал: вдруг Елизавета знала предателя?

— Девушка не работала на фабрике, — возразила я.

Юра взял со столика бутылку минералки и сделал пару глотков.

— Катя озабочена судьбой сирот, поэтому большинство ее воспитанниц, получив аттестат об окончании десятилетки, идут в училище, которое открыто при производстве Василия Олеговича. Я уже говорил, что комбинат — большое предприятие с магазинами во многих городах России. Сироты получают профессию, место в общежитии и начинают трудиться. На предприятии полно молодых парней, быстро складываются семьи, рождаются дети. Катерина несколько раз становилась крестной матерью. Такова биография большинства выпускниц. Но если человек проявляет яркие способности, Самойлова старается предоставить ему шанс. Были случаи, когда девушки шли в театральное училище или увлекались пением. Елизавета отлично рисовала, она хотела получить соответствующее образование и в будущем остаться на кондитерской фабрике в отделе, где придумывают дизайн фантиков и коробок, а для души писать портреты. Никита Редька считал Елизавету талантливой, часто приглашал в свой отдел, учил азам мастерства. Можно сказать, что кондитерское предприятие было для Сухановой вторым домом. Ты чем-то озабочена?

— Фамилия умершей — Суханова? — переспросила я.

— Да, — подтвердил Юрасик, — но, полагаю, сейчас последует другой, более важный вопрос.

— Вероятно, Катя знает об истории с конфетами «День варенья»? — спросила я.

Юра не успел ответить. В дверь каюты осторожно постучали. Шумаков открыл, и я увидела краснощекого потного юнца в милицейской фуражке. Воротничок его рубашки был слишком широк для шеи, смахивающей на перо зеленого лука, китель явно достался молодцу с чужого плеча, а может, для подобных малявок вообще не шьют форму. Плечи кителя стекали вниз, рукава прикрывали часть ладоней, зато голос у бравого борца с преступностью оказался по-сельски зычным.

— Невзоров! — заорал он. — Прибыл в поисках майора Шумакова!

Юра сделал рукой приглашающий жест:

— Ты его нашел, заходи, чувствуй себя как дома.

— Где труп? — не сбавляя тона, спросил Невзоров.

Шумаков схватил дурака за плечо, втянул его в каюту, затворил дверь и сердито спросил:

— Ты идиот?

— Я Невзоров, — неожиданно ответил гроза местных преступников.

Мне стало смешно. Интересно, сколько лет пареньку и кто догадался принять на службу юношу, чей размер шеи меньше моего, а объем бицепса составляет пять сантиметров? Невзоров не сможет даже поднять пистолет — упадет под его тяжестью. Думаю, он и бегает со скоростью беременной черепахи. Ни один преступник не испугается, столкнувшись с таким представителем закона и порядка.

— Как тебя зовут? — поинтересовался Юра.

— Андрюша, — по-детски непосредственно представился юноша, но тут же спохватился: — Андрей Павлович. Я заведую райотделом в Паново.

Я вытаращила глаза, а Шумаков, сохраняя самый серьезный вид, воскликнул:

— Так ты начальник! Поскольку наши отчества совпадают, мы можем забыть про них и обращаться друг к другу попросту. Я Юра. А на кровати сидит самая лучшая писательница России Арина Виолова, надеюсь, ты читал ее детективы.

— Не-а, — честно сообщил Андрей. — Я больше кино люблю, в Волынск за дисками катаюсь. Далековато, правда, зато там дешево и у пиратов офигенный выбор.

Услышав последнее заявление, Юра крякнул, но милый Андрюша не понял, какую глупость сморозил. Он вещал дальше:

— Вообще-то я неделю как работаю. Паново типа деревня, жителей немного, в основном старики, живут за счет туристов. Здесь теплоход может причалить, река глубокая и пристань есть. Вот Райкино — большой город, там несколько тысяч населения, но им не повезло, в том месте отмели, кораблю не пристать. Прежний начальник Возюков Алексей Михайлович помер, меня на его должность поставили. Пока привыкаю.

— Отлично, — весело заулыбался Юра. — Все когда-то начинали. Тебя предупредили, что ты поступаешь в мое распоряжение?

Андрюша снял фуражку и почесал макушку, покрытую короткими кудрявыми волосами.

— Из Москвы телефонограмма в Вакулово пришла, — наконец сказал он, — там наше начальство сидит. Мне сам Федор Евгеньевич звякнул и велел: «Невзоров, не упади в навоз носом. Сам Виталий Матвеевич тебе приказывает майору Шумакову помогать. Он столичный ферзь, еще наболтает потом, что в Панове и Вакулове тетехи служат. Не опозорь!» Но я сомневаюсь насчет беседы Федора Евгеньевича с Виталием Матвеевичем. Баранов больно высоко сидит.

Юра похлопал ладонью по креслу:

— Садись, Андрюша. С Виталием Барановым я учился в одной группе, мы с тех пор приятели. Вот и велел ему подыскать в Панове понимающего человека.

Невзоров, успевший умоститься в кресле, выскочил из него, как струя из фонтана, и замер навытяжку.

— На булавку угодил? — прикинулся простачком Юра. — Располагайся.

— Я лучше постою! — заорал Андрюша.

— Сесть! — гаркнул Шумаков.

Андрюша спелым яблоком упал на сиденье.

— Шикарно, начинаем договариваться, — восхитился Юрасик. — Итак. Трупа нет!

— Куда ж он подевался? — поспешил с вопросом Андрей.

— Лежит в каюте.

— Ваще ничего не понял, — заныл паренек. — То тела нет, то оно в спальне.

— Перевозка здесь? — спросил Юра.

— На причале, как велено, — отрапортовал Невзоров.

— Молодец, возьми с полки пирожок, — буркнул Шумаков, вынул мобильный и вышел в коридор.

Мы остались вдвоем.

— Здрасте, — прервал тишину Андрюша. — Вы стихи пишете?

— Нет, детективы, — уточнила я.

Невзоров чихнул.

— Извините. Романы в стихах?

— В прозе, — пытаясь сохранить невозмутимый вид, ответила я.

— Типа «Евгений Онегин»?

Я сделала глубокий вдох.

— Типа «Три мушкетера».

— Прикольно, — оживился Андрюша. — Я люблю про животных, у нас дома у мамки кролики есть, куры и корова.

Я решила, что симпатичный, но не разбирающийся в литературе милиционер перепутал мушкетера с мустангом, и решила просветить собеседника:

— Три мушкетера — это люди, мужчины.

— Я знаю, — сказал Андрей. — Но у них была собака!

— Что-то не помню, — вырвалось у меня.

— Ну как же! — оживился начальник из Панова. — Она у них продукты тырила, в лодке безобразничала!

Я растерялась еще больше:

— В лодке? Атос, Портос, Арамис и д'Артаньян не путешествовали по воде.

— Они кто? — простодушно спросил Андрюша.

— Мушкетеры. Неужели ты кино с Боярским не видел?

— А-а-а! — протянул Невзоров. — Там еще песня про седло. Ничего киношка, но сериал про ментов лучше. Я его посмотрел и профессию выбрал, пошел учиться, чтобы с преступниками бороться. Так это вы написали про Боярского?

— Роман вышел из-под пера Александра Дюма, и в тексте нет упоминаний о псах, — терпеливо разъяснила я.

— Я про другую книгу говорю, смешную, там мужчины и фокстерьер! — улыбнулся Невзоров.

— «Трое в лодке, не считая собаки»? — осенило меня.

— Почему же псину считать не надо? — с укоризной спросил Андрейка. — Он там за главного. Значит, вы написали эти книжки?

Я сделала вид, что не слышу вопроса. Боже, помоги Шумакову! С таким помощником он точно горы свернет. От злости.

— Первый раз живого писателя вижу, — разоткровенничался Невзоров. — В Вакулове дядя Игорь Гаврилов живет, но он вроде как ненастоящий, работает в парикмахерской, а в свободное время шансы сочиняет! Их в газете печатают, про любовь.

Паренек явно перепутал слова. Наверное, Пушкин местного розлива вдохновенно строчит стансы. Поправлять Андрюшу мне не хотелось.

— А где пирожок? — неожиданно спросил новоиспеченный милицейский начальник.

Вопрос был странный, и я опешила.

— Вы хотите есть? Думаю, на кухне найдется что-нибудь перекусить.

— Так мне на камбуз надо переть? — закручинился Невзоров. — Где он тут?

— Наверное, в подвале, — предположила я. — Или как там называется помещение на корабле, расположенное ниже ватерлинии.

Андрей озабоченно спросил:

— А какую полку он имел в виду? Я только-только на службу пришел, не хочется опростоволоситься. Надо было спросить у Шумакова, да я сконфузился. Еще посчитает меня у.о.

Я окончательно потеряла нить беседы.

— Кем? У.о.?

Невзоров с превосходством посмотрел на меня:

— Неужто не знаете? «Умственно отсталый», так в документах пишут, чтобы человека вежливо идиотом назвать. Ну лады, я почапал к коку, авось он про полку с пирогами в курсе.

— О какой полке ты говоришь? — не удержалась я от вопроса.

Андрей моргнул.

— У нас в милиции — как в армии, коли приказано, надо выполнять и не рассуждать. Старший по званию всегда прав. Юрий майор, мне до таких погон еще служить и служить, а еще он из Москвы, с самим Виталием Матвеевичем корешится. О-хо-хо! Вы разве не слышали, как Шумаков мне сказал: «Молодец. Возьми с полки пирожок». Вот только где, не уточнил. Наверное, хочет проверить мою сообразительность.

На секунду мне показалось, что он потешается, потом я посмотрела на простодушное лицо и поняла: Андрей на самом деле собрался идти на поиски выпечки. Нужно тактично объяснить балбесу: Юра пошутил. Я опустила глаза и сказала:

— Не ходи на кухню. Не надо.

— Почему? Пирожки не там?

— Их нет, — промямлила я. — Юра вел речь о шаурме, которую Лиза съела вчера на речном вокзале.

— Аха! — заулыбался Невзоров. — Типа, надо туда съездить, найти ларек и жрачку у них на анализ взять? Вдруг кура с гриппом была? Я вот никогда ничего готового не беру. У меня сестра Ленка в столовке работает, так я понаслушался от нее, чего они там в фарш пихают, чтобы из кило мяса тонну котлет сделать. А кто мне командировку оплатит? В столицу дорого ехать, за один день мне не управиться, ночевать придется. У нас в Панове бюджет маленький, даже на электричество не хватает, и машины нет, а велосипед у меня сломался, я пока пешком хожу.

Я попыталась подавить рвущийся наружу смех и весьма успешно изобразила кашель. Не знаю, сколь долго мне удалось бы маскироваться, но тут дверь приоткрылась, и в каюту заглянул Юра.

— Эй, пошли, только не орать!

Невзоров нахлобучил на макушку фуражку, и мы сплоченной группой выбрались на палубу. Два парня осторожно спускали по трапу носилки, на которых лежало тело, прикрытое до шеи застиранным темно-синим одеялом. Рядом шла женщина, которая держала в высоко поднятой руке капельницу. Длинная прозрачная трубочка, тянувшаяся от пластикового мешка, уходила под покрывало.

— Это кто? — ткнул пальцем в процессию Невзоров.

— Елизавета Суханова, — ответил Юра. — Ты сядешь в машину «Скорой помощи» и отвезешь девушку в морг, в Вакулово.

— Не понял! — нахохлился Андрюша. — Живых в морозильник не отправляют.

— На носилках труп, — тихо объяснил Шумаков. — Но мне надо, чтобы все на борту считали Елизавету живой, поэтому я и устроил спектакль с врачами. О'кей?

— Я ваще прибалдел, — затряс головой Андрюша. — Если она жмурик, то за фигом капельница? А если живая, то нельзя в морг!

Шумаков с мольбой посмотрел на меня. Я схватила Андрея за костлявое запястье, потащила по уже свободному трапу на причал, поставила около машины с красным крестом и попыталась вразумить.

— Слушай меня внимательно. Это спецоперация! Чтобы поймать преступника, мы должны заманить его в ловушку. Убийца считает, что удачно расправился с Елизаветой, вероятно, девушка знала некий секрет и могла выдать правонарушителя. Если врачи сделают вид, будто везут Лизу в больницу, киллер сообразит, что ошибся, и повторит попытку убрать Суханову. Он начнет разыскивать ее в клинике городка Вакулова, Шумакову останется лишь схватить злодея. Понял?

— Примерно так, — присоединился к беседе Юра, тоже сошедший на пристань.

— Ага, ага, ага, но зачем капельница? — решил прояснить все до донышка Невзоров.

Юра закатил глаза и быстро отошел к врачам.

— Для правдоподобия, — терпеливо пояснила я.

Невзоров неожиданно обрадовался:

— Вау! Лекарство капают в труп?

— Да!

— Очень плохо! Медикаменты дорогие, их больным не хватает, — продемонстрировал рачительность болван.

— Там вода из колодца, — оправдала я врачей.

— Зачем? Она ж бесполезная! — возмутился горе-сыщик.

— Трупу уже не помочь, это спектакль для посторонних, в «Скорой» капельницу уберут, — свистящим шепотом заявила я, испытывая острую потребность столкнуть тупоголового мента в реку.

Даже если Невзоров не умеет плавать, беспокоиться не стоит: бревно, как правило, не тонет, а у этого мента дубовая не только голова, а похоже, и все тело.

— Скумекал! — заорал Андрюша. — Она померла, но прикидывается живой! В пакете вода!

Я наступила идиоту на ногу.

— Молчать! Садись в машину, вы едете в Вакулово, сдашь тело патологоанатому.

Невзоров кивнул и потрусил к «Скорой».

— Спасибо, — горячо воскликнул Юра, когда «рафик», подняв за собой столб пыли, поскакал по разбитой дороге. — Ты спасла меня от совершения тяжкого преступления. Последние десять минут я самозабвенно представлял, как подкрадываюсь к голубчику, хватаю за тощую шею, а потом сладострастно его душу.

— Мои желания были более простыми — спихнуть недоумка в воду, — призналась я. — Полагаешь, он не совершит ошибок?

— От Невзорова требуется только сопроводить останки до Вакулова, — пропыхтел Юра, поднимаясь по деревянному трапу. — Пойдем, осмотрим каюту Лизы. Надо спешить, пока пассажиры затариваются одеялами из лохмотьев.

Глава 5

Каюта Лизы оказалась больше нашей: здесь было три иллюминатора, несколько кресел, большой красный диван с двумя алыми и одной черной подушками.

— Похоже, дядя племянника не уважает, — язвительно заявила я, оглядываясь вокруг. — Тут просторней и шикарней, чем у нас. Как думаешь, почему племянничка поселили в норе, а воспитаннице предоставили люкс?

— Вероятно, Катя хотела устроить Лизе запоминающийся отдых, — предположил Юрасик. — Девушка вылетала из родного интерната, вот директриса и сделала широкий жест.

— Постой! Ты говорил, что Катя — организатор приюта, — напомнила я.

— Точно, — подтвердил Юра. — И она же им заведует, полная хозяйка.

— Хобби с нагрузкой.

Богатые женщины, как правило, предпочитают отделываться деньгами, мало кто хочет ежедневно возиться с чужими детьми. Директору приюта приходится нелегко — он и педагог, и воспитатель, и бухгалтер, и завхоз, и все прочее вместе.

— Добавь сюда еще и няню, — серьезно подсказал Юра. — Катерина целиком и полностью посвятила себя чужим детям. Наверное, потому, что у них с Василием Олеговичем всего один сын, и тот давно не живет с родителями. Если хочешь, потом расскажу тебе про приют, но сейчас давай осмотрим каюту. Что выбирашь? Санузел или спальню?

— Ванную, она меньше, — сделала я эгоистичный выбор и вошла в помещение с душевой кабинкой, унитазом и раковиной.

Минут через пятнадцать Юра спросил:

— Ну, как дела?

— Первое впечатление: Лиза неряха. Второе. Она невероятная кокетка, позволяющая себе большие траты, — сказала я, возвращаясь в комнату.

Шумаков, стоявший у шкафа, обернулся:

— Да? Мотивируй свои наблюдения.

Я принялась загибать пальцы:

— В стакане нет зубной щетки и пасты, на полочке только губная помада, и все. Более чем дешевое средство макияжа, его купили в переходе у метро. Елизавета не особенно заботилась о гигиене полости рта, не имела крема для лица, дезодоранта, пенки для умывания.

— У приютской девочки нет карманных денег, — возразил Юра. — Наверное, Лиза приобрела самое важное для себя!

— Она жила в доме у Кати, — перебила я его. — Неужели благодетельница не могла дать девушке щетку и пасту? Тратит миллионы на приют и пожалела сто рублей? Но вот теперь внимание! В ванной нет халата!

— Эко удивление, — фыркнул Юра. — Есть женщины, которые их не носят, просто заворачиваются в большое полотенце.

Во мне неожиданно подняла голову ревность:

— И ты таких знал?

— Не-а, — поспешил откреститься Юра, — приятели рассказывали. И опять же, откуда у сироты подобные изыски? Выдали пижаму — и радуйся.

Я торжествующе ткнула пальцем в пол:

— Но здесь стоят очень симпатичные домашние туфельки характерного вида, они...

— Зачем цепляться к ерунде? — не дослушал меня Шумаков. — Тапки есть у всех.

— Даже у тех, кто в полотенце чапает к кровати, — не удержалась я. — Изволь выслушать меня внимательно. Ну-ка, глянь.

— Так слушать или смотреть? — с самым серьезным видом осведомился Юра.

— А два действия одновременно совершить слабо? — обозлилась я. — Ну и как тебе обувь?

— Ничего, — равнодушно отреагировал Юра. — На мой взгляд, неудобная, высокий каблук, пальцы открыты, пятка наружу. В таких холодно, и ноги не отдыхают. Анька, моя сестра, ходит в прикольных чунях из овчины. И эти босопятки непрактичны, у них розовый помпон из пуха, начнешь щи готовить, капнешь на него, и, прощай, красота!

— Пещерный человек! — с чувством произнесла я. — Такие пантофли надевают в особых случаях, в них суп не варят.

— Да? — изумился Юра. — Зачем же они нужны?

— Для эротики, — пояснила я. — Теперь представь: ты лежишь в постели, и тут появляюсь я, только что из ванной, вся душистая-пушистая, сбрасываю кружевной пеньюар и...

— ...мне наплевать на тапки, — перебил меня Шумаков. — Халата тоже не надо! Глупая идея закутываться в тряпки! Лучше сразу из-под душа ко мне.

— Варвар, — вздохнула я. — Кое-кто из мужчин имеет другое мнение по данному поводу. Видишь, что написано внутри очаровательных тапочек?

— «Агент Провокатор», — прочитал Шумаков. — Ну я вообще запутался. Босопятки для спецслужб?

— Ты где живешь? — накинулась я на майора.

— В Москве, — серьезно ответил Юра.

— И не слышал про фирму «Агент Провокатор»?

— Нет.

— Ее создал сын модельера Вивьен Вествуд, — начала я просвещать кавалера. — Мамаша — знамя эпатажа до сих пор, а ей много лет, носит вызывающие мини-юбки и красит волосы в огненно-рыжий цвет. Сыночек придумывает провокационное белье, которое женщины надевают на свидание, если предполагают завершить вечер в постели. Эта обувь из коллекции для дома, в комплект обычно входят халатик, пояс с чулками, шикарные лифчики, боди.

— Пока свою любимую из этого хлама вытащишь, утро настанет, на работу будет пора, — заржал Юра.

Я решила отложить лекцию об эротическом белье на потом и сунула майору под нос шлепки:

— Знаешь, сколько они стоят?

— Ну... дорого.

— Точно. Назови цену!

— Тысячи две? — прищурился Юра.

— Ну уж нет.

— Одну?

— Больше!

— Три? — с недоверием спросил Шумаков.

— Они дороже твоей месячной зарплаты, — грустно ответила я.

— Офигеть, — присвистнул майор. — А с виду ерунда дерьмовая!

— И еще, в корзинке с мусором я нашла пару ватных дисков, Лиза снимала ими макияж.

— Ничего странного, многие перед сном умываются! — не понял Шумаков.

— Елизавета воспользовалась специальным молочком, вата приобрела темно-фиолетовый цвет. Я знаю, чем девочка удаляла косметику — сливками «Аленка», они пахнут гнилым арбузом, зато стоят недорого. Их любит Кристина, дочь моей подруги Тамары, — терпеливо говорила я. — Но бутылочки на зеркале нет. Кто ее забрал? И еще, там же лежал пустой флакон из-под духов. Вот он!

Шумаков взял у меня грушевидный розовый пузырек и прочитал название:

— «Агент Провокатор». Надо понимать, та же фирма, что варганит тряпки? Фу, ну и запах! Отвратительнее ничего не нюхал.

— Многим нравится, считается, что данный аромат возбуждает мужчин.

Юра оглушительно чихнул.

— Вилка, умоляю, не пользуйся этой дрянью! Намного лучше запах ландышей, жасмина или сирени. Есть такие цветочные духи!

— Непременно учту твои пожелания, — пообещала я, — но сейчас у нас рабочий момент, и на повестке дня вопрос: если Лиза экономила на всем, то откуда у нее домашние туфли и парфюм от дорогой фирмы?

— Любовник подарил, — не задумываясь, ответил Юра. — Преподнес для украшения сексуальной жизни.

— Логично, — одобрила я. — Вот только крохотная нестыковочка. Лиза жила в интернате. Тамошняя атмосфера не располагает к длительным эротическим играм, наверное, Елизавете и ее Ромео приходилось устраиваться в постели в те минуты, когда парень мог тайком прошмыгнуть в гости. Здесь уж не до торжественных выходов из ванной в облаке феромонов и с розовыми туфельками на ножках. В любой момент могут застукать.

— А зачем ей устраиваться в своей койке? — пожал плечами Юра. — У мужика, вероятно, есть квартира, она к нему ходила! А на «Летучий самозванец» взяла подарки любовника.

Я ощутила себя идиоткой. Ну почему столь простой вариант не пришел мне в голову? Шумаков не обратил внимания на мою растерянность, он продолжал:

— Наличие духов и дорогой обуви можно хоть как-то объяснить, но я нашел вот это!

Перед моим лицом закачалась треугольная косынка истошно-красного цвета. Я не нашла в ней ничего удивительного.

— Это всего лишь платок.

— Он тебе ничего не напоминает? Ну-ка, напряги извилины, — приказал Юрасик. — Ты определенно носила подобный.

— Никогда в жизни. Мне не идет цвет перезрелого помидора! И качество оставляет желать лучшего, — зачастила я. — Это стопроцентная синтетика, холодная на ощупь, скользкая.

Шумаков набросил лоскут себе на шею.

— А так?

— Пионерский галстук, — ахнула я. — Разве их еще выпускают?

— Атрибут совсем новый, — кивнул Юра, развязывая галстук.

Я взяла его и стала изучать.

Шумаков с чувством продекламировал:

— Как повяжут галстук, береги его, он ведь с нашим знаменем цвета одного!

Я села в кресло.

— Ты знаешь речевку? Откуда? Успел побывать в пионерах?

Юра подошел к шкафу и выдвинул самый нижний ящик.

— Там лежал пакетик, я развернул его и увидел галстук. Думаю, аксессуар приобрели в магазине «Три медведя и Маша»[1], на фирменном мешке есть логотип лавки, вместе с галстуком были белые ажурные гольфы и самые простые темные колготки.

— Зачем Лизе вещи для третьеклассницы времен построения социализма? — подскочила я.

— Не знаю, — ответил Шумаков. — Вообще ничего в голову не приходит.

— Надо спросить у Кати! — осенило меня. — Вероятно, воспитанницы подготовили номер самодеятельности, песню, стихи или небольшую сценку, а ты обнаружил реквизит для представления. Если мы примем версию о кавалере, который преподнес Лизе домашнюю обувь с духами, и выясним, что девочка репетировала отрывок из пьесы, то все недоумения исчезнут. Останется лишь одно: почему Лизавету поселили в столь шикарной каюте?

— Мы уже закрыли эту тему, — отмахнулся Юра. — Катя сделала подарок сироте.

— Катерина знает, что воспитанница умерла?

— Нет, — отрезал Юра. — Думает, что Лизе плохо, она без сознания и ее отправили в больницу. Самойлов пока не хочет нервировать жену.

— И долго вы с Василием Олеговичем собираетесь скрывать правду? — возмутилась я.

Шумаков задвинул ящик.

— Во-первых, нам неизвестна причина смерти Елизаветы. Возможно, девушка действительно от-

---

[1] Название придумано автором, все совпадения случайны.

равилась некачественным фастфудом. Истина прояснится после вскрытия.

Я скривилась.

— Считаешь, в городке Вакулове оборудована современная криминалистическая лаборатория, а местный патологоанатом — гений?

Юра поманил меня в коридор:

— Не стоит демонстрировать снобизм. Подчас в провинции служат уникальные специалисты, которым москвичи в подметки не годятся. Но я, к сожалению, знаю врачей из Вакулова, у них начальник редкостный дятел, а каков поп, таков и приход. Тело Елизаветы доставят в Москву, заниматься им будет мой приятель Тельман Руфов, я ему доверяю больше, чем себе. Но перевозка займет время, нам же надо копать на месте. Если Лизу убили, то преступник здесь, на теплоходе, и с большой долей вероятности он и есть предатель. Пока речь шла о бизнес-шпионаже, я не нервничал, но после кончины Сухановой дело приняло иной оборот. Нам...

— Нам? — перебила я Юру. — Ты постоянно употребляешь это местоимение, хотя я здесь ни при чем. Ты привез меня на судно, ни словом не обмолвившись о подоплеке прогулки, сказал лишь об отдыхе, прикинулся племянником Самойлова.

— Честное слово, я хотел ввести тебя в курс дела, но не успел, — опять соврал Юра, — было уже поздно!

— Мы ехали до Речного вокзала по пробкам! — возмутилась я. — Добирались почти два часа, не говоря уже о том, что накануне ходили в кино! Ты просто не пожелал мне открыться!

Шумаков резко остановился, я налетела на него и очутилась в его объятиях.

— Мне нужна твоя помощь! Не дуйся! — попросил он.

Я не способна долго сердиться на Юру, а он пользуется моей слабостью, и, похоже, одному ему будет сложно. Я кивнула, Юра еще крепче прижал меня к груди, я закрыла глаза...

— Простите, не хотел вам помешать! — заорали сбоку.

Мы отскочили друг от друга, и я тут же обозлилась. Ну что за детские реакции? Нам не по двенадцать лет, мы взрослые, свободные от обязательств люди, имеем право целоваться сколько душе угодно. Юра тоже вскипел и сердито гаркнул:

— Невзоров! Какого черта ты здесь топчешься? Я велел тебе сопровождать тело Сухановой в Вакулово.

Глава 6

Андрюша испугался и принялся оправдываться:

— Я сел в «Скорую», докатили до отделения, мне понадобилось барсетку прихватить, нельзя без документов и денег в местную командировку подаваться. Вернулся к машине, а санитар и говорит:

— Под завязку народ набился, тебе уже не влезть.

— Кто, куда и зачем набился? — взвыл Шумаков, у которого закончился запас терпения.

Андрюша снял фуражку.

— Народ «Скорую» увидел и рванул к машине. Баба Феня животом мучается, Варвара Нютина вроде руку вывихнула, опухла она у нее и посинела, Иван Сергеевич за лекарством в аптеку намылился, Анька Субботина со своими близнецами к зубному давно хотела!

— Труповозка не троллейбус! — пошел вразнос Шумаков.

Невзоров стал переминаться с ноги на ногу.

— Оно, конечно, так. Да только как народу в Вакулово попасть? Автобус вечно набит битком, то придет, то сломается. Бабе Фене восемьдесят. Варька хоть и молодая, да сто кило весит, Иван Сергеевич на протезе, он по пьяни в комбайн ногой попал, а Субботиной двух вертлявых пацанов на горбу не унести. Машин ни у кого нет, а тут прямиком к доктору доставят. Труп на носилках лежит, люди у стен, на лавочках сидят, всем хорошо!

— Назад инвалидная команда как отправится? — неожиданно мирно спросил Юра.

— Из Вакулова маршрутки ходят, — объяснил Андрей, обрадованный улучшением настроения майора из Москвы. — Они в Крюков фигачат и по требованию в Паново притормозят. Ну не мог я людей выпереть, вы уедете, а мне с ними жить. Баба Феня хоть и старая, а злопамятная, и остальные не простят. Понесут по округе весть: в милиции одни сволочи работают, Невзоров высадил стариков с детьми, а сам в комфорте покатил! Ваш теплоход в Вакулово идет, добросьте меня!

— Как же ты по местности передвигаешься, когда теплохода под рукой нет? — не успокаивался Юра.

— На велосипеде! — признался Андрюша. —

Но в пятницу он сломался навсегда! На новый я пока не накопил.

— Черт с тобой, оставайся, — принял решение Шумаков. — Я договорюсь с капитаном, но не попадайся на глаза гостям.

— Спрячусь мышкой, — обрадовался Невзоров. — Можно баул взять? Он на причале остался! Пожалуйста! Разрешите его прихватить, баул никому не помешает.

— Бери, — смилостивился Шумаков. — Горит озеро, гори и рыба.

— Вы очень человечный и добрый, — польстил майору Андрюша. — Не каждый поймет и разрешит баул при себе держать. Спасибо! Огромное! Мне его никак не оставить!

— Деревенские жители не испугались около трупа сидеть? — запоздало удивилась я.

— Так он не кусается, — хмыкнул Андрюша. — Лежит себе тихонечко, не буянит.

— Хватит болтать, — вновь закипел Шумаков, — а то передумаю! Рыси на пристань за своим приданым.

Невзоров втянул голову в плечи и со скоростью испуганной ящерицы юркнул к трапу.

Обед подали в пять двадцать. Не успела вся честная компания сесть за стол, как я ощутила толчок и поняла, что теплоход, отчалив от Панова, лег на курс к Вакулову. В столовой аппетитно пахло супом, на первое подали что-то протертое, не слишком привлекательное на вид, но вполне приемлемое по вкусу. Гости бойко орудовали ложками. Первой светскую беседу начала Тина.

— А мне мама купила заколочки, — объявила она, — вот! Зелененькие! Красивые, да? Хорошие? Мама, почему тетя не отвечает?

— Солнышко, Алина обедает, — терпеливо пояснила Манана. — Когда я ем, я... Ну, продолжи, милая.

— Я ем! — захлопала в ладоши Тина. — А что у меня в тарелке? Каша? Не хочу! Фу! Не люблю геркулес! Мама! Ну пожалуйста! Мои заколочки лучше, чем у них, верно?

Тина ткнула пальцем в самый край стола, где чинно ели первое сироты. Я невольно посмотрела на девочек. Ира при помощи двух заколок, декорированных пластиковыми божьими коровками, сделала два хвостика. Светлана украсила такой же челку. Мне вспомнился точь-в-точь такой же аксессуар, найденный в санузле каюты Лизы, вероятно, Катя покупает воспитанницам некоторые вещи оптом.

— Мои красивше, — подпрыгивала Тина.

— Не надо хвастаться, — остановила дочь Манана.

Тина выпятила нижнюю губу и капризно затянула:

— Скажи! Мои самые хорошие!

— Конечно, — неожиданно ответила Ира, — не волнуйся. Наши заколки неудобные, они вечно из волос выскальзывают и теряются!

Тина забила в ладоши и опрокинула на скатерть бокал с водой.

— Если ребенок не умеет вести себя прилично, его следует оставлять дома, — жестко заявила Алина. — Для хорошего усвоения пищи ее нужно принимать в комфортной обстановке, наслаждаясь классической музыкой.

Тина ощутила исходящую от Бортниковой агрессию и повернулась к ней:

— Я плохо себя веду?

— Отвратительно, — не сжалилась над больной Алина, — гаже некуда. Ешь молча!

Глаза бедной девушки наполнились слезами, она зачерпнула ложку супа, поднесла ко рту и раскашлялась. Брызги полетели в разные стороны, Манана протянула дочери салфетку.

— Прикрой ротик.

— О боги! — закатила глаза Алина.

Ира снова оторвалась от обеда и спросила у Кати:

— Можно я возьму Тину и мы посидим в кают-компании?

— Правильное решение, — одобрила Катя.

Ира повернулась к Тине:

— Хочешь посмотреть мое рукоделие? А ты покажешь мне новые заколки.

Тина рванулась со стула и чуть не упала, запнувшись о ковер. Ира подхватила девушку и быстро ее увела. Манана со спокойствием патриция доедала суп. Наверное, мать придерживается политики невмешательства, считая, что Тина имеет право на полноценное общение, не стесняется умственно отсталой дочери, не прячет стыдливо ее в четырех стенах, а выводит в свет. Если кому-то не нравится отстающая в развитии девушка, то недовольный волен встать и уйти. Я мысленно зааплодировала Манане. Она молодец, а кое-кому необходимо понять: люди бывают разные, а солнце восходит для всех, оно светит не только академикам, но и таким, как Тина.

Неприятную тишину, возникшую после ухода девочек, нарушила Аня Редька.

— Я купила очаровательное одеяло, цвета подобраны с большим вкусом, сшито удивительно аккуратно.

— А я откопала кофту! — живо подхватила Катя. — Вышивка изумительная, сейчас этно в моде. Жаль, Виола, вас с нами не было.

Леонид Зарецкий засмеялся:

— Они с Юрой молодые, хотели наедине остаться.

Я сделала вид, что не слышу, а Вика, жена заведующего лабораторией, захлопала в ладоши:

— Прямо как мы, папочка! Давай откроем наш секрет! Пусть все знают!

— Не сейчас, котик, — ласково ответил Леонид. — Лучше вечером, за ужином.

— Но мне хочется! — капризно протянула Вика. — Надоело молчать! Ты обещал!

Зарецкий взял жену за руку, нежно поцеловал ладошку и спросил:

— Можно вместо второго попросить кофе? Слишком жарко для мяса.

— Капучино тоже не холодный, — затеяла новую свару Алина.

Зарецкий добродушно глянул на Бортникову.

— Странно, да? Котлета кажется излишне горячей, а кофе значительно более высокой температуры воспринимается как освежающий напиток!

Никита Редька засмеялся:

— Человек горазд на парадоксальные поступки. В прошлую пятницу стояла жуткая жара, я просидел до восьми вечера в офисе при постоянно работающем кондиционере, выпил, наверное, десять литров воды со льдом, потом сел в машину, где тоже включил на полную мощь «кондиционер» и поехал... в баню, чтобы со смаком попариться.

— Из всего вами перечисленного последнее — самое разумное мероприятие, — с видом учителя, отчитывающего второклашку за поспешный ответ, объявила Алина. — После парилки следовало выпить горячего чаю и закутаться в стеганый халат. Так поступают на Востоке, плотная материя поддерживает температуру тела неизменной.

— Мне показалась смешной сама идея ехать в баню в автомобиле с работающим кондиционером, — поддержала мужа Аня. — А еще встречаются люди, которые в мороз купаются в проруби.

— Моржи, — подала голос Катя. — Я как-то решила закаливаться, но не смогла даже ногу в ледяную воду опустить. Психологически трудно нырять в реку зимой при падающем снеге.

— Солнышко, — обратился Леонид к жене, — сделай одолжение, принеси мой мобильный, вроде я оставил его в шезлонге на палубе.

Вика скривила хорошенькое личико и поманила пальцем маячившего у буфета официанта.

— Сгоняй за телефоном.

Тот молча ушел, по лицу Зарецкого пробежала тень досады, столь мимолетная, что ее было практически незаметно. Я уловила это выражение случайно и поняла: красивая, молодая, но глупая и ленивая жена порой раздражает ученого, создающего рецепты новых конфет. Мысленно я переместила Леонида во главу списка подозреваемых в предательстве. По какой причине люди решаются заняться экономическим шпионажем? В основном из-за денег. Конечно, звонкая монета нужна всем, но если у мужчины жена — белокурое существо, жаждущее отдыхать непременно в Майами, получать в подарок колечки, сережки, покупать модную одежду и иметь прислугу, то его расходы часто побивают доходы. А Вика показалась мне избалованной сверх меры. Попроси меня Юра притащить ему телефон, я бы спокойно встала и отправилась за ним. Представляю, как сейчас некоторые дамы возмущаются, восклицают: «Вилка, это менталитет порабощенной женщины! Что за хамство! Велел спутнице сгонять за мобилой! Не смей даже вздрагивать! Принесешь в зубах трубку, в следующий раз любовник тебя за сигаретами погонит. Нужно уважать себя».

Но мне кажется, ничего хамского в такой просьбе нет: сегодня я помогу ему с телефоном, завтра он мне подаст кофе в постель. Но Вика убила одним выстрелом двух зайцев: она выполнила пожелание Леонида, ухитрившись не сдвинуться с места.

Внезапно послышался звон и тихий вскрик:

— Ой!

Все повернули головы на звук. Красная, словно перезрелый помидор, Светлана пробормотала:

— Я тарелку разбила!

— Надо быть аккуратней, — укорила девочку Катя.

— Она не нарочно, — заступился за сироту Василий Олегович. — Ерунда, посуда копеечная.

Света нырнула под кресло.

— Я соберу! Ой!

— Что теперь? — недовольно спросила Екатерина.

— Порезалась, — прошептала Светлана, — совсем чуть-чуть.

Хозяйка приюта спокойно приказала:

— Ступай в ванную, промой царапину и возвращайся к столу.

— Осколки... — заикнулась Света.

Катя ее перебила:

— Светлана, если дети сидят со взрослыми за одним столом, они не должны им мешать и привлекать к себе всеобщее внимание, ясно? Остатки тарелки уберет официант.

Семиклассница быстро вскочила и убежала. Разговор за столом неожиданно перешел к теме дайвинга. Оказалось, что Никита Редька считает изучение подводного мира самым лучшим отдыхом.

— Вот где красота, — с чувством вещал художник.

— Как там, расскажите! — захлопала в ладоши Вика.

— Слов не хватит, — вздохнул Редька. — Тишина и великолепие.

— Тогда лучше взять с собой айпод, — посоветовала жена Зарецкого. — Страшно, когда никаких звуков нет!

Леонид крякнул, Катя смущенно улыбнулась, но Вика, не сообразив, что сморозила очередную глупость, весело продолжала:

— Наверное, в океане попадаются хищники?

— Да, — подтвердил Никита.

— И вам не страшно? — округлила голубые глаза Вика. — Вдруг они нападут?

Аня отложила ложку.

— Никита старается не посещать места обитания акул, хотя, конечно, встречи с опасностью исключить нельзя. Не так давно около Владивостока погиб его знакомый дайвер.

— Ужас! — поежилась Катя.

— Вот и отдохнул с аквалангом, — подхватил Василий Олегович. — Не надо лезть под воду, человек сухопутное животное.

— А зачем акула убила вашего приятеля? — полюбопытствовала Вика.

Идиотизм вопроса поразил присутствующих, но все отреагировали по-разному. Манана уставилась на жену Зарецкого, Никита раскашлялся, Аня принялась сосредоточенно намазывать кусок хлеба маслом. Василий Олегович рассмеялся, Юра толкнул меня под столом ногой, а вот Алина неожиданно ответила:

— Акула воспринимает человека как пищу.

— Ой! — взвизгнула Вика и прижала ладони к лицу. — Я и не подумала. А вот фильм «Челюсти»...

— С точки зрения диетологии, дайвер — не лучшая закуска, — перебил ее Василий. — Но простой отдыхающий еще хуже, он весь пропитан алкоголем.

В столовую вошел официант.

— Простите, — сказал он Вике. — Я осмотрел все шезлонги, нигде трубки нет!

— Пустяки, вероятно, я в каюте ее оставил, — объявил Леонид. — Мне сейчас она не нужна.

Я удивилась: если у тебя нет срочной необходимости в звонке, зачем отправлять жену на палубу? Официант поставил опустевшие тарелки на поднос и удалился.

Вика взяла со стола чайную ложечку и начала вертеть ее в изящных, украшенных кольцами пальцах.

— А перед Новым годом вы под воду опускаетесь? — спросила она у Никиты. — Ну, когда совсем холодно и вода ледяная?

— Нет, — ответил Редька, — предпочитаю отдых в теплых краях.

— Интересно, — протянула Вика, — а что едят в декабре акулы, если никто с аквалангом не плавает?

Лицо Леонида вытянулось. Да уж, если взял в жены куклу Барби, то будь готов к казусам в светской беседе. Несколько лет назад, когда я еще была женой Олега Куприна, нас пригласил в гости Саша Федотов. Мне не очень хотелось отправляться на вечеринку, которую Федотов затеял, чтобы отпраздновать месяц совместной жизни с новой супругой. Я любила его прежнюю жену и не одобряла уход Саши к восемнадцатилетней красотке, но Куприн настоял, и мы очутились в просторной квартире Федотова. Сначала я с грустью отметила, что новобрачная уже успела избавиться от безделушек предшественницы и даже сменила мебель, но потом появился и повод для веселья. В середине вечера приехал Ваня Суворов. Как всегда, он принес гитару, сел в кресло и объявил:

— Музыкальная пауза! Поют все.

— Ой, как угарно! — обрадовалась юная жена Федотова. — Вы пианист, да?

Похоже, Вика Зарецкая — родная сестра той девицы. Или я старею и поэтому стала нетерпимой к молодым девицам?

Глава 7

Повисшую в столовой тишину нарушил странный цокающий звук из коридора. Прежде чем я успела понять, кто его издает, из коридора долетел истошный женский вопль:

— Иван Василич! Волки! Люди, помогите!

Василий Олегович в сердцах швырнул на стол полотняную салфетку.

— Немедленно позовите сюда капитана! Неужели на борт взяли посторонних?

Официант откашлялся, снял трубку висевшего на стене телефона и с почтением сказал:

— Ивана Васильевича просят срочно зайти в столовую для гостей.

— Волк! Волк! — надрывалась баба. — Готовьте лодку, я на берег схожу!

— Это переходит все границы, — зашипел Самойлов, и в ту же секунду из коридора вошел подтянутый мужчина средних лет. Он не успел издать ни звука, потому что Василий Олегович напустился на него, не скрывая гнева.

— Иван, объяснитесь! Теплоход зафрахтован полностью для моих гостей! Откуда на нем посторонние? Я заплатил немалую сумму, чтобы друзья могли насладиться отдыхом на воде и тишиной. Кто орет на палубе?

Иван Васильевич попытался сгладить конфликт:

— На борту только вы и команда. Мы соблюдаем условия договора.

— Тогда чей визг разлетается по окрестностям? — нахмурился Никита. — И почему дама поминает волка?

Иван Васильевич отвел глаза.

— Это Маргарита, посудомойка, она впечатлительная, наверное, крысу заметила, ну и не сдержалась!

— Крысу! — взвизгнула Вика. — Папочка! Я боюсь! Ой! Спаси меня!

Леонид отечески обнял жену:

— Солнышко, не беспокойся, капитан пошутил!

— На теплоходе грызуны? — загремел Самойлов. — Вот приятная новость! Куда смотрит санэпидемстанция! Я этого так не оставлю! Подам в суд на владельца и стребую несколько миллионов за испорченный отдых.

Видно, Иван Васильевич сообразил, что сморозил глупость, и решил исправить оплошность:

— Пасюков здесь нет, как вы правильно заметили, санитарные врачи не дремлют. Маргарита у плиты весь день стоит, устает, и ей всякая чушь мерещится. У нее судьба тяжелая, муж алкоголик, московскую квартиру пропить умудрился, для Риты теплоход — дом родной.

— Избавьте нас от необходимости выслушивать подробности чужой биографии, — вспыхнул Леонид.

Капитан набрал в грудь воздух, но сделать очередное заявление не успел.

— Медведь! — заголосил густой бас.

— Волк, — вторила ему Рита, — бежим!

— Командой овладело массовое безумие, — без малейшего признака волнения сказал Никита. — Просто фильм «Катастрофа в океане». Если кто не смотрел, поясню. На большом корабле начинается болезнь: люди видят монстров...

Из коридора полетел истошный визг, дверь в столовую распахнулась, словно от мощного удара ногой, в комнату, бешено сопя, вбежало жуткое существо. Серо-черная клокастая шерсть густо покрывала зверя, из-под неровно подстриженной челки блестели злобные глаза, сверкали оскаленные, желтые, кривые, но острые зубы. В клыках было зажато что-то бело-рыжее.

— Мама! — хором заорали Манана и Вика, вскакивая на свои кресла.

Мы с Аней беззвучно взгромоздились на диван, Катя сползла под стол (видимо, она надеялась, что ее скроет свисающая до пола скатерть). Леонид, забыв напрочь о любимой жене, одним прыжком преодолел расстояние до стены, в которой не было иллюминаторов, и... исчез. Но мне было не до изумления, потому что чудище фыркнуло, выплюнуло добычу и стало теребить ее лапами.

— Собачка! Она убила дворняжку! — судорожно прошептала Аня. — Смотри, терзает ее останки!

Мне стало нехорошо. Чтобы не упасть, я схватилась за жену художника и зажмурилась.

— На помощь! — завопил Василий Олегович. — Ловите ее! Стреляйте! Метайте ножи!

Я приоткрыла один глаз и поняла: участники круиза остались наедине с волосатым монстром, капитан и официант с позором сбежали, Шумакова тоже нет в столовой. Леонид каким-то чудом прошел сквозь стену, Никита и Василий Олегович лишились как условных, так и безусловных рефлексов, мы с Аней боимся пошевелиться на диване, Манана и Вика окаменели на стульях. Одна Алина сидела над тарелкой: наверное, ее парализовало от страха.

Чудовище оставило свою жертву и оглушительно икнуло. Меня затошнило. Монстр никогда не пользовался зубной щеткой, не посещал стоматолога и не употреблял ментоловый освежитель для пасти.

— Он их ща сожрет, — прошептала из коридора женщина. — Похоже, из Карякина оборотень.

— А чего, в Карякине питомник гоблинов? — спросил прокуренный баритон.

— Ты не в курсе? — изумилась тетка. — Когда Чернобыль накрылся, облако аж до Тульской области дошло, потом на Карякино надвинулось и там задождило. С тех пор у карякинцев коровы с двумя головами и куры на шести ногах рождаются. Надо дверь в столовую закрыть, пусть урод олигархов схарчит, тогда он нас не тронет!

Створка хлопнула о косяк: корабельная команда решила пожертвовать пассажирами ради собственной безопасности. Своя рубашка, как известно, ближе к телу.

— Что делать будем? — одними губами спросила Аня. — Может, набросимся на него и скрутим?

И тут Алина, издав боевой клич носорога, метнула в жуткое создание вилку. Столовый прибор не нанес страхолюдине ни малейшего ущерба, похоже, шерсть у зверушки по толщине и прочности превышала строительный утеплитель, серебряный четырехзубец угодил ему в спину и остался стоять, как зубочистка в желе.

Диетолог решила не сдаваться. В чудо природы полетели другие столовые приборы, вскоре всклокоченный урод стал напоминать дикобраза-переростка, только вместо иголок из него торчали вилки и здоровенная пика, которой раскладывают мясо на тарелки. Пример Алины вдохновил и нас с Аней. Я швырнула в монстра диванную подушку и не промахнулась. Она упала на бездыханную бело-рыжую собачку. Дикобраз зарычал, вцепился в думку и разодрал ее с такой легкостью, с какой я разрываю бумажную салфетку.

Аня схватила с журнального столика пустую стальную вазу и запулила ее в непрошеного гостя. Ваза с гулким звуком угодила в голову зверюги.

— Получи, фашист, гранату! — затопала ногами Редька. — Сейчас он без чувств свалится.

— Вау, — завизжала Вика, — у него голова чугунная! Вазончик помялся, а ему, блин, по барабану! Леня! Папочка!

— Не ори, — прошипел Василий Олегович, сидевший на комоде между двумя канделябрами. — Не надо злить чудовище!

— Брось в него подсвечник, — попросил Никита.

Директор схватил бронзовую красоту. Бах, бах — оба подсвечника пролетели мимо.

— Кривой Глаз — друг индейцев, — хихикнула Аня.

— Надо с ним подружиться, — предложила Манана.

— Начинай, — приказал директор. — Спускайся, обними его, предложи чашку кофе!

— Худой мир лучше доброй ссоры, — сказала Манана и вывалила на пол содержимое салатника.

Чудо-юдо стало жадно поглощать угощенье.

— Вот видите? — торжественно объявила пиар-директор. — Он полакомится и нас полюбит!

Никита ткнул пальцем в пол:

— Глядя на труп кошки, я сильно сомневаюсь в возможности установить с живоглотом парламентские отношения.

— Это собачка, — меланхолично возразила Аня.

— Кошка, — уперся художник. — У псов не бывает такой тонкой шерсти. Не спорь, у живописцев очень острый взгляд.

— Надеюсь, мешанина из белков с углеводами, сдобренная жирным соусом, нокаутирует печень и желудок пришельца, и он подохнет! — злобно каркнула Алина. — Пищу на теплоходе никак нельзя назвать здоровой!

Огромная голова оторвалась от ковра, похожий на лопату язык вывалился из пасти, вилки в спине зазвенели.

— Мама! — запищала Вика. — Папочка! Спаси!

— Твой папик удрал, — фыркнула Алина. — Делай правильные выводы.

Манана высыпала на ковер содержимое хлебницы. Монстр не побрезговал ни нарезным, ни бородинским, он вмиг все проглотил и угрожающе зарычал.

— Люди! — заорал Василий Олегович. — Сволочи! Сюда!

В столовую очень тихо протиснулся Юра, в руках он держал ярко-желтый баллон.

— Эй, ты, повернись! — приказал майор.

Мы все, включая монстра, резко повернули головы и впились в Шумакова взглядами. Юра нажал на дозатор, из круглой тубы вырвалась белая струя пены и попала в живот Мананы. Та беззвучно, словно высохший лист, свалилась с кресла прямо перед оскаленной пастью монстра.

— Он ее загрызет! — закричала Аня, соскакивая с дивана. — На, на, иди сюда, ням-ням!

Я бросилась за женой художника, Юра направил баллон на стокилограммовое чудище. Редька бесстрашно вцепилась в спину животного, я попыталась накинуть на него сорванную с софы накидку. Монстр неожиданно жалобно запищал и нырнул под стол.

— Спасите! — завизжала Катя.

Юрасик рыбкой нырнул вслед за зверюгой.

— Милый! — испугалась я и шмыгнула за ним.

Под столом было темно, плотная темно-коричневая скатерть не пропускала света, действовать приходилось на ощупь.

— Помогите, — рыдала Катя. — Он тут, чувствуете жуткий запах?

— Спокойствие, милиция уже здесь, — пробасил Шумаков, забывший, что ему нельзя раскрываться перед подозреваемыми в шпионаже. — Без паники, сначала выведем женщин и детей, потом оставшихся лиц.

Я пошарила рукой по спине урода, нащупала вилку, выдернула ее и попыталась уколоть его.

— А-а-а, — заорала Катя. — Он меня кусает!

— Прости, прости, — зашептала я. — Случайно в тебя попала.

Договорить мне не удалось. Короткий, резкий свист, и неведомая сила повалила меня на пол, кто-то с урчанием и хрюканьем прополз по мне, затем на секунду перед глазами появился свет, и снова потемнело.

— Он ушел? — прошелестела Катя.

— Он убежал! — заорала Вика.

Мы с Юрой и Катей выбрались из-под стола, Василий Олегович спрыгнул с комода.

— Кто это был? — простонала Манана, сидя на ковре.

Самойлов схватил трубку телефона.

— Если сюда немедленно не явятся капитан и уборщица вместе с официантом, я разнесу эту гадскую посудину в щепки!

Никита опустился на диван.

— Признаюсь честно, я перепугался до икоты. К нам приходил саблезубый мамонт?

Вика осторожно спустилась со стула.

— Папочка! Ты где?

Из стены высунулась голова Леонида.

— Все целы?

— Как вы проникли в деревянную панель? — поинтересовалась Аня.

Зарецкий неуклюже выкарабкался наружу.

— Здесь небольшой шкаф, — пояснил он.

— Удивительно, как крупный мужчина уместился там, куда и кошка не влезет, — покачал головой Никита.

— В момент опасности в человеке пробуждаются неведомые силы и способности, — ответила Аня.

— Кошка! — взметнулась с пола Манана. — Боже, я сидела на трупе!

— Мама! — взвизгнула Вика, вскакивая на стул. — Папочка! Реши проблему!

В столовой один за другим появились капитан, официант и рыжеволосый парень со шваброй. Я узнала матроса. Именно он встретил нас в день прибытия на теплоход у трапа и отвел в каюту.

Леонид приосанился:

— Выбросьте останки животного за борт.

— Не положено, — заспорил Иван Васильевич. — Река — не место для отходов!

— Хорошо, — согласился Зарецкий. — Утилизируйте это, как надо!

— Уберите здесь и подавайте обед, — метал гром и молнии Василий Олегович. — Кто сейчас заходил в столовую?

— Я и члены команды, — отрапортовал капитан.

— Я спрашиваю про зверя! — добавил металла в голос кондитер. — Того, который...

— Не знаю, — быстро перебил его Иван Васильевич. — Маргарита сказала, что он из тумана возник, а потом в нем же и растаял. Во второй половине дня наступили сложные метеоусловия, мы движемся в «молоке».

— Наверное, это призрак боевого слона Александра Македонского, — загробным голосом заухал Никита.

Алина подперла голову рукой.

— Он собака. Небось от хозяина удрал.

Иван Васильевич галантно склонил голову к плечу:

— Не хочется спорить, но вы ошибаетесь. На судне нет животных.

— Его тайком провели, — упорно стояла на своем диетолог, — без вашего ведома.

— Без меня тут даже муха не чихнет! — гордо вскинул голову Иван Васильевич. — На флоте закон строгий: капитан на судне бог.

Алина встала.

— Когда полкан залез под стол, он сначала там возился, потом из коридора приоткрыли дверь, свистнули и сказали: «Сюда! Ко мне!» — и барбос стрелой полетел на зов.

— Собак ростом с телефонную будку не бывает, — протянул Никита.

— Последняя из рода Баскервилей, — шепнул мне на ухо Юра.

— Иван Васильевич, можно я ее себе возьму? — спросил матрос, протиравший палас щеткой. — Хорошая вещь, Таньке подарю!

Я посмотрела на него и вздрогнула: парень наклонился над бело-рыжей мохнатой кучкой. Невольно у меня вырвался вопрос:

— Вы хотите преподнести подруге труп кошки?

— Ну не выбрасывать же его? — хозяйственно возразил корабельный служащий, поднял шкуру, встряхнул...

— Это моя шубка! — завизжала Вика. — Папочка! Манто сперли!

— Оно тут валялось, — попятился юноша. — Иван Василич велел в мусор его отправить.

— Папочка, — заканючила Вика. — Смотри, весь мех обслюнявлен, воротник пожеван!

— Безобразие! — взорвался Леонид. — Шуба стоила пятнадцать тысяч долларов!

— Едрена Матрена, — опешил матрос и выронил то, что я вначале приняла за безвременно погибшую кошку.

— Пятнадцать кусков зелени? — недоверчиво повторила Алина. — Вас бессовестно надули! Телогрейка из кошки не может иметь подобную цену.

— Любезная, я не оспариваю ваши глубочайшие познания в науке жратвы, но в скорняжном деле вы профан, — процедил Зарецкий. — На ковре лежит эксклюзивное изделие из шиншиллы. Я приобрел его на аукционе, для любимой женщины мне ничего не жаль!

— Это кошка, — спокойно дудела в одну дуду Алина, — очень редкой породы — московская помойная.

— Папочка, — дрожащим голоском прочирикала Вика, — она врет?

— Солнышко, Алина шутит, — смягчил ее заявление Зарецкий.

Но упрямству диетолога могли бы позавидовать ишаки.

— Вовсе нет. Иначе по какой причине Полкан

на шубу охоту открыл? Хотел разобраться со своим извечным врагом! Кстати, о шиншилле. Эта крыса в природе имеет серый мех, бело-рыжих особей не бывает. Но загляните за любой мусорный бак, и вы найдете стадо котов расцветки апельсина со взбитыми сливками.

— Почему крыса? — затряслась Вика.

— Вы не знаете? — ехидно засмеялась Алина. — Шиншилла — простой грызун.

— Папочка! Ты купил мне шубку из мышей? — всхлипнула блондинка.

— Солнышко, это редчайший мех, — гаркнул Зарецкий, — который испортила корабельная Жучка!

— Мамой клянусь, нет на борту никакого животного, — перекрестился капитан.

— Хотите сказать, что у нас была коллективная галлюцинация? — осведомился Юра.

Василий Олегович хлопнул в ладоши:

— Внимание! Все живы? Отлично! Подавайте обед! Мы слегка подкрепимся, расслабимся, а уж затем решим проблему с собакой, шубой, кошкой и крысами. Вспомним об отдыхе. Чудесная теплая погода, роскошный сентябрьский вид, золотая осень, бабье лето. Прошу всех к столу. И ни слова о дурацком происшествии.

Глава 8

Поняв, что директор решил кардинально сменить тему, Зарецкий сказал:

— Вика, передай мне кофейник, он на буфете.

Поскольку как раз в это время официант снова вышел, жене пришлось самой выполнять его просьбу. Зарецкая попыталась дотянуться до красивого фарфорового чайничка. Ей явно не хотелось вставать, но блондинка никак не могла достать рукой до изогнутой ручки. Стул Виктории слегка накренился.

— Осторожно, — предостерегла Аня. — Вдруг вы упадете!

— Ерунда, — беспечно отозвалась Вика, еще сильнее наклонила стул и с пронзительным визгом рухнула на пол.

Леонид и Юра вскочили, ученый кинулся к жене.

— Милая, ты ушиблась?

— Очень больно, — заплакала бедняжка, — ой! Кровь течет!

— Надо позвать врача! — испугался муж. — Солнышко, где рана?

— Не знаю, — прошептала Вика. — Голова кружится, тошнит.

— На теплоходе доктора нет, — растерялся Самойлов, — но, наверное, есть аптечка!

Леонид пошел к двери.

— Точно! Она висит неподалеку. Сейчас принесу йод.

— Мне плохо, — пожаловалась Вика, сидя на полу. — Зачем меня толкнули?

Девушка не притворялась, она сильно ударилась, по лицу текла кровь, похоже, Зарецкая разбила лоб. Я схватила со стола полотняную салфетку и присела около бедняжки.

— Давайте промоем рану минеральной водой.

— У меня есть анальгин, — спохватилась

Аня. — Сейчас принесу, если проглотить две таблетки, боль быстро пройдет.

Вика заплакала, я попыталась промокнуть ей лицо, но она оттолкнула мою руку:

— Отстань! Без тебя хреново!

— До осмотра врача лучше не принимать никаких лекарств, — предупредила Алина. — Смажете клиническую картину, затрудните постановку диагноза. Травма головы очень опасна, необходимо посетить специалиста!

— Мы плывем в Вакулово, там есть больница, — подал голос Василий Олегович.

— Я умею делать уколы, — тоненьким голоском сказала сиротка Света, успевшая вернуться в столовую. — Нас в школе на ОБЖ научили!

— Не подходите ко мне близко! — взвизгнула Вика. — Где Леня?

— Тут, солнышко, — засюсюкал Зарецкий, материализуясь в столовой. — Я добыл и перекись, и йод, и зеленку, принес растворимый парацетамол. Виола, дорогая, не сочтите за труд, около крайнего иллюминатора стоит шкафчик, откройте дверки, там хранится минералка без газа. Непотребная, на мой взгляд, вода, но лекарство советуют разводить именно такой.

Я покорно пошла за бутылкой, Леонид помог Вике встать.

— Прошу извинить, мы временно вас покинем, медицинские процедуры лучше провести в каюте. Солнышко, ты способна сделать шаг?

Вика прижала к лицу салфетку и зло сказала:

— Меня толкнули! Очень сильно! Я ощутила чью-то руку на спине!

— Милая, ты ошибаешься, — нежно протянул муж.

— Нет! — повысила голос блондинка. — Кто-то хотел меня убить!

Аня решила успокоить Зарецкую:

— Мы все сидели на своих местах. Представляете, какие конечности надо иметь, чтобы протянуть их под столом? Теоретически толкнуть вас могли лишь Манана и Леонид. Но вы утверждаете, что тычок был в спину.

— Да, — всхлипнула Вика. — Точно.

— Вы сидели лицом к пиар-директору, спиной к Леониду, — влез со своим замечанием Никита. — Неужели муж захочет нанести увечье жене? Произошел несчастный случай.

— А я не... — завела было Вика, но Зарецкий не дал ей ответить, он обнял супругу за плечи:

— Солнышко, тебе надо лечь.

Никита тоже встал из-за стола.

— Вика, обопритесь еще и на мое плечо.

Мужчины осторожно увели пострадавшую.

— Как она ухитрилась так расколошматиться, упав на ковер? — ожила молчавшая все время Манана.

— Там такая штука выпирает, — еле слышно сказала сиротка Света. — Я утром об нее споткнулась, до сих пор палец на ноге болит.

Я пощупала руками пол и обнаружила под паласом нечто странное, многоугольной формы, похоже, железное. Тонкое покрытие не защитит от травмы, если упасть на такой предмет лицом.

— Что это? — полюбопытствовала Манана.

Юра опустился на корточки возле меня, поводил руками по ковру, нащупал стык соединения полотен, приподнял часть ковролина и присвистнул:

— Похоже на здоровенную гайку, выглядывающую из железного пола. Вероятно, это какое-то крепление.

— Могу объяснить, — с достоинством произнес официант. — Теплоход, простите, не новый, его пару раз переделывали по желанию хозяев. На месте столовой раньше располагалась прогулочная палуба. То, что вы называете «гайкой», есть крепление для скамьи. С другой стороны стола имеется еще одно. Можно подавать десерт?

— Никто даже мясо не съел, — остановил прислугу Василий Олегович, — испугались за Вику и забыли про барашка.

Я села за стол и поняла, что хозяин прав. Гости, возбужденные произошедшим, не прикоснулись к аппетитным отбивным с жареной картошкой. Только Катя опустошила свою тарелку, пока окружающие охали и ахали над Викой, супруга Самойлова уничтожила второе. Встречаются на свете женщины, которые в минуты стресса испытывают зверский голод.

— Уберите холодную еду, — приказал директор фабрики.

— А что на третье? — спросила Манана.

— Мороженое «Сюрприз», — сообщил официант.

— Надо позвать Тину, — решила мать. — Сделайте одолжение, приведите девочек, очевидно, они в каюте Иры.

— Как прикажете, — кивнул лакей.

— В жаркий день нет ничего лучшего пломбира, — улыбнулась Катя.

— Слишком калорийно, — села на своего любимого конька Алина, — и сахару в избытке. Помните об угрозе развития диабета второго типа!

В столовую вернулись Аня и Никита.

— Как там Вика? — спросила я.

— Леня пытается уложить ее в кровать, — ответила Аня. — Хорошая идея, Виктории лучше поспать.

— Она волнуется за свою красоту, — сказал Никита. — Сначала жаловалась на боль, потом испугалась, что на коже останется шрам, и закатила истерику.

Аня с осуждением посмотрела на мужа:

— Девушкам свойственно переживать по поводу внешности.

— Господин Самойлов, — подал голос вернувшийся официант, — разрешите вас побеспокоить?

— Валяй, — милостиво разрешил хозяин круиза.

— Позвольте интимно, — сказал лакей.

Василий Олегович покосился на него:

— Что за чушь? Говори прямо!

И тут в комнату влетела Тина.

— Где мороженое? — заверещала она. — Этот дядя обещал! С шоколадным соусом! А колу можно? Мам, с волшебными пузырьками!

— Садись спокойно, — попросила Манана. — Не вертись. Где Ира? Ей, наверное, тоже пломбира захочется.

— Ирка спит! — запрыгала Тина. — Легла и не встает. Она плохая! Пообещала со мной поиграть и обманула! Отвела в каюту! Вынула книжку! И спит!

У меня неожиданно заломило виски.

— Пойди разбуди подругу, — приказала Манана.

— Хочу ванильное и колу, — проявила строптивость Тина, сжимавшая в одной руке свою любимую плюшевую игрушку, а в другой — новую заколку.

— Ирина, похоже, заболела, — голосом трубадура провозгласил официант. — Я хотел сообщить тихонько, но вы приказали говорить вслух.

— Ты идиот! — взревел Василий Олегович, швыряя салфетку. — Зачем людям настроение портить сообщением о насморке!

Юра, не говоря ни слова, вышел из столовой.

— Не пойду за Иркой! — звонко кричала Тина. — Она противная, разговаривать со мной не хочет! Мама, я хорошая? Мама, мне дадут мороженое?

Под аккомпанемент пронзительного дисканта Тины я последовала за Юрой, увидела раскрытую дверь одной из кают, заглянула в нее и прошептала:

— Что случилось?

— Девочка умерла, — мрачно сказал Юра, склонившийся над кроватью, — и в данном случае шаурма ни при чем. До Вакулова еще два часа хода, надо не допускать в каюту посторонних и тщательно осмотреть место происшествия.

— Может, она лишилась чувств? — с надеждой прошептала я, когда мы вышли в коридор и двинулись вперед.

— Нет, — сурово возразил Юра. — На теплоходе убийца.

Я попятилась и наткнулась спиной на стену.

— Ну, это уж слишком! У тебя профессиональное обострение.

— Будь любезна, объясни свое последнее высказывание, — протянул Шумаков.

— Психиатры считают всех сумасшедшими, доктора видят у каждого человека симптомы разных заболеваний, а тебе повсюду чудятся киллеры, — прошептала я.

Шумаков сложил руки на груди:

— Считаешь естественной кончину тринадцатилетней девочки?

— Конечно, нет, — с жаром воскликнула я. — Но, к сожалению, юный возраст вовсе не гарантия богатырского здоровья. Ира сирота, очевидно, ее родители алкоголики, наркоманы, бомжи, у пары маргиналов не может родиться здоровое потомство. Надо спросить Катю, скорее всего, она в курсе, какие болезни были у ее воспитанницы.

Не успела я закончить фразу, как из-за угла вынырнула жена Самойлова.

— Ира скончалась? — звенящим от напряжения голосом спросила она.

— У вас есть причины думать о столь ужасном исходе? — тут же «включил следователя» Юра.

Катя вынула из кармана брюк носовой платок и промокнула им глаза.

— Мы лечили Иришу у кардиолога, — с трудом произнесла она. — Провели ее по самым лучшим специалистам, добрались до профессора с мировым именем, но никто не смог установить правильный диагноз. В конце концов, академик Брюсов решил, что в случае с Поповой он имеет дело с неизученной вирусной инфекцией, которая поражает сердечно-сосудистую систему. Тимофей Андреевич пытался справиться с напастью, применял новейшие антибиотики, и... простите, вы ведь оба не имеете медицинского образования?

— Нет, — ответила я за двоих.

Катя кивнула:

— Я тоже не врач, поэтому всех подробностей не назову, да они и не нужны. Увы, Ирочке Поповой предстояло недолго прожить, то, чем она страдала, так точно и не установили, я знала, что она может скончаться в любую секунду. Пожалуйста, не пугайте пассажиров, не объявляйте о смерти Иры.

Шумаков вытащил из кармана блокнот.

— Имя профессора Брюсов Тимофей Андреевич? Где он работает и нет ли у вас при себе его номера телефона? Предполагаю, что судмедэксперт захочет поговорить с академиком. Надеюсь, именуемый врач не откажет патологоанатому в беседе.

— Тимофей Андреевич интеллигентнейший человек, — заявила Катя, вынимая из кармана брючек мобильный. — Он даст исчерпывающую информацию об Ирине. Записывайте, это медцентр «Вечность»[1], услышите гудок, нажмите «решетку», а потом добавьте в тональном режиме семьдесят девять, попадете прямо в кабинет кардиолога. И что теперь делать?

— Пойдемте в столовую, — не выражая ника-

---

[1] Название придумано автором, любые совпадения случайны.

ких эмоций, предложил Юра. — Учитывая малоприятные события, произошедшие на борту за последние двадцать четыре часа, лучше держаться всем вместе. Скоро приедем в Вакулово, там на борт поднимется медик.

Катя всхлипнула и убежала.

Юра обнял меня за плечи.

— Можешь позвонить академику и аккуратно его порасспрашивать?

— Попытка не пытка, — ответила я. — Вот только сильно сомневаюсь в успехе беседы. Очевидно, Тимофей Андреевич наслышан о такой примочке, как врачебная тайна.

— Все равно надо проявить активность, — не дрогнул Юра. — Если светило вежливо отправит тебя на три веселые буквы, придется повторить беседу после нашего возвращения в Москву.

— Глупая идея, — заспорила я. — Думаю, что при личной встрече я сумела бы вытянуть из кардиолога некие подробности, но по телефону он откажется беседовать.

— Тебе трудно? — прищурился Шумаков.

— Конечно, нет! — воскликнула я.

— Тогда ступай на палубу, садись в шезлонг — и за дело! — велел он.

Я поднялась по крутой лестнице на свежий воздух. Интересно, желание настоять на своем даже вопреки элементарной логике — это вторичный половой признак? Хорошо помню, как мой первый супруг Олег Куприн решил сварить на ужин сосиски. У меня никогда не было особенных кулинарных способностей, если честно описать мою готовку, то на ум приходит выражение «бурда в горшочке». Я обладаю уникальным талантом состряпать из вкусных составляющих нечто похожее на кашу без соли и сахара. Нет, я помню про специи и, тщательно изучив рецепт, кладу необходимые ингредиенты по строго указанной норме. Но вот парадокс! Блюдо на выходе получается малосъедобным. Трудности возникают даже при попытке сварить столь простую еду, как яйца. До сих пор не понимаю, ну каким образом у других женщин они получаются всмятку или в загадочный «мешочек». Встречаются особы, которые демонстрируют высший пилотаж — они подают к завтраку яйцо с нежным белком, внутри которого действительно есть «мешочек» из желтка: чуть-чуть густые «стенки» и жидкая серединка. Впрочем, у меня «куриная икра» тоже выходит эксклюзивной. Как правило, белая составляющая остается сырой, зато желтая превращается в камень. По идее, это невозможно, сначала должен загустеть белок. Извините, рецептом приготовления «смятки наоборот» поделиться не могу: не потому, что тщательно скрываю его от посторонних, просто не понимаю, каким образом достигаю сего фантастического результата. Но среди любых правил непременно бывают исключения. Ваша покорная слуга отлично варит сосиски. Вот тут я ас. Поэтому, когда Олег набил кастрюльку колбасными изделиями, поставил ее на огонь и стал уверенно кипятить содержимое, я подала голос:

— Выключи горелку.

— Не собираюсь ужинать сырыми продуктами, — отбрил Олег.

— Шкурка сейчас лопнет, — предостерегла я. — Получится невкусно.

— Ага, — кивнул Куприн, но даже не пошевелился.

Представляете, что увидел супруг, когда после десятиминутного интенсивного бульканья, доносившегося из-под тщательно закрытой крышки, он эту самую крышку снял? Правильно, кашу из сосисок! И теперь объясните мне, почему, не захотев принять совет жены, он на нее же налетел со словами:

— Все из-за тебя! Отвлекла меня пустыми разговорами, и я забыл посмотреть на часы!

Очень надеюсь, что Юра не будет так себя вести, хотя он тоже проявляет задатки вредины. Вот сейчас убедил меня заниматься глупостями: академик не возьмет трубку, если увидит в окошечке незнакомый номер. Полагаю, у известного кардиолога нет времени на разговоры со всеми, кто хочет с ним поболтать. Сейчас послушаю длинные гудки и со спокойной совестью сообщу Юре: «Зря не захотел принять мои аргументы, светило не приблизилось к телефону».

— Брюсов, слушаю, — отозвалась трубка.

Глава 9

Я уронила сотовый на колени, быстро подняла его и, не веря своим ушам, уточнила:

— Тимофей Андреевич?

— Весь внимание, — вежливо сказал кардиолог.

Я откашлялась.

— Прошу простить за звонок. Ваш телефон мне

подсказала Катерина Самойлова, хозяйка детдома для девочек. Помните такую?

— Катеньку? Конечно, — загудел Брюсов. — Замечательный человечек, я консультирую некоторых ее воспитанниц.

Я ощутила себя ковбоем, который ловко запрыгнул на неоседланного мустанга.

— Например, Ирину Попову?

— Ирочку? — с легкой тревогой подхватил Брюсов. — Да, сложный случай. Кто вы? Что случилось?

— Меня зовут Виола Ленинидовна, я работаю помощником следователя, — лихо солгала я.

— Господи! — воскликнул Тимофей Андреевич. — Только не говорите, что с Ирой беда!

— Увы, — пробормотала я, — девочка скончалась. Похоже, вы ожидали чего-то подобного.

Брюсов зашуршал чем-то, потом грустно сказал:

— Ира — загадка. Никто не понял, что происходит с девочкой, ей ставили разные диагнозы, подчас абсурдные.

— Каковы признаки ее заболевания? — спросила я.

Тимофей Андреевич крякнул:

— Виола Ленинидовна, вы, вероятно, юрист? К медицине не имеете отношения? Постараюсь объяснить доступно. Сердце бьется в определенном ритме, иногда он нарушается. Существует большое количество причин, от которых может возникнуть аритмия. Допустим, вас сильно напугали или обрадовали. Сердце отреагировало на стресс, но справилось, вернулось к нормальной работе. Если с вами такое случилось один раз, пугаться не стоит, пойдите к врачу, посоветуйтесь, но это не болезнь. Нарушение ритма может спровоцировать даже сильный удар в грудь...

— Так чем страдала Ирина? — Я не слишком деликатно вернула академика к интересующей меня теме.

— Аритмией неясного происхождения, — отчеканил Брюсов. — Девочку лечили как могли, но успеха не достигли. В конце концов, я осторожно намекнул Екатерине, что прогноз не очень лучезарен. У Поповой начался пубертатный период, усиленный рост организма способен спровоцировать обострение болезней, до тех пор дремавших. Очень часто, например, эпилепсия дает первый приступ в период полового созревания.

— То есть у Иры внезапно останавливалось сердце? — Я решила докопаться до сути.

— Ну, в принципе да, — подтвердил Тимофей Андреевич. — Поймите: Ирочка жила под дамокловым мечом. Сегодня ее спасут, завтра тоже, а через месяц ей станет плохо по дороге из школы домой, и все. Вшить ей кардиостимулятор мы не могли, имелись стойкие противопоказания.

— Спасибо, — протянула я. — Вы же не откажетесь дать официальную справку о состоянии здоровья Поповой?

— С удовольствием помогу следствию, — воскликнул Брюсов.

Слова «с удовольствием» не очень подходят к сложившейся ситуации, но я знаю, что многие врачи отгораживаются от пациентов стеной, не разрешают себе испытывать эмоции, когда больного увозят в морг. Не стоит осуждать подобное поведение, доктор пытается сохранить собственное психическое здоровье. Нужно аккуратно закруглить беседу.

— Огромное спасибо за помощь. Вероятно, выписка из истории болезни не понадобится, мы вас более не побеспокоим. Прозектор обнаружит патологию.

— Ничего он не увидит! — воскликнул Брюсов.

— Вскрытие не оставляет тайн, — мрачно буркнула я.

Тимофей Андреевич издал странный звук, похожий то ли на кашель, то ли на чихание.

— Виола Ленинидовна, представьте себе медный шнур, абсолютно целый, по нему течет ток к лампе. Что случится, если подача электричества прекратится? Свет потухнет, но проводка-то останется исправной. Сердце Иры, ее сосуды не имели патологии, девочке сделали много исследований и не выявили никаких отклонений.

— Так от чего основная мышца переставала качать кровь? — изумилась я.

— Нет ответа, — грустно констатировал Брюсов. — Медицина в случае Поповой оказалась бессильна. Да, Элеонора Сергеевна? Заходите, присаживайтесь. Извините, у нас запланировано небольшое совещание.

— До свидания, — тихо произнесла я.

— Ну, в моем случае лучше сказать — прощайте! Надеюсь, вам никогда не понадобится консультация кардиолога, — завершил беседу Брюсов.

Я осталась сидеть с мобильным в руке. Ира Попова страдала неизлечимым заболеванием, а по внешнему виду девочка казалась здоровой. Она не выглядела изможденной, обладала хорошим аппетитом: сидя за столом, Ира помалкивала, но обильно накладывала еду на свою тарелку. Неразговорчивость ее происходила от стеснительности — девочку-сироту пригласили в компанию взрослых, было от чего смутиться и прикусить язык, а вот желание вкусно поесть Ира маскировать не стала. Думаю, в приюте, даже очень хорошем, подают к столу очень простые кушанья. Кстати, Светлана тоже постаралась отведать от каждого блюда.

Тишину на палубе нарушили тяжелые шаги, из коридора выплыла полная, одышливо сопящая тетка лет пятидесяти. На голове у нее красовался белый колпак, дородное тело укутывал белый же халат, расходившийся на мощной груди. Несмотря на поразительно теплый сентябрь, толстуха натянула плотные колготки. Вероятно, она прятала за темно-коричневым эластиком выпирающие вены.

— Какой воздух! — бесцеремонно завела разговор женщина.

— Замечательный, — вежливо поддержала я беседу.

Бабенка взбила кончиками пальцев ярко-оранжевую челку и продолжила:

— Не сравнить с Москвой. Ухожу в рейс и думаю: может, продать к черту комнату в столице и купить дом в каком-нибудь Панове? Ни смога, ни пробок, ни толпы, ни метро! А затем вернусь в город и понимаю: помру в деревне со скуки. Вот так и катаюсь по воде, понять не могу, чего хочу!

— Людям свойственны колебания, — кивнула я, вставая. — Извините, пойду, почитаю в каюте.

— Вилка, ты меня не узнала? — неожиданно жалобно произнесла толстуха. — Я Маргарита.

Я еще раз окинула взглядом повариху, но в голове не родилось ни малейшего воспоминания.

— Маргарита? Что-то зрение меня подводить стало, очки пора заказывать. Мы встречались?

Незнакомка сняла колпак, взъерошила плохо покрашенные, испорченные химической завивкой волосы и предприняла новую попытку:

— А так?

Я испытывала неудобство. Тетенька явно предполагает, что сейчас с воплем: «Риточка! Какая радость!» — я повисну у нее на шее.

— Я совсем постарела, — горько подытожила толстуха, — а ты осталась прежней. Пластику делала, липосакцию проходила? Ты с деньгами, можешь себе это позволить.

Я начала раздражаться. Если когда-то я и сталкивалась мимолетно с дамой, это еще не повод для выливания глупостей на мою голову.

— Хорошие книжки пишешь, — бурчала Маргарита. — Я все читала!

По моему лицу разлилась заученная улыбка. На судне нашлась фанатка Арины Виоловой! Видимо, когда-то Маргарита получила от меня автограф и сейчас уверена, что я ее помню! Своего читателя нельзя обижать!

— Маргариточка, — защебетала я, — не исключаю для себя возможности обратиться в будущем к пластическому хирургу. Очень хорошо, что теперь люди могут подправить свое лицо, отшлифовать морщины или увеличить грудь. Но я пока слишком молода для подтяжек и ботокса. Липосакция же мне не нужна, мой вес не меняется с юности!

— Везет тебе, — с хорошо различимой завистью прогундела расплывшаяся особа. — И туфельки у тебя классные, и платье, и мужика симпатичного отхватила. На сколько он тебя младше?

Даже фанатам не разрешается в грязных ботинках лезть в душу писательницы. Пока я подбирала подходящие выражения, чтобы не обидеть, но решительно заткнуть нахальную собеседницу, та продолжала:

— И, мне кажется, в школе ты была толще.

— Где? — растерялась я.

— Видимо, придется паспорт показывать, — уныло вещала толстуха. — И так к тебе подъезжала, и эдак, а ты не узнаешь — я Маргарита Некрасова.

Мои глаза зажмурились сами собой, потом раскрылись:

— Кто?

— Ритка Некрасова, я сидела перед тобой в классе, всегда у тебя немецкий списывала, — со слезами в голосе заканючила мадам. — Ты у нас в отличницах ходила, а я вечно двояки хватала. Права была Наталия Львовна, наша классная. Она меня после уроков оставляла и песочила: «Некрасова, возьмись за ум! Посмотри на Тараканову! Виола в жизни многого добьется. Ты же привыкнешь лениться и на дно опустишься». Да я мимо ушей ее слова пропускала, хотелось повеселиться, в кино сбегать. Стою около Наталии Львовны, глаза вниз опущу, голову повешу, типа раскаиваюсь, а сама думаю: «Ну когда она заткнется!» Только сейчас, в старости, поняла: училка мне добра хотела!

Я опустилась в шезлонг. Люди, ущипните меня! Это Маргарита Некрасова? Самая красивая девочка школы, за которой гонялись все мальчики от первоклашек до выпускников? Где ее стройная фигура, золотисто-огненная копна кудрявых волос, огромные зеленые глаза?

— Что, меня узнать нельзя? — с вызовом спросила Некрасова. — Денег нет, вот я и состарилась!

Ко мне медленно возвратилась способность мыслить. Мало кто из женщин, подойдя к зеркалу, может честно сказать:

— Я похожу на бегемота, больного патологическим обжорством. И это исключительно моя вина. Никто не заставлял меня лопать макароны с хлебом, заедая их тортом и запивая чаем с вареньем. Сама съела эверест жирных калорийных продуктов, забыла простую истину: пирожное одну секунду во рту — всю жизнь на бедрах.

Нет, реакция будет другой, большинство толстушек воскликнет:

— Я пухну от бедности, не имею возможности правильно питаться, вот и расперло меня в разные стороны!

А насчет того, что здоровая еда существует исключительно для олигархов, — не правда. Белокочанная и квашеная капуста, морковь, лук, свекла, репа, зеленые кислые яблоки даже зимой не стоят бешеных денег, а летом к ним присоединяются кабачки, помидоры, баклажаны, сезонные фрукты. Кто вам мешает питаться салатами, а не жирными котлетами? Если вы привыкли набивать желудок жаренной на сале картошкой, перемешанной со свиной тушенкой, то не объясняйте свою бочкообразную фигуру отсутствием финансов. Став богатой, вы начнете обжираться фуа-гра, ризотто со сливочным соусом и тортом «Тирамиссу». Сомневаюсь, что будете ужинать спаржей на пару и артишоками. Причина вашего ожирения не в средствах, а в слишком большом аппетите.

— Замечательно выглядишь, — отмерла я.

— Не ври, Тараканова. — Некрасова пресекла мои попытки покривить душой. — Видно, мне на роду написано тебе завидовать. С третьего класса я покой потеряла! Все любили Вилку, везде тебя звали! А платья какие у тебя были! И мать не привязывалась, ты вечно ребят у себя дома собирала!

На меня напал кашель.

— А я, — ныла Некрасова. — Постоянно в лузерах! Бесплатным приложением к подругам! Тебе всегда везло! Теперь ты писательница! С молодым кавалером на корабле кутишь, а я тебе картошку чищу, а потом грязную посуду мою!

На секунду мне стало неудобно, но потом нашелся ответ:

— Ритка, у тебя были в детстве лучшие стартовые позиции. Обеспеченная семья, ты была очень красивой, лучше всех в школе. А я не знала родителей, меня Раиса воспитывала, даже не кровная родственница. Платья, которыми ты восхищаешься, тетке давали хозяйки домов, где она мыла полы, я донашивала одежду за чужими детьми[1].

---

[1] Подробно о детстве Виолы рассказано в книге Дарьи Донцовой «Маникюр для покойника», издательство «Эксмо».

— Зато сейчас ты на вершине, а я у плинтуса, — хныкала Рита. — Муж попался плохой, пьющий... Эх, говорить неохота! Везет тебе, Тараканова. Наверное, денег не считаешь?

Я решила прервать тягостную беседу:

— Извини, голова заболела, пойду прилягу.

Маргарита вплотную приблизилась ко мне.

— Твои книги в последнее время сильно подорожали. Наживаешься на бедняках!

— Ешь поменьше и сэкономишь на приобретение романа, — не выдержала я. — Двойная польза получится, похудеешь и получишь пищу для души.

— Злая ты, Тараканова, — неодобрительно фыркнула Некрасова, — но я готова доброе дело тебе сделать! Заплатишь небольшую сумму — и получай.

— Что? — спросила я.

Рита вздернула подбородок:

— Добрый совет!

Я улыбнулась:

— Какой?

Некрасова торжественно обвела рукой палубу:

— Здесь вход в ад! Добро пожаловать в преисподнюю, маршрут беспересадочный, но я могу тебя защитить! Хочешь, продам амулет?

Глава 10

Я начала мелкими шажочками отступать к коридору. Если с вами в одном классе училась веселая девочка, то это вовсе не значит, что она осталась такой же шутницей после того, как выросла. Некрасова смахивает на сумасшедшую. Вдруг ее полнота вызвана не обжорством, а таблетками, которыми потчуют обитателей психиатрических лечебниц?

— Слышала, в вашей компании две девки совсем плохие? — предпочла сменить тему Некрасова.

Испытывая сильнейшее желание очутиться около Юры, я, продолжая пятиться, кивнула.

— Они хотели отдохнуть, но кончилось это плохо. Лиза поела на Речном вокзале в Москве шаурму и отравилась, ее на «Скорой» в Вакулово отправили. А Ира, похоже, сильно простыла. Придется ее тоже в больнице оставлять.

Маргарита похлопала ладонью по шезлонгу.

— Садись! Врать ты никогда не умела, кончик носа у тебя белеет!

Я автоматически потрогала часть лица, упомянутую Некрасовой, и услышала ее довольный смех.

— Поймалась! Так они померли?

Я постаралась придать голосу возмущение:

— Конечно, нет. С чего бы девочкам с жизнью расставаться! Одной промоют желудок, второй проколют антибиотики.

— Знаешь, Тараканова, я мечтаю о хорошем доме, — закатила глаза Рита. — Большой коттедж мне не нужен, пусть будет одноэтажный, по лестнице ходить ноги болят. Три спальни, столько же санузлов, гостиная, столовая с кухней, кладовка и терраса! Мне во сне часто видится, как я сижу в кресле под полотняным тентом, рядом две кошки, в саду флоксы, тюльпаны. Я кисок обожаю и с растениями обращаюсь хорошо. Двадцать соток мне за глаза хватит!

— Если очень чего-то хотеть, непременно получишь, — вежливо ответила я.

Рита положила ногу на ногу.

— Тараканова, купи мне коттеджик недалеко от Москвы, километров за пятнадцать, ну и машину еще, без тачки за городом никак! А я тебе оберег от ада вручу!

Нет, она точно свихнулась! Но резко развернуться и удрать показалось мне все же не совсем приличным: даже умалишенный может обидеться.

— Риточка, — засюсюкала я. — Думаю, тебе нужно отдохнуть на свежем воздухе, насладиться тишиной...

Некрасова дернула губой:

— Ну-ну! Насчет ада я не придумала, на теплоходе особая дверь имеется. Я тебе сделку предлагаю: как только на судне еще кто-то в ящик сыграет, ты приходи, договоримся.

— Конечно, — обрадовалась я. — Непременно.

— С твоими капиталами дом купить — как плюнуть, — алчно воскликнула Рита.

И что сказать психически покосившейся Некрасовой? Правду? Писатели во все времена хорошо зарабатывали, но народная молва сильно преувеличивает размер их вознаграждения. У меня нет загородного дома, я недавно купила просторную квартиру, так пришлось брать кредит, чтобы завершить ее обустройство.

Со стороны реки донесся натужный вой. Я вспомнила про непонятное лохматое чудовище, притащившее в столовую Викину шубку и устроившее во время обеда погром, вздрогнула и спросила:

— Что это?

Маргарита посмотрела на воду и быстро встала.

— Катер. Я побегу на камбуз. Хочешь совет?

— Приму с благодарностью, — радуясь, что избавлюсь от Риты, ответила я.

— Не ходи в гостиную, — зашептала Некрасова, — там сатана жертвы ищет! Мне твоя жизнь дорога, от кого еще дом получу? Если захочешь правду знать, заруливай вниз, мы, черная кость, на нижнем уровне задыхаемся, пока богатенькие субчики свежим воздухом наслаждаются! Ну, покедова!

Я проводила Некрасову взглядом. Надо постараться больше не беседовать с безумной Ритой наедине.

— Остановите движение, — загремело над палубой. — Капитан, стопори машину.

— Что случилось? — озабоченно поинтересовался Леонид, выбираясь на палубу.

— Не знаю, — ответила я. — Как себя чувствует Вика?

Зарецкий сел в шезлонг, который только что занимала Маргарита.

— Викуся порывиста, наивна, порой выдает детские реакции.

— Она очень молода, — попробовала я оправдать блондинку. — Вы давно женаты?

Зарецкий закатал рукава рубашки. Теплоход перестал мерно трястись, звук работающего двигателя стих, теперь судно просто покачивалось на волнах. Иван Васильевич поспешил выполнить приказ патруля.

— Виолочка, — ласково сказал Леонид, — я идиот! Согласны?

— Нет, конечно, — засмеялась я. — К чему столь строгая самооценка?

Зарецкий вытянул ноги.

— Вика мне не жена. Она временная спутница, любовница.

— А-а-а, — только и сумела выдавить я.

— Супруга сейчас отдыхает в горах, — продолжал заведующий научным отделом. — У нас категорически не совпадает представление о расслаблении. Марфа обожает активное времяпрепровождение: лыжи — вот ее хобби. Мне же представить страшно, что я стою на двух узких полосках, держась за хлипкие палки. А о том, чтобы скатиться вниз, лавируя вправо-влево... В общем, мы проводим отпуск раздельно. Мне по душе круиз на корабле, тихий, неспешный, с прогулками по берегу.

— Ага, — кивнула я, — ага.

— Вика мечтала поехать со мной, — каялся Зарецкий, — и я, идиот, решил прихватить ее с собой. Марфу никто никогда не видел, фотографии супруги я на рабочем месте не держу, вот и решил: это прокатит. Если же кто вдруг, паче чаяния, вспомнит, что госпожу Зарецкую зовут Марфой, я сумею выкрутиться, скажу: «Имя устаревшее, жена предпочитает откликаться на Вику». Ну вот вы, например, Виола, а на обложке книги — Арина.

— Шикарная идея, — хмыкнула я. — Кто ваша супруга по профессии?

— Она удивительная женщина, психотерапевт, — оживился Леня. — Умная, красивая, темные волосы до плеч, талия шестьдесят сантиметров, собирается докторскую по психологии защищать, имеет много клиентов.

— Понятно, вы переели сладкого, и захотелось кислого! — забыв о вежливости, вынесла я вердикт.

— Ох, говорю же, я идиот, — вздохнул Зарецкий, — сам себя в капкан загнал! Вика очаровательна, но... как бы это помягче выразиться...

— Дура беспросветная, — ляпнула я. — Неужели вас, образованного человека, не раздражает ее поведение?

— О, это даже забавно, — оживился Зарецкий. — Я с ней временно стал щенком. Мы ходили в парк культуры, катались на аттракционах, ели сладкую вату, дурачились. Марфа никогда не позволяла себе раскрепоститься, мы не выясняли отношений даже в первый год брака. Мне досталась идеальная супруга, мечта каждого мужчины, но в ней начисто отсутствует непосредственность. Зато... Боже! Смотрите!

Я вздрогнула и уставилась туда, куда указывала рука ученого.

По палубе шли три человека, определить пол которых не представлялось возможным. На примчавшихся на катере людях были полностью закрывавшие тело комбинезоны, на глазах красовались круглые очки, а вместо носа и рта торчали две круглые железки, смахивающие на банки из-под гуталина, щедро истыканные дырками.

— Костюм эпидемиолога, — выдавил из себя Зарецкий. — Я такой надевал, когда на практике в

Средней Азии был. Тогда в одном из кишлаков заподозрили чуму.

Я вцепилась в ручки шезлонга.

— Полагаете, на теплоходе зараза?

— Всех гостей и личный состав, кроме занятых в рубке, просят срочно собраться в кают-компании, — ожило местное радио.

Гости, не сказав нам ни слова и даже не кивнув в знак приветствия, быстро спустились по лестнице. Мы с Зарецким переглянулись и встали из шезлонгов.

— На судне объявлен карантин, — сказал один из «пришельцев», когда собрались практически все находившиеся на теплоходе люди. Кстати, Маргариты среди них я не увидела.

— Карантин? — заревел Василий Олегович. — Это что, часть развлекательной программы?

— В анализах Елизаветы Сухановой обнаружен вирус ОМ двенадцать, — ледяным голосом объяснил мужчина. — Теплоход отгонят в Козловск.

— Куда? — хором спросили Манана и Алина.

— Это пристань у поселка городского типа, — нервно ответил Иван Васильевич. — Там сейчас никто не живет из-за аварии.

— Покидать судно запрещено, — продолжал свою речь «пришелец», — есть угроза возникновения эпидемии.

— Нас будут держать в изоляции, пока мы все не передохнем? — закричал Зарецкий. — Немедленно транспортируйте присутствующих в Москву, в специализированную инфекционную больницу! Я требую!

— Это невозможно, — подал голос другой эпидемиолог, на этот раз женщина. — Не волнуйтесь, ситуация под контролем.

— Ничего вы в своем Задрипанске не знаете, — затопал ногами Леонид. — Я встречал на российских просторах специалистов, которые инфаркт как перелом ноги диагностировали.

— Вероятно, мы в чем-то профаны, — без тени агрессии отреагировала эпидемиолог, — но великолепно изучили инструкцию. Десять дней строгой изоляции. Если никто более не сляжет, вы вернетесь в столицу.

— Бред, бред, — застучал кулаком по столу Леонид.

— Не стоит пылить, — попытался успокоить его Никита Редька. — Поживем немного на теплоходе. Наши планы никак не меняются, хотели плыть две недели, ну так постоим. Я не верю в инфекцию, тут какая-то ошибка!

— Кретин! — заорал Зарецкий. — А если мы заболеем? Эй, вы хотите оставить нас без медицинской помощи? Убийцы в белых халатах!

— Запахло жареным, — шепнул мне на ухо Юра. — Леонид был подчеркнуто вежлив — и вдруг полный аут.

— Вы же не хотите сказать, что мы все заразились? — с плохо скрытой тревогой спросила Аня.

— Сейчас у вас возьмут анализы, — пообещал врач. — Пока поводов для беспокойства нет.

— Мама, нам сделают уколы? — испугалась Тина. — Я боюсь! Это больно! Не хочу!

— Всего лишь мазок из носа, — уточнила женщина-доктор. — Это слегка щекотно.

— Но мы не больны? — попытался выяснить Никита.

Врач откашлялся:

— Вирус ОМ двенадцать поражает в основном людей с пониженным иммунитетом и хроническими болезнями. Среди вас есть инфицированные СПИДом, туберкулезом, сифилисом? Гепатитом? Если нет, можете не волноваться.

— Конечно, нет! — взвыл Зарецкий. — Здесь собрались приличные люди, а не бомжи, гомосексуалисты и проститутки!

Я удивилась реакции Леонида. Он же ученый, а не малограмотная бабка, должен знать, что вышеназванные болезни могут поразить любого человека, независимо от его социального статуса. В зоне риска находятся все, кто посещает стоматолога, делает переливание крови или простой маникюр, ездит в метро, целует приятелей при встрече.

— Зачем нужен карантин, если мы не заболеем? — поинтересовалась Манана.

Выдержке пиар-директора можно только позавидовать, она единственная из всех пассажиров выглядела спокойной.

— Допустим, вы в порядке, — ответил мужчина, — но в любом случае можете стать переносчиками болезни. Сами не заболеете, а вирус передадите. За десять дней возбудитель погибнет, и вы без проблем отправитесь дальше.

— Если вы заболели и благополучно выздоровели, то отлично натренировали иммунную систему, — заявила Алина. — Не правы те люди, которые тщательно изолируют маленьких детей от общения в надежде, что малыши не подхватят инфекцию. Лучше привыкать к микробам, чем убегать от них.

— А если помрешь в процессе тренировки? — завизжал Зарецкий.

— Подайте этому господину валерьянки, — попросила Аня Редька официанта, который с открытым ртом подпирал стену около буфета.

— Успокойся, Леонид, — раздраженно велел Василий Олегович, — альтернативы нет! Возьми себя в руки, сейчас все лечат!

Зарецкий сел, поставил локти на стол и обхватил ладонями голову.

— Старый идиот! Зачем я согласился на эту поездку?!

— Вы можете вести привычный образ жизни, — успокоил присутствующих врач.

— Ограничений по диете, полагаю, нет? — вскинула брови Алина.

— Мама, он страшный! — ожила Тина. — Я боюсь!

Манана обняла дочь.

— Не волнуйся, я с тобой!

— Меню обычное, — возвестил врач. — На спиртное мораторий не наложен.

— Шикарно, — потер руки Юра. — Напьюсь по брови!

— Вот курение советую не практиковать, — продолжал доктор.

— Секс, наркотики, рок-н-ролл в полном объеме, но сигареты истребить на... — гаркнул Зарецкий.

— Леня! — с укоризной воскликнула Катя. — Не ругайся при Свете! Да и нам неприятно!

— Девочка никогда не слышала о смерти? — начал новый виток скандала Зарецкий. — Не понимает, что мы все можем умереть?

— Попытайтесь успокоиться, — попросила его Аня. — От истерики лучше не будет.

Мне стало противно, ноги сами понесли меня к лестнице, я вышла на палубу и оперлась на перила. Теплоход стоял на месте, белый катер, бросивший якорь борт о борт с ним, был отчетливо виден. Он казался совсем маленьким, но тоже имел палубу для отдыха, на которой стояли три крохотных складных стульчика и круглый, похожий на кукольный столик. На железке, привинченной к одному из бортов, висело полотенце и красный купальник.

Я молча изучала катер и не обернулась даже тогда, когда поняла, что уже не нахожусь в одиночестве.

— Испугались? — спросил капитан, тоже опираясь на поручень.

— Чему быть, того не миновать, — пожала я плечами. — Где этот Козловск и почему нас именно туда отгоняют?

Иван Васильевич выпрямился и одернул китель.

— В советские годы в Козловске работал химзавод. О нем вслух не говорили, но местные отлично знали о предприятии, там весь городок пахал. Хорошее место, оклады жирные, молоко за вредность, отпуск аж сорок дней, ну и прочие льготы. В округе козловским завидовали, народ в деревнях и городках был бедный, а те колбасу каждый день ели, снабжение-то было специальное. В начале девяностых лафа сошла на нет, дирекция на всем экономила, наверное, ремонтные работы вовремя не произвели. Ночью двадцать третьего августа как грохнет! Я число отлично помню, это мой день рождения. Жил я тогда в Абрамове, за десять километров от Козловска, и то у нас светло стало. Чего уж на заводе нахимичили, не знаю. Сначала взрыв у них случился, следом пожар, огонь всем районом тушили, да он только сильнее полыхал. Химия — страшная вещь, вонь над рекой плыла, а затем облако повисло, чисто радуга. Наши еще смотреть бегали на эту «красоту». А я Чернобыль вспомнил, жену с дочерью в охапку — и к тестю их в Курскую область отправил.

— Вы молодец, — похвалила я Ивана Васильевича.

— Точно, спас семью. Когда из этого облака дождь по округе захлестал и у народа даже железные крыши пожгло, вот тут все и кинулись в кассу за билетами, давились не на жизнь, а на смерть, а мои спокойно отбыли, в купе.

— Хорошо, когда муж смотрит на несколько шагов вперед, — польстила я капитану теплохода.

— Народу там погибло, — удрученно говорил Иван Васильевич, — страсть! Предприятие непрерывного цикла, вся смена полегла, кого при взрыве убило, кто задохнулся. Пожар весь Козловск съел, восстанавливать городок не стали, народ поразъехался кто куда, сейчас там несколько человек кукует, кому податься некуда. Электричества нет, газа тоже, не пойму, как они существуют!

— Печальная история, — вздохнула я. — А вот жителей Припяти расселили в других местах, дали квартиры бесплатно.

Иван Васильевич махнул рукой:

— Это потому, что за границей узнали, журналисты вой подняли, вот людям и досталось тарелочку облизнуть. А про Козловск везде тишина, деньги на жилье выделили, да они тем, кому нужно, не достались. Жулье кругом!

— Любуетесь закатом? — спросил Юра, поднимаясь на палубу.

— С чего бы нам на закат пялиться? — неромантично ответил Иван Васильевич и ушел.

Глава 11

Я заснула рано. Будильник еще не показывал одиннадцати, когда я улеглась в кровать, но около трех проснулась от жажды, села, пошарила рукой по тумбочке и поняла, что бутылки с водой нет. Обычно Юра обо мне трогательно заботится: расстилает постель, взбивает подушки и непременно ставит на столик у изголовья минералку. Сколько раз я говорила ему:

— Я очень крепко сплю, не притаскивай воду, я никогда не просыпаюсь.

— Вдруг захочешь пить, — отвечал Юра. — Зачем в темноте на кухню топать.

И вот пожалуйста! Один раз Шумаков забыл про воду, и именно в эту ночь я стала погибать от жажды.

Очень тихо, чтобы не разбудить Юру, я вышла в коридор и, держась за стену, побрела в столовую. Насколько помню, дверь в нее будет пятой по счету. Миновав четыре створки, я толкнула следующую, вошла внутрь и, незамедлительно споткнувшись о ковер, шлепнулась на пол.

Покрытие самортизировало, я не ушиблась, просто стало смешно. Ну надо же быть такой неуклюжей! Хорошо хоть сумела удержаться от крика и не переполошила весь теплоход.

Я оперлась рукой о пол, хотела встать и тут поняла, что мои пальцы ухватились за мохнатую лапу размера кинг-сайз. В голове моментально ожили воспоминания о неведомом чудовище. Я окаменела от страха. Теплоход стоит на приколе около города Козловска, который умер в девяностых годах прошлого века от взрыва на химическом комбинате. Ядовитые вещества, которые на нем использовались, могли надолго отравить округу. После беды в Козловске прошло более десяти лет, за этот срок вполне могли появиться на свет мутанты. Скорее всего, монстр, за лапу которого я сейчас схватилась, щеночек одной из генно-измененных собак. Или он котеночек? Дельфин? Ужасное существо плавает, а может, даже живет в реке, как нечисть из озера Лох-Несс? Гонимое голодом, животное нападает на теплоходы и питается туристами. Почему же о нем до сих пор не рассказали журналисты и не сообщили по телевизору?

Я попыталась отдернуть руку, но пальцы от страха свело судорогой, и они не пожелали разжаться. Оставалось лишь удивляться тому, что агрессивный слонопотам не рычит, не нападает на вцепившуюся в него женщину и ведет себя апатично. Мало-помалу я начала реально оценивать действительность, глаза привыкли к темноте, к тому же в один из иллюминаторов заглянула полная луна, наверное, прятавшаяся ранее за тучами. Серо-белый свет проник в столовую, и я поняла, что сжимаю в побелевших пальцах детскую игрушку самого идиотского вида, помесь мишки и хрюшки. Плюшевое изделие имело круглую голову с ушами-локаторами и плоской мордой, вместо носа — пятачок. Задние лапы апофеоза легкой промышленности были украшены копытами, передние завершались весьма натурально сделанными когтями. Рот имитировала вышивка, над ней торчали в разные стороны пышные усы. На секунду я задумалась: у свинок есть растительность над губой? Вот кошки обладают вибриссами, а кабаны? А медведи усатые? Вроде простой вопрос, но попробуйте на него сразу ответить. Я так и не смогла сообразить про Топтыгина, потому что стала решать другую задачу. Копыта! У свиньи они точно есть, а у медведя их нет? Спине стало жарко, пальцы разомкнулись, плюшевая игрушка тихо шлепнулась на пол и вдруг запела:

— Тили-вили ду, я к тебе приду!

Я поднялась и уставилась на буфет. Зачем я пришла в столовую? Только что пережитый испуг отшиб память. Песенка стихла, я с большим трудом удержалась от того, чтобы не пнуть игрушку. Она ни в чем не виновата, а вот те, кто производит «поющих» или «разговаривающих» монстров, должны платить большой штраф, если человек, купивший подобный прикол, нанес своему здоровью ощутимый урон.

Лет этак пять-шесть назад меня позвала на день рождения Нина Рогаткина, коллега Куприна. Рогаткина отличный оперативник, у нее самый большой процент раскрываемости преступлений. Кое-кто из криминальных элементов поднимает руки вверх, только увидев Ниночку издали. Я великолепно понимаю уголовников, сама ее побаиваюсь, хотя со мной Нина всегда нежна. Наши отношения не стали хуже даже сейчас, после того как семья госпожи Таракановой превратилась в обломки. Нининому росту позавидует капитан баскетбольной команды, и вес у нее как у борцов сумо. Только не подумайте, что Рогаткина представляет собой кусок жира. Нет, она занимается в секции самбо, и я не советую вам даже думать о выяснении отношений с ней посредством кулаков. Шансов у вас нет. А еще Нинок легко победит Робин Гуда на соревнованиях по стрельбе, умеет метать нож, несмотря на кажущуюся неповоротливость, бегает как гепард, подтягивается на одной руке бесчисленное количество раз и отжимается «с хлопком»[1]. Можете мне не верить, но Нина отличная хозяйка, чудесная мать, любительница животных и преданная жена. То, что Серега, супруг Рогаткиной, достает ей до пояса, ее не сму-

---

[1] Высший пилотаж спортсмена. Человек в процессе отжимания, находясь в верхней точке подъема, хлопает в ладоши и продолжает упражнение. Подобный трюк способен исполнить далеко не каждый мужчина. Вот у олимпийского чемпиона гимнаста Алексея Немова он хорошо получается.

щает, она ласково величает вторую половину «папочка» и очень счастлива в браке.

Поскольку у Нины подрастает дочка Леночка, я пришла в гости, прихватив для девочки пупса. Ну, согласитесь, если в доме есть ребенок, он всегда ждет от гостей подарков.

Вручив Лене презент, я пошла на кухню, где Нина осторожно вынимала из духовки поднос, на котором красовалось ее фирменное блюдо: баранья нога, запеченная в горчице. Мясо готовится крайне просто. Берете кусок баранины и обмазываете его толстым слоем ядреной приправы, а потом засовываете в печку. Чтобы было вкусно, необходимо соблюсти несколько условий. Горчицу берите российскую, импортная не подойдет, она сладкая, мажьте ножку погуще и не добавляйте никаких специй.

Не успела Ниночка поставить противень на стол, как по кухне поплыл потрясающий запах. Тут же примчались Яша и Кеша, два кота-оболтуса, прибежала Нэпа, милая псинка неизвестной породы, чей рост совпадает с моим. Животные заныли, я сглотнула слюну, а хозяйка закричала:

— Папочка, принеси из буфета блюдо с голубыми цветами!

Голос у Рогаткиной зычный, пару раз от ее вопля в доме лопались рюмки, но в тот раз обошлось без потерь, зато случился иной казус. Едва последнее слово повисло в воздухе, как на мясо напала какая-то тварь. Ей-богу, я не поняла, откуда взялся серый комок размером с крупную кошку, он словно упал с потолка, вцепился в баранью ногу и заорал:

— А-а-а-а!

Нина ахнула, потом, затрубив, как раненый слон, схватила незваного гостя за загривок и швырнула на пол. На беду он, продолжая выводить на одной ноте: «А-а-а-а», угодил в центр кошечье-собачьей стаи.

Яша и Кеша обнялись и вспрыгнули Нэпе на спину. Двортерьериха не отличалась особым умом, поэтому не стала разбираться в происходящем, а решила побыстрее спастись под столом, но пролезть туда Нэпе мешали коты, дрожавшие на ее хребте.

— А-а-а-а, — визжало неизвестное животное, тихонько ползая по кухне, — а-а-а-а!

Нэпа, сообразив, что через пару секунд неведомая зверушка очутится у ее ног, применила отпущенную ей создателем физическую силу и ввинтилась-таки под столешницу. Видели вы когда-нибудь, как слишком большая машина останавливается у въезда в тоннель около дорожного знака, предупреждающего об ограничении по габаритам? Любой шофер понимает: если на знаке написаны цифры «4,5», то не стоит пытаться соваться в тоннель на автомобиле пятиметровой высоты, ничего хорошего не получится.

Но у Нэпы нет никакого образования, управлять трейлером она не умеет и вообще соображает с трудом, поэтому и полезла. Край столешницы словно ножом срезал воющих котов. Яша и Кеша спелыми грушами плюхнулись на мохнатого гостя. Тот еще громче заверещал:

— А-а-а-а!

Коты подпрыгнули. Яша очутился на плите,

Кеша в раковине, первый обвалил кастрюлю с отварным рисом, второй разбил штук пять тарелок.

— А-а-а-а, — надрывался неведомый зверь, — а-а-а-а!

— Кто это? — в ужасе прошептала я, забиваясь в щель между холодильником и стеной.

— Не знаю, — заорала Нина. — Над нами Ваня Шкулев живет, он на корм мышей разводит! Надо ему позвонить, вероятно, у него кто-то сбежал.

— А-а-а-а! — вопило серое чудище, упорно уползая к двери.

Я поглубже ввинтилась в обнаруженное укрытие. Если это мышка, которую купили, чтобы накормить некое животное, то какого размера последнее? Это тигр? Но вроде хищники грызунами не питаются!

Яша и Кеша, испуганные устроенным ими безобразием, ожили и зарыдали на два голоса. С плиты посыпался рис, из мойки осколки.

— Ах ты пакость! — вокликнула Нина и метнула в серую тень нож для резки мяса.

На беду именно в этот момент в кухню со здоровенной тарелкой в руках вошел Серега. Реакция у мужа Рогаткиной отличная, он водит школьный автобус, поэтому всегда ожидает драки, скандала, выяснения отношений и готов бороться за свою жизнь. Увидев летящий «кинжал», Серега сел на корточки и прикрылся блюдом, Яша и Кеша бросились к хозяину и трусливо затаились у него под коленями. Столовый прибор угодил в центр блюда, оно рассыпалось в пыль. Коты упали на живот и, энергично работая лапами, по-пластунски поползли под стол. Серега последовал их примеру. Нэпа, которой не понравилось сильно возросшее количество обитателей «теремка», заворчала. Но Яша, Кеша и Серега вместе — большая сила. После короткой борьбы собаку выпихнули из укрытия, она, поджав хвост, подлетела к холодильнику и ухитрилась проникнуть в щель, куда забилась я. Моя спина наткнулась на что-то твердое, раздался треск.

— А-а-а-а! — выводила мышь-великан.

— У-у-у! — выли Яша и Кеша.

— Смерть оборотням в погонах! — переорала всех Нина, в последнее время постоянно сидевшая на совещаниях, где бесконечно и безрезультатно обсуждалась кадровая политика МВД. — Вон паршивых козлов из нашего честного стада! На тебе!

В грызуна полетела сковородка. На этот раз Рогаткина попала в цель: емкость накрыла возмутителя спокойствия.

— Йо-хо! — заплясала у плиты хозяйка. — Наша взяла!

Рогаткиной не следовало столь бурно праздновать победу. Яша и Кеша перепугались окончательно. Стол поднялся в воздух, покачался, упал набок, я увидела Серегу и две кошачьи морды с блюдцеобразными глазами. На секунду в кухне повисла тишина.

— Гав? — тихо сказала Нэпа. — Гав-гав?

Собака явно пыталась спросить: «Шабаш закончился? Могу я, приличное, хорошо воспитанное животное, отправиться спать на диван?»

И тут сковородка зашевелилась, из-под нее раздалось:

— А-а-а...

Яша и Кеша взвыли, Нэпа спрятала голову на моей груди, Нина уронила на пол баранью ногу.

— А-а-а... Антошка, Антошка, пошли копать картошку, — запела чугунина. — Антошка, Антошка, а-а-а-а...

— Это же слоник! — обрадовался Серега, принимая вертикальное положение.

— Кто? — мрачно осведомилась Рогаткина.

Муж Нины наклонился, убрал кухонную утварь, поднял с пола «мышь» и встряхнул ее.

— А-а-а-антошка, — прокряхтел грызун, — а-а-а... картошка!

Нэпа вылезла из-за холодильника, я последовала за ней, а Серега тем временем рассказывал:

— Мамочка, неужели не помнишь? Леночке подарили слоника, он пел забавную песенку из мультика, дочка обожает игрушку, спит с ней, ну и запачкала. Я вчера вечером слона постирал, туда сушиться повесил.

Мы с Ниной одновременно посмотрели вверх. Под потолком, на веревке, виднелись две прищепки.

— Слоник упал, — закончил объяснение Серега, — ему музыку слегка заклинило.

— ...! — вымолвила практически никогда не употреблявшая крепких выражений Рогаткина.

— Сейчас веник принесу, — засуетился супруг и убежал.

Нина пошла к рефрижератору, открыла дверцу и вдруг рассмеялась:

— Вилка, ты лыжи сломала, я их на лето между холодильником и стеной поставила.

— Извини, — прошептала я, — случайно вышло.

— Хорошо быть похожей на спицу, — резюмировала Ниночка. — Взбреди мне в голову использовать эту щель как укрытие, я уже б холодильника лишилась. Ерунда, праздник продолжается! Сейчас колбаски нарежу.

Я оглядела осколки, поваленный стол и вздохнула. Зато в этой ситуации повезло животным. Нэпа величаво удалилась на свой коврик, в зубах она держала баранью ногу, по краям которой висели Яша и Кеша. Они даже под страхом смертной казни не разжали бы ни зубов, ни когтей. И кто виноват? Производители «говорящих» игрушек! Зачем они выпустили слона, похожего на крысу да еще бойко поющего про Антошку! И Серега хорош! Решил постирать плюшевого уродца, кинул в воду...

Я вынырнула из воспоминаний. Вода! Вот зачем я вылезла из кровати! Проснулась от жажды и пришла в столовую за минералкой.

Глава 12

Сначала я пошарила в буфете, затем переместилась к небольшому столику возле одного из иллюминаторов, нашла пластиковую бутылку, свернула пробку, сделала пару глотков и без всякой цели глянула в круглое окно.

Луна продолжала ярко сиять на небе, и мне показалось, что из воды кто-то вылезает. Темная тень уцепилась за перила, ограждавшие борт, подтянулась, перебросила ноги и очутилась на палубе.

Я снова испугалась. На теплоход решил напасть житель Козловска? Он горбатый и с огромными перепончатыми лапами?

Неожиданно на палубе появилась еще одна тень, и я поняла: на теплоход взобрался аквалангист. Два человека, один худощавый, второй более плотный и коренастый, явно о чем-то спорили. Лиц я не видела, голосов не слышала. Потом спортсмен с баллонами опрокинулся в воду, а второй начал наклоняться и выпрямляться. Я приникла к иллюминатору, пытаясь сообразить, что происходит. Человек поднял с палубы сверток, напоминающий ковер, прислонился к перилам и... бросил его вниз, в реку, а затем повернул направо и исчез из зоны видимости. Я кинулась к иллюминатору, расположенному на противоположной стороне столовой, и разглядела нечто темное, тихо скользившее по воде. Это был предмет, похожий на тарелку, он двигался рывками, внутри лежал тот самый сверток, позади плыл небольшой мяч. Луна спряталась за набегающей тучей, но в тот момент, когда ее свет окончательно померк, я поняла: скорее всего, это резиновая лодка, в которой лежит сброшенная вещь, а «мяч» — голова аквалангиста, который толкает шлюпку. Что увозят с теплохода? Кто приплыл сюда ночью?

Дверь в столовую деликатно заскрипела, я шмыгнула за одно из кресел и попыталась дышать как можно тише. Вошедший зажег небольшой фонарик, яркое пятно заметалось по стенам, спустилось почти на уровень пола, раздалось кряхтение, шорох, позвякивание... У меня затекли ноги, колени заломило, тазобедренные суставы превратились в раскаленные головешки. Если я не пошевелюсь — сойду с ума, а незнакомец не собирался уходить.

В конце концов, я рискнула подвигать правой ногой, вытянула ее, наткнулась на какую-то преграду и услышала оглушительный звон. Свет потух, в столовой стало тихо, но если навострить уши, то легко можно было разобрать мое нервное дыхание и напряженное сопение незнакомца. Когда пауза затянулась, я не выдержала:

— Кто там? Ау! Отвечайте!

— Никого нет, — прошептали из темноты. — А вы кто?

— Меня тоже нет, — обозлилась я. — Здесь беседуют два эха! Хватит придуриваться, зажги электричество!

— Не надо, — испугался невидимка. — Еще увидит кто! Люстра яркая!

— У тебя есть фонарь, — напомнила я.

— Ага, но включать его не буду, — проявил строптивость мужчина. — Лучше уходи!

— Фиг тебе, — ответила я. — Пока не узнаю, что ты делаешь в столовой, с места не сдвинусь! Небось с нехорошими намерениями сюда пришел! Зачем приличному человеку по ночам шастать?

— Сама-то чего приперлась? — огрызнулся баритон.

— Пить захотела, — честно ответила я.

— Ну, а мне пожрать приспичило, — хрюкнул незнакомец.

Снова стало тихо, и снова я не выдержала:

— Послушай, если мы будем здесь тупо сидеть, то дождемся рассвета и все равно увидим друг друга. Ты хочешь быть застигнутым пассажирами или прислугой?

— Нет, — вякнули из темноты.

— Я тоже. А ну, зажигай фонарь!

— Пошла ты, — гаркнул мужчина. — Нашла дурака! Ща наподдам, выкатишься отсюда колбасой!

Я готова договориться с любым человеком, но откровенное хамство меня взбесило. Я моментально вспомнила о торшерах и сообразила, что нахожусь около одного из них. Рука нащупала выключатель. Вспыхнул свет. Яркость была невелика, но после темноты мои глаза на секунду ослепли, а потом я увидела официанта, одетого в спортивный костюм темно-синего цвета, отодвинутую в сторону часть стены и помещение, заполненное самыми обычными стеклянными банками, прикрытыми железными крышками. Несколько из них лакей успел вынуть и поставить на пол.

— Немедленно погаси свет, — зашипел он.

— Как бы не так! — возразила я. — Предлагала тебе компромиссное решение, ты не согласился. Чем занимаешься?

Официант потряс головой, навесил на лицо вежливую улыбку и стал общаться со мной как с пассажиркой.

— Доброе утро! Раненько вы встали!

— Вы тоже, похоже, бессонницей мучаетесь, — не осталась я в долгу и быстро подползла к банкам. — Это что там такое?

— Я готовлю завтрак, — прокурлыкал нахал. — Уважаемая Виола, давайте я проведу вас в каюту, принесу воду, не стоит вам мерзнуть в столовой.

— Спасибо за любезное предложение, — протянула я, изучая сквозь стекло содержимое тары. — Как вас зовут?

— Антон, — представился официант.

— Икра! — ахнула я. — Черная! Сколько ее тут! Целый склад! Ты браконьер!

— Тише, тише, — залепетал Антон, — зачем шуметь? Я помогаю людям. Икорка — целебная вещь, ее больным прописывают, детям ослабленным, тем, кто облучился, операцию перенес. Не для обжор стараюсь.

— Черной икрой торговать запрещено, — заявила я.

— Депутаты сволочи, — жарко зашептал Антон. — Сами жрут, а у простого народа деликатес отняли, да и заработка людей лишили.

Я молча его слушала. То, что в России развито браконьерство, — не секрет, сама иногда покупаю баночку лакомства у Валечки, которая привозит икру из Астрахани.

— Безработица кругом, — гнул свою линию Антон. — Люди в деревнях на подножный корм перешли. Но ботинки и одежду на грядке не вырастишь, на них деньги нужны. Беда разве, если человек рыбу поймает? Она ничья! С какой стати осетр государственный? Его правительство растило? Норовят у простого народа все поотнимать! Скоро реку себе заграбастают! Нам даже купаться запретят!

Издалека послышался тихий короткий свист, Антон занервничал еще больше:

— Виола, вы же хороший человек. Никто не предполагал, что теплоход в Козловск загонят. Меня ждали в Карякине. Поймите: икра чужая, я всего-то курьер. Пропадет партия — как расплатиться? Поставят на счетчик, отнимут избу, а у меня дети! Не верите? После завтрака могу фотки показать: Леночка и Танечка, им по пять лет, близнецы. Жена не работает, на огороде возится, цветы выращивает на продажу. Хотите банку икры? Выбирайте любую, только не губите!

Вид у Антона был самый разнесчастный, а я внезапно сообразила, что за сверток упал с палубы в воду. Официант избавлялся от осетра — эта рыба может достигать гигантских размеров. Узнав о карантине, курьер браконьеров позвонил своему сообщнику, и к месту временной приписки теплохода прибыла лодка, чтобы забрать тушу осетра и икру.

Антон стал совать мне в руки банку:

— Вот эта суперская! Икринки одна к одной!

Я пошла к двери.

— Вы куда? — почти с ужасом спросил официант.

— Спать, — ответила я, хватая на ходу бутылку с минералкой. — Я никого не видела, ничего не слышала, сюда не заходила. Икру не ем, она мне не нравится.

Наверное, вы осуждаете меня, оставившую преступника заниматься противозаконной деятельностью. Но мне предстояло найти убийцу Лизы и Ирины, поимка торговца икрой не была задачей первостепенной важности. И потом, я сама пользуюсь услугами Валечки из Астрахани, а значит, не имею права упрекать Антона. Это так же глупо, как, объявив себя борцом за права животных, не есть мяса, не надевать шуб, но носить кожаные ботинки и пить молоко. Молочко — оно для теленка, а не для радетеля за права коровы.

К завтраку я вышла невыспавшейся, села за стол, поздоровалась с присутствующими и моментально стала объектом заботы Антона.

Официант налил мне кофе из отдельного маленького кофейничка и положил на тарелку горячую булочку.

— Омлет не берите, — шепнул он. — Сосиски пятой свежести, творожок на столе дрянь, сейчас другой приволоку.

Я кивнула, Антон умчался и принес пиалу свежайшего домашнего сыра.

Юра подергал носом и сказал:

— Слушай, а он в тебя влюбился: угостил натуральной арабикой, а не растворимой бурдой.

— Чушь, — отмахнулась я. — Антон просто услужливый.

Шумаков сдвинул брови в одну линию:

— Откуда ты его имя знаешь?

Я растерялась, но тут мне на помощь пришел Василий Олегович, громогласно возвестивший:

— У нас экскурсия!

— Куда? — поинтересовался Никита Редька.

— В Козловск! — потер руки Самойлов.

— Никогда не понимала любви к развалинам, — презрительно наморщила нос Алина. — Какой смысл любоваться на то, что рассыпалось за тысячу лет до твоего рождения?

— Козловск опустел в девяностых, — напомнил Юра, на мое счастье забывший об Антоне.

— Тем более, — фыркнула Алина.

Василий Олегович постучал по чашке ножом.

— Слушайте сюда. Я всегда повторяю: любая неприятность случается нам во благо. Приведу пример. Катюша в последнем классе школы сломала ногу, попала в больницу, лежала в коридоре. Правда, плохо? Но в один день туда пришел я навещать приятеля, которому тоже не хватило койки в палате, увидел Катю, влюбился в нее, в итоге мы сыграли свадьбу. А не получи она тогда травму? Неприятность подарила ей мужа.

— Разбушевавшийся оптимизм ведет к идиотизму. — Алина выступила в своей манере.

— Погоди, — остановил ее Самойлов, — дай до конца сказать.

— Разве тебя перебьешь? — вздохнула Бортникова. — До сих пор это никому не удалось.

Василий Олегович не обиделся, а продолжил свою речь:

— Когда я готовил эту поездку, то поставил перед организаторами отдыха задачу: обеспечьте моим друзьям, которые впервые решились на совместный семейный отдых, самую крутую программу, путешествие, которое запомнится на всю жизнь. И тут... — Самойлов сделал эффектную паузу: — Тут...

— Да говори уже, — вновь вмешалась диетолог.

— Я узнал потрясающую вещь! В Козловске существовала лаборатория, которая занималась созданием лекарства от старости, — объявил Василий Олегович. — Город трудился на оборону, посторонних туда не пускали. Но, кроме военных цехов, была еще и маленькая структура совсем другой направленности, она и работала над созданием эликсира молодости.

— Глупости, — вздохнула Бортникова.

— Не скажи, — возразил ей Зарецкий. — Руководителями нашего государства всегда были люди в возрасте. Достигнув пика карьеры, они хотели подольше пожить на этом свете, поэтому охотно поддерживали геронтологов. Во времена Николая Второго особым расположением царя пользовался один медик, забыл его фамилию. Врач производил какие-то вытяжки из органов обезьян и уверял, что его инъекции сделают человека бессмертным. И ему верили! В советское время тоже пытались решить проблему продления жизни.

— Если человек вскарабкался на вершину, то вполне вероятно, что он просто хороший интриган-стратег, а не светоч ума, — не стала молчать диетолог. — Процент кретинов среди властей имущих такой же, как среди простого народа. На одну деревню приходится семь дураков, ну и в парламенте тот же расклад!

— Да дай ты мне договорить! — начал закипать Василий. — В Козловске придумали лекарство. Говорят, прежде чем предложить «омолодитель» руководителям государства, его дали добровольцам, простым людям, в основном жителям Козловска. И пошли чудеса! У одних выросли новые зубы, у других кудри, третьи постройнели. Все получили свежий цвет лица, исцелились от болезней, забыли про остеохондроз, близорукость-дальнозоркость, давление и прочее.

Никита похлопал себя по животу:

— Мне такая штука подошла бы, лишний вес в наличии.

— А я зубки хочу, — улыбнулась Аня, — сахарные, белые, без кариеса.

— Идиотизм! — стояла на своем Алина.

Манана ничего не сказала, она просто посмотрела на Тину, которая упоенно ела сосиски, вздохнула и поцеловала дочь.

— Крутая штука, — отметил Юра. — Вилка, что у тебя в организме починить надо?

— Мозг, — ответила я.

— Глупости! — фыркнула диетолог.

Самойлов опять постучал по чашке.

— Взрыв уничтожил завод, но не повредил лабораторию. Люди, наслышанные об «омолодителе», совершают регулярные набеги на Козловск. Поговаривают, что кое-кто уже находил таблетки.

— Полный дебилизм! — объявила Бортникова.

— Мы можем тоже поискать! — вскочила на ноги Манана. — На это есть целых десять дней!

Василий Олегович торжественно указал на нее рукой:

— Вот! Это иллюстрация к моим рассуждениям о добре, которое приносит беда. Я попросил устроителей организовать нам экскурсию в Козловск и получил категорический отказ. В зону отселения заходить запрещено. Те, кто пытается самостоятельно проявить активность, находят проводников из местных. Несмотря на расселение, в Козловске живут люди.

— Что-то мне это напоминает, — протянула Бортникова.

— Мы пойдем на поиски лаборатории, — потер руки Василий Олегович. — Вдруг нам повезет и мы обнаружим склад «омолодителя».

— Я «за»! — подняла руку Аня.

— Присоединяюсь! — в один голос заявили Никита и Леонид.

Шумаков наклонился к моему уху:

— Представляешь, что будет, если я омоложусь на тридцать лет? Тебе понравится.

— Ничего хорошего, — шепнула я в ответ. — Превратишься в младенца, мне придется менять тебе памперсы. Согласись, это совершенно не сексуально!

Юрик ухмыльнулся.

— Сталкер! — заявила Алина. — Один из главных героев книги «Пикник на обочине» братьев Стругацких. Только там искали шар, исполняющий желания!

— Никто тебя насильно в рай не тащит, — рявкнул Василий Олегович. — Не хочешь, оставайся на теплоходе.

Катя налила себе еще кофе:

— Даже если ничего и нет, просто разомнем ноги, прогулка пойдет всем на пользу. Светлана, обязательно возьми бейсболку, иначе голову напечет.

Глава 13

Через час наш десант высадился на сушу. Все тщательно подготовились к путешествию: надели джинсы, простые майки, бейсболки и удобную обувь.

— Командуй, — сказал Леонид Самойлову. — Куда топать?

— Вперед, по дороге, — распорядился Василий

Олегович. — Через километр увидим развалины завода.

— Откуда ты знаешь? — недоверчиво спросила Алина.

Самойлов крякнул и достал из сумки, прикрепленной к поясу, желтый лист бумаги:

— Я запасся планом.

— Где ты его взял? — изумился Никита.

Василий расправил плечи:

— Купил. Есть люди, зарабатывающие походами в Козловск.

— Круто, — выдохнула Аня.

Я удивилась. Если Самойлову, как он недавно сказал, «категорически отказали в организации экскурсии на бывший химзавод», то зачем ему план? Что, Василий Олегович заранее знал про карантин?

Директор фабрики словно подслушал мои мысли.

— Я человек предусмотрительный, — улыбнулся он, — поэтому и обзавелся схемой. Разные шансы бывают, нужно встречать удачу вооруженным до зубов. Конечно, о карантине я и не подозревал, но план-то пригодился!

— Василий Олегович даже на прогулку по озеру прихватит бадейку с водой, — улыбнулась Катя.

— Зато меня нельзя застать врасплох, — горделиво подчеркнул владелец кондитерского бизнеса.

— Вот уж ерунда, — не успокаивалась Алина. — Неужели ты веришь в россказни про пилюли?

— Человек хочет жить вечно, — грустно сказал Никита.

— Думаю, вечная жизнь рано или поздно надоест, — отметила Манана.

— Мама, мама, — заверещала Тина. — Там цветочки растут, красивые, давай соберем. Хочу! Мама! Мама!

— Мне бы хотелось стать бессмертной, — честно призналась Аня. — А вам, Виола?

— Тоже, — кивнула я, — но с некоторыми условиями. Пусть никто из моих близких не умирает и не стареет, и я тоже должна остаться максимум сорокалетней.

— В вашем случае не помешает губозакаточная машинка, — схамила Алина.

— Мама, мама, — прыгала Тина. — Кузнечик! Я про него песенку знаю! Спеть? Да? Можно? На солнечной поляночке, чему-чему-чему-то очень рад, сидел...

— Кузнечик маленький, — подхватила Аня.

— Коленками-коленками-коленками назад, — забасил Никита.

Распевая во все горло, мы споро шагали едва заметной тропинкой и быстро достигли остова кирпичного здания.

— Здорово его разметало, — отметил Юра. — что там бабахнуло?

— Нам туда идти? — испуганно спросила Аня. — Вдруг стены обвалятся?

— Навряд ли, — успокоил жену Никита. — Если уж кладка при взрыве устояла, то она сложена на века.

Василий Олегович расстелил на земле план.

— Надо разделиться на группы, — предложил он, — по одному ходить опасно. Манана пойдет с

Никитой, Аней и Тиной. Юра с Виолой, Леня присоединится к нам с Катей. Алина...

— Я с ними. — Бортникова ткнула пальцем в Шумакова.

Самойлов скривился:

— Аля, оставь молодых в покое, им лучше вдвоем!

— Я не помешаю, — нахмурилась диетолог.

— Конечно, нет, — быстро сказал Юра.

— Алиночка, присоединяйся к нам, — пропела Катя. — Пусть Юрочка и Виола...

— Потрахаются они вечером, в своей каюте, — перебила ее диетолог.

Я онемела от услышанного, а Юра заявил:

— Мы не любители сексуальных игрищ на природе. Один раз Вилку укусил за голую попу муравей, больше не рискуем.

Я онемела во второй раз и даже не смогла пнуть Шумакова ногой.

Никита с Аней засмеялись.

— А у нас в сене случай был, — сказал художник. — Мышь из стога вылезла и на Аню уставилась.

— Я чуть не умерла, — весело призналась Аня. — Своей квартиры у нас не было, жили с моей мамой, а у той слух! Чуть что, со своего дивана нам кричала: «Дети, дети, чего возитесь на раскладушке, спите, завтра на работу опоздаете. Аня, у тебя диатез? Перестань чесаться! Никита, не охай! Вы заболели?»

— Раз никто не желает меня принимать в свою компанию, пойду одна погуляю, — гневно воскликнула Алина. — Ни в какие «омолодители» я не верю, глупостями не занимаюсь, пособираю лучше цветы! А вы можете трахаться, копать землю, рыть траншеи, семь футов всем под килем! Назад вернусь сама! Чао!

Бортникова исчезла в кустах. Василий Олегович зацокал языком и повернулся к нам:

— Ребята, простите, у Али отвратительный характер.

Аня решила добавить к черному образу Бортниковой немного белой краски:

— Однако она один из лучших диетологов Москвы.

— Ерунда, — засмеялся Юра. — Над молодоженами принято подтрунивать.

— Значит, вперед, — скомандовал Самойлов. — Сверим часы. Сейчас полдень. В три встречаемся на обеде. Назад дорогу найдете?

Все закивали и разошлись.

— Мы с тобой не женаты, — сказала я.

Юрасик наклонился над травой.

— Видела когда-нибудь пустое гнездо? Смотри, как искусно сделано!

— Меня вполне устраивают отношения вне брака, — вела я свою партию.

— Живем вместе, значит, мы семья, — заявил Юра. — Как только ты захочешь сходить в загс, свистни.

— Так предложение не делают, — возмутилась я, — «свистит» мужская половина пары, предлагая руку и сердце.

— Понял, — кивнул Шумаков. — Прости, я плохо воспитан. О! Жаба!

Я подпрыгнула:

— Где?

— Уже ускакала, — с самым честным видом солгал спутник. — А ты лягушек боишься?

Мирно беседуя о пустяках, мы походили по лесу, посидели на поваленном дереве, а потом вернулись на теплоход. Никакого «омолодителя», естественно, мы не искали, просто размяли косточки и ровно в три часа вошли в столовую. К нашему удивлению, члены других поисковых отрядов уже восседали на своих местах.

— Как успехи? — спросил Самойлов. — У нас ноль целых и зеро десятых.

Манана положила Тине на тарелку салат.

— Тоже пусто, — ответил Юра.

— Где? — звонко спросила девушка. — Здесь не пусто! Мама! Я хочу котлет! Мама! Не люблю листья! Фу, они горькие! Мама! Дай хлеба с маслом!

Манана неожиданно заплакала и выбежала из столовой.

— Мама заболела! — испугалась Тина. — Мама! Где мама! Хочу к маме-е-е!

Катя бросила быстрый взгляд на Свету. Та правильно поняла хозяйку приюта, встала, подошла к рыдающей Тине и шепнула той что-то на ухо. Слезы на лице девушки высохли.

— Да, да, — закивала она, — да.

Света взяла Тину за руку:

— Тогда пойдем.

Когда они удалились, Катя сказала:

— Манана, наверное, не один год потратила, таская Тину по врачам.

— Разве можно ее вылечить? — вздохнула Аня. — Горе на всю жизнь!

— Верно, — согласилась Катерина, — но в материнском сердце всегда живет надежда. У нас есть соседка, у той похожая ситуация с сыном. Когда официальная медицина от мальчика отказалась, семья связалась с шарлатанами, те столько денег из них выкачали...

— Сволочи, — поморщился Юра.

Никита отложил вилку.

— У наших знакомых дочь умирала, так налетели целители с экстрасенсами. Спасибо, Аня горой встала, настояла на лечении в больнице. Девочку спасли, но не у всех моя жена в подругах.

— Нервы у Мананы ни к черту, — заметила Аня.

Дверь в столовую скрипнула, пиар-директор вернулась к трапезе, за ней шли Светлана и Тина.

— Я забыла лекарство проглотить, его перед едой пить положено, — поспешила оправдаться Манана.

— Таблетки возымеют эффект лишь при соблюдении правил приема, — подхватила Аня. — Передайте мне рыбу.

— Очень вкусная окрошка, — похвалил Юра. — Квас как домашний.

— Вика обожает холодные супы, — вздохнул Леня.

— Как она себя чувствует? — осведомилась Катя.

Зарецкий положил ложку в тарелку.

— Разбила нос, под глазами синяки, выглядит ужасно, выходить из каюты отказывается.

— Катастрофа! — всплеснула руками Катя.

— Ничего страшного, — поторопился успокоить ее Леонид. — Но Вика очень переживает из-за внешности, для нее красота крайне важна. Думаю, будет лучше, если я отнесу ей еду в спальню.

Самойлов поманил пальцем Антона:

— Официант!

— Нет, я сам, Вика не желает видеть посторонних, — забеспокоился Леонид.

Аня поддержала его:

— Расквась я нос, тоже бы в каюте заперлась.

— Ты не такая дура, — воскликнул Никита. — Эка важность — бланш! Пройдет.

Леонид нахмурился:

— Вика перфекционистка, ей необходимо быть прекрасной каждую минуту. На мой взгляд, это намного лучше, чем начисто забыть о своем лице, фигуре и превратиться в тумбу!

Зарецкий явно хотел уязвить Никиту, дать понять художнику, что его жена не отличается привлекательностью. Но Никита пропустил отравленную стрелу мимо, Аня же спокойно доела кусок хлеба, щедро сдобренный маслом, и нанесла ответный удар:

— Синяки долго держатся, в особенности на лице! Этак Вика и по приезде в Москву откажется покинуть теплоход! Вам придется здесь поселиться.

Никита радостно заржал. Леонид не донес до рта ломтик мяса, уронил его на тарелку.

— О господи!

— Что такое? — встревожилась Катя.

— А ведь и вправду Вика может в каюте запереться! — взвизгнул Зарецкий. — Она такая! Зимой мы собрались в ночной клуб...

— Куда? — с невероятным изумлением перебил его Самойлов.

— Захотели поплясать, — пояснил Леонид. — Вика любит веселиться. Перед самым выходом она зацепилась каблуком за порог, начала падать, я успел ее подхватить. Вика не шлепнулась, но разорвала колготки и пошла их переодевать. Я остался в передней, сел на табуретку, жду ее, жду... Через пятнадцать минут обозлился, двинул в спальню, а она рыдает: «Никуда, мол, не поеду». Я испугался, подумал, что Вика все же ушиблась, а она показывает на крохотную царапину у колена и объявляет: «С такой ногой из дома выходить неприлично».

— Это плата за молодость, — подытожил Василий Олегович. — Уж извини, Леня, но когда у супругов большущая разница в возрасте, возникают нестыковки. Для тебя синячок — ерунда, для нее — трагедия!

Манана оторвалась от пожарской котлеты:

— Постойте, я только сейчас сообразила. Леня, перед Новым годом ты три дня не был на работе, праздновал сорокалетие супруги. Спеццех тебе еще на юбилей особый торт делал!

— Точно! — вздернул брови Никита. — Главный кондитер ко мне прибежал, принес чистую коробку, попросил ее разукрасить!

— Вике — сороковник? — подпрыгнул Юра. — Ну и ну! Больше двадцати пяти ей и не дать!

— Какой косметикой она пользуется? — насела на Леонида Манана.

— Наверное, делала подтяжки, — предположила Катя.

— Натянулась от пяток до лба? — съязвил Никита.

— Тело можно слепить в спортзале, — произнесла Аня. — В принципе и лицо реставрируется. Морщины убираются, но взгляд все равно остается не юным, из него уходит живость. Еще реальный возраст выдают шея и кисти рук. А у Вики кожа везде безупречная. Ей навряд ли больше двадцати.

— Лень, сколько годков твоей жене? — гневно сверкнул очами Василий Олегович.

— Сорок, — произнес Зарецкий.

— А Вика очень юная, — подвела черту Аня.

— Странно, — пожала плечами Манана.

— Удивительно, — подхватил Никита.

— Загадочно, — ухмыльнулся Юра.

Я предпочла промолчать, Катя сделала вид, что сосредоточенно ковыряет в своей тарелке, Василий Олегович принялся промокать салфеткой вспотевшее лицо. Сиротка Светлана, от которой я за все время пребывания на борту не услышала и десяти слов, сосредоточенно жевала картофель фри. Одна Тина крутилась на стуле, весело напевая себе под нос:

— Медленно минуты убегают вдаль, встречи с ними ты уже не жди, и хотя нам прошлого немного жаль, лучшее, конечно, впереди!

— Леня! — гаркнул Василий Олегович.

Зарецкий вздрогнул:

— А?

— Объясни нам, что происходит? — насупился организатор тусовки.

Заведующий лабораторией залпом осушил бокал с минералкой.

— Я идиот!

— Не стану спорить, — мрачно заявил Самойлов.

— Вика мне не жена, — выдавил из себя Зарецкий и искоса глянул в мою сторону.

Я скорчила гримасу. Никакие претензии не принимаются: я пообещала молчать о «маленьком секретике» ученого — и не нарушила слова. Кто ж виноват, что окружающие оказались умнее, чем рассчитывал любитель клубнички?

— Немедленно колись! — зашипел кондитер.

Зарецкий вновь схватился за воду, а потом рассказал уже известную мне правду.

— Ты кого привел на наш праздник?! — задохнулся Самойлов после того, как Леонид перестал каяться. — Мы решили устроить чисто семейное мероприятие, а находимся в компании со шлюхой!

— Василий Олегович! — решила утихомирить супруга Катя. — В конце концов, это личное дело Леонида, с кем ему спать.

— Да! — стукнул кулаком по столу хозяин. — Но только пока он с ней один на один общается! Подзаборницу не приводят в приличный дом и не обманывают приятелей, представив ее как законную жену! Это оскорбление!

— Я идиот! — мрачно повторил Леонид. — Следовало честно признаться. Ну поймите меня. Марфа чудесный человек...

— А кто такая Марфа? — спросила Аня. — Вы прячете на теплоходе еще одну девушку?

— Шарман, — улыбнулась Манана.

— Мама! Где Чармен? — запрыгала Тина. —

Его сюда взяли? Таня тут? И собачка с ней? Хочу к Чармену! Мама-а-а-а!

— Марфа — моя жена, — объяснил Леонид. — Лучшего человека я не встречал: умница, красавица, все понимающая. Но... но... Господи, очень неудобно говорить.

— А шлюху с собой притаскивать, значит, удобно? — пошел вразнос Василий Олегович.

— Вика — не продажная женщина, — принялся отбиваться Зарецкий. — Она фотомодель, искренне меня любит. Марфа же после операции по женской части перестала заниматься сексом. Что мы только ни пробовали, желание у супруги не возникает. Она не тяготится воздержанием, а я не могу, я нормальный человек!

— Такова мужская природа, — кивнула Катя.

Василий Олегович неожиданно виновато посмотрел на жену, а я поняла, что в семейной жизни Самойловых тоже есть шероховатости. Впрочем, у кого их нет?

— Понимаю, почему Леонид решился на эту авантюру, — произнесла Аня. — Мы семьями до этой поездки знакомы не были и навряд ли потом станем видеться. У Василия Олеговича возникло благое намерение сдружить коллег по работе, но насильно доверительные отношения не появятся. Ход мыслей Леонида мне ясен, но Вика! Я бы никогда не решилась предстать перед людьми в чужой роли!

— Так ты не дура, — отпустил жене комплимент Никита. — А Вика пару раз заговаривала про какой-то секрет, который необходимо открыть. Леня, что ты ей пообещал?

Аня засмеялась:

— Отличный вопрос. А что мужчины напевают глупышкам, когда изменяют с ними женам? «Дорогая, я разведусь, мы будем счастливы, но не сейчас. Подожди годик». Это, так сказать, классическая часть, дальше следуют вариации типа: «Мои дети еще не выросли, не могу из-за них рушить семью, нанесу им непоправимую травму». Или: «Моя жена смертельно больна, врачи дают ей немного времени, я не имею морального права бросить умирающую». Затем идет заключительный аккорд: «Люблю только тебя, с супругой мы давно не спим вместе, она старая, страшная, толстая, жадная. А ты ягодка, кошечка. Чмок-чмок». В целом произведение называется «Плач неверного мужа на коленях у любовницы». Исполняется два раза в неделю, слова и музыка народные.

— Очень хорошо, что Вика сидит в каюте, — буркнул Василий.

— Согласна, — кивнула Катя. — Извини, Леня, твоя частная жизнь — это твоя частная жизнь. Я не знакома с Марфой, но ощущаю солидарность с ней, стайное чувство законной супруги. Боюсь, мне неприятно будет общаться с Викой.

— Совершенно верно, — в унисон пропели Манана и Аня.

Катя отпила из бокала и посмотрела на меня:

— А как вы относитесь к случившемуся?

Я решила ответить честно:

— Наше общество более толерантно к мужчинам. Вика-то в чем виновата? Она влюблена в Леонида, готова ради него на подвиги. Девушка кажется не слишком образованной и думающей, не имеет жизненного опыта и твердо уверена: Зарецкий ее обожает. Леонид же знает: он никогда не бросит законную супругу, Вика лишь временная игрушка. На мой взгляд, пострадавшая сторона здесь — фотомодель, и не стоит устраивать бедняжке публичную порку! Хотя, если показать Вике, где раки зимуют, вероятно, она поймет, что не стоит ловить рыбу в чужом пруду, и постарается впредь не связываться с женатиком!

— Смотрите, что я принесла! — прозвучало с порога.

Глава 14

Все, включая меня, повернули головы. В столовую с небольшой ржавой коробкой вошла Алина.

— Ей-богу, не поверите, что со мной стряслось, — нервно произнесла она, опускаясь на стул. — В результате — вот это.

Дрожа как от озноба, она выложила в центр стола нечто похожее на хьюмидор[1], выполненный из металла.

— Похоже, там, внутри, лежат таблетки «омолодителя», — шептала Алина. — Он так сказал!

Присутствующие враз забыли про Леонида и Вику.

— Где ты это взяла? — поразилась Катя.

— Кто сказал? — подхватил Василий Олегович.

— Ангел, — обмахиваясь салфеткой, проговорила Бортникова. — Вышел из леса, весь в белом, волосы до плеч, сзади крылья, и спрашива-

---

[1] Хьюмидор — коробка для хранения сигар. В ней поддерживается особая температура и влажность.

ет: «Алина, ты не забыла Дениса? Он сильно скучает и...»

Диетолог прижала к глазам салфетку. Катя толкнула мужа в бок, Василий Олегович закашлялся, а Бортникова, не отнимая рук от лица, произнесла:

— Я человек с высшим медицинским образованием. Хотя некоторые люди и считают специалиста по здоровому питанию кем-то вроде фельдшера, но у меня за плечами шесть лет обучения в институте и работа хирургом в больнице. Я отлично знаю: второй жизни не будет, ни рая, ни ада не существует, привидения — это продукт излишней эмоциональности или органических поражений головного мозга. И когда умер Денис... я... мне было намного хуже, чем, допустим, его бабушке. Анфиса Федоровна обожала внука, но она пребывала в уверенности, что Денька переместился в другую, лучшую реальность! А я-то понимала: это все! Мальчик в гробу, гроб в земле! Простите!

Алина выскочила из-за стола и выбежала из столовой.

— Вероятно, нужно связаться с эпидемиологами, — озабоченно произнесла Аня, когда за Бортниковой хлопнула дверь. — Не хочу вас пугать, но, наверное, по теплоходу действительно гуляет зараза.

— Что случилось с Алиной? — изменилась в лице Манана. — Я знаю ее много лет и ни разу не видела плачущей.

Василий Олегович залпом выпил стакан воды.

— Алина никогда не выходила замуж. Характер у нее паршивый. Трудно жить с женщиной, которая постоянно тебя поучает. Бортникова кажется склочницей, но она отличный друг. Я уже говорил, что мы с ней учились в одном классе, дружим со школы, пару раз ругались до драки, но потом мирились. Алина была квалифицированным хирургом. Операционный стол она бросила после того, как заболел ее одиннадцатилетний сын Денис. Кто отец мальчишки, Бортникова не рассказала ни мне, ни Кате, да мы особо и не интересовались. Увидели, что у Лины растет живот, посудачили между собой, но в душу к ней не лезли. Алина родила сына и обожала его безмерно. Денису стало плохо внезапно, я не представлял, что такое возможно: в понедельник он бегал-прыгал, а во вторник попал в реанимацию. Рассеянный склероз. Бортникова два года тащила парнишку, ушла со службы, использовала все свои связи, возила мальчика в Новосибирск, там в Академгородке применяли некий революционный метод. Когда и он не помог, она узнала про лабораторию в Киеве с экспериментальным лекарством, до этого Лина общалась практически со всеми специалистами Москвы.

— Гимнастика, уколы, переливания крови, — грустно подхватила Катя. — Целители, экстрасенсы, бабки-шептухи, старики-травники, шаманы, колдуны. Ничего не помогло. Деня умер за день до своего тринадцатилетия.

— Вот ужас! — воскликнула Манана и обняла Тину. — Страшнее ничего нет!

— Мама! — заверещала девушка. — Почему нету кетчупа? Мама! Намажь мне на хлеб вон ту кашу! Мама! Хочу! Дай скорей!

Пиар-директор схватила ломтик батона, живо плюхнула на него грибную икру, которую ее дочь назвала «кашей», и велела:

— Ешь, это очень вкусно.

Тина покорно вонзила зубы в бутерброд и принялась громко чавкать, роняя на скатерть крошки.

— Алина отказалась от карьеры оперирующего хирурга, — говорил тем временем Василий Олегович. — Переквалифицировалась в специалиста по здоровому питанию и весьма преуспела в этой области. Я знаю, что она любила Дениса до беспамятства, но никогда, подчеркиваю — никогда, она не вспоминает о мальчике при нас с Катей.

— Не знала, что в жизни Алины была такая трагедия, — прошептала Манана.

Катя оперлась грудью о стол.

— Бортникова отличный специалист, для своих подопечных она мать родная. Алина на связи круглые сутки, ей можно позвонить в час ночи и сказать: «Я в гостях, мне предлагают съесть фруктовое мороженое, это нарушит мою диету?» И Бортникова без малейшего раздражения пустится в объяснения. Если она занимается человеком, то не отступит, пока не добьется нужного эффекта. Лина трезво мыслит, умеет держать себя в руках — и вдруг... Ангел! Может, ей плохо?

— Нет! — громко прозвучало с порога.

Я повернулась на звук. Пока Екатерина говорила, диетолог успела практически незаметно вернуться в столовую. Напряженно выпрямив спину, Алина прошла к своему месту, села за стол, обвела присутствующих взглядом и слишком спокойно сказала:

— Я не пью, не курю, не принимаю затуманивающие сознание препараты, не балуюсь галлюциногенными грибами, не нюхаю клей.

— Алиночка, — всплеснула руками Манана, — никому и в голову не взбредет упрекнуть тебя в столь отвратительных привычках!

Бортникова никак не отреагировала на это заявление, продолжив:

— И при всем этом я видела ангела! Не верите?

— Как он выглядел? — спросила я.

Алина развела руки в стороны:

— Очень худой, лицо длинное, с бородой, волосы падают на плечи, тело укутано в белый хитон, сзади два крыла, что на ногах — не заметила, материя ниспадала до земли.

— Это мог быть кто-то из жителей Козловска, — сказала я. — Человек не уехал из зоны отчуждения, остался в родном доме, живет в изоляции, одежда истрепалась.

Бортникова обхватила себя руками за плечи:

— И у него крылья отросли? Я не кликуша, которая бьется в истерике на сеансе у медиума, а медик с соответствующим образованием. Но ангела я видела!

— Линочка, душенька, тебе требуется отдых, — попыталась купировать ситуацию Аня. — Нельзя работать сутками, расслабься, позагорай на палубе.

— Он был, он не плод моей больной фантазии! — повысила голос Бортникова.

— Хорошо, хорошо, — закивала Манана.

— Над головой у него светился нимб, — выдала следующую порцию воспоминаний диетолог. —

А главное... он знал про Дениса! Ладно, будь по-вашему, я столкнулась с аборигеном, у которого нет бритвы и денег на рубашку с брюками, перья к лопаткам он прикрепил ради смеха, где взял и как пристроил светящийся круг над головой — не знаю. Но почему он в курсе моих личных дел?

Я схватила Юру под столом за руку. Хороший вопрос: разумного ответа на него не найти.

— Алина, попытайся рассказать все спокойно, — попросил Леонид, — без эмоций, просто изложи факты.

— Давно пытаюсь это сделать, но вы мне не даете, — укорила всех диетолог. — Перебиваете.

— Ты встретила ангела. Что он сказал? — спросил Василий Олегович.

Бортникова скрестила руки на груди.

— Сначала передал привет от Дениса, а затем протянул коробку, вон ту, что стоит на столе, и заявил: «Денис мечтает о встрече с матерью, мальчик в раю, там обитают невинные души. Он каждый день молится за маму, надеется, что его обращение к ГОСПОДУ поможет твоей душе попасть в сады бессмертия. Но, увы, ты слишком погрязла в грехах. Если хочешь переместиться со временем к сыну, то посвяти свою дальнейшую жизнь праведным делам. Чтобы замолить тобой содеянное, понадобится не одно десятилетие, поэтому Денис решил тебе помочь. В этой укладке лежат дозы «омолодителя», съешь одну и обретешь крепкое здоровье на долгие годы. Денис не имеет права вмешиваться в земные дела, но он готов на все, чтобы мама, в конце концов, оказалась рядом. Я лишь передаю тебе послание от сына.

Для собственных нужд тебе хватит одной пилюли, а в коробке их много. Раздай остальные достойным людям, но помни: те, кто употребит лекарство, проживут на земле очень долго, а это не всегда во благо!»

Все уперлись взглядами в коробку.

— Это смахивает на бред, — высказался Юра.

Я тоже не удержалась от критического замечания:

— Нелогично выходит. Если мальчик мечтает увидеть мать, то почему он посылает ей средство для рекордного продления жизни? Откладывает свидание?

Юра довольно сильно пнул меня под столом, я ойкнула, а Манана торжественно произнесла:

— У вечности свои законы, сто лет там секунда. Денис хочет, чтобы мать очутилась с ним в раю, Алине необходимо время для замаливания грехов, если она умрет до того, как очистит душу, то окажется в аду. Вот тогда им никогда не встретиться.

Леонид взял со стола бокал вина, сделал большой глоток и поднял руку:

— Дайте слово ученому! Жара, стресс, испытанный Алиной при сообщении про карантин, — все вместе дало эффект галлюцинации!

— Мама! Красивая коробочка, — заверещала Тина, — можно посмотреть? Дай!

— Если ангел — фантом, то откуда здесь этот железный бокс? — спросил Никита Редька.

— Дай! Дай! Дай! — монотонно повторяла девушка, пытаясь дотянуться до середины стола.

Алина выпрямилась:

— Слушайте. Денис умирал долго. Я надеялась, что найду мощное средство, панацею и сын проживет еще пару лет, а за это время наука шагнет вперед, создаст волшебное лекарство.

— Бедняжка, — прошептала Манана, — как я тебя понимаю.

— Довольно часто рассеянный склероз удается загнать в стадию ремиссии, — всхлипнула Алина, — но наш случай оказался злым. Сначала у Дени упало зрение, начались проблемы с ногами, руками, потом появилась инвалидная коляска, и, в конце концов, мальчик слег окончательно.

— Ужасно! — прошептала Манана.

Алина округлила глаза:

— Что ты знаешь об ужасе? Да, у тебя не совсем нормальная дочь, но Тина ходит, ест, смотрит телевизор, сама одевается. Ну, не получит она диплом об окончании университета, и фиг с ним! У тебя не кошмар, а вариант нормы. Денис же лежал пластом, одни глаза двигались.

— Для такого больного смерть — избавление от мучений, — растерянно обронила Аня. — Простите, пожалуйста, это случайно вырвалось.

— И никто из врачей не мог сказать, когда Денис меня покинет, — звенящим голосом перебила ее диетолог. — Я потеряла надежду, осталась лишь безысходность, каждое утро я спрашивала себя: может, это случится сегодня? Тридцать первого декабря я села к Дене на кровать и спросила: «Котенька, Дед Мороз принес тебе подарки, но, может, ты хочешь чего-то особенного?»

Странно обращаться к полностью парализованному и душевно умершему человеку. Денис давно не общался со мной. Доктора утверждали:

он не способен оценивать действительность адекватно. Я все равно вела с Деней беседы, не надеясь на ответ. Мальчик обычно не реагировал. Но в тот день он вдруг посмотрел на меня так пронзительно остро, с мольбой. И я поняла его невысказанное желание. Взяла морфий...

— Нет, — затрясла головой Манана, — не рассказывай! Не надо!

— Мама! Мама! Конфетки! Красивые! — нудила Тина, но присутствующие не обращали на нее ни малейшего внимания.

Василий Олегович схватился за грудь.

— Лина! Ты никогда не рассказывала о... о... о...

— О том, что убила Дениса? — с вызовом вскинула голову диетолог.

— Мы друзья, — залепетала Катя. — Могли тебе помочь.

— Чем? — огрызнулась Бортникова. — Как? «Давай поговорим об этом?» Нет, милочка, такое не обсуждают. Ангел знал о моем поступке, он прямо мне сказал: «Денис очень благодарен вам за принятое нелегкое решение». Вот почему я поверила в посланца с небес. Никто понятия не имел о той ампуле!

Катя уронила на пол бокал, тонкое стекло разбилось, но ни один из присутствующих не пошевелился. Алина встала.

— Вот какой грех мне следует замолить, вот какой багаж не позволит нам с сыном остаться навечно вместе, вот почему он нашел способ помочь матери, вот почему я, циник и агностик, стихийно превратилась в человека верующего. Даже если «омолодитель» подарит мне тысячу лет жизни в муках раскаяния, я проглочу его, потому что теперь знаю: там, за могилой, начинается иная реальность, где меня ждет мой сын!

— Мама! Она сладкая! — захлопала в ладоши Тина. — Мама! Можно вторую конфетку? Ну мама-а-а!

Манана повернула голову и закричала:

— Тина! Плюнь! О господи! Помогите!

Юра вскочил и бросился к дочери пиар-директора, державшей в руках железную коробочку. Пока мы затаив дыхание слушали Алину, Тина, оставшаяся без присмотра, сцапала подарок ангела, открыла крышку и засунула в рот одну из ярко-красных глянцевых таблеток.

Глава 15

Я кинулась следом за Юрой, и пока он предпринимал отчаянные попытки достать изо рта глупой девушки лекарство, ухитрилась сгрести все таблетки в коробку и захлопнуть ее.

— Мама! Мама! — кричала, отбиваясь Тина. — Отстань!

— А-а-а, — заорал Юра, тряся в воздухе рукой. — Она меня укусила!

— Так тебе и надо! — злорадно завопила Тина. — Полезешь еще раз, хуже получишь! Мама! Он меня обижает!

— Где лекарство? — переполошилась Манана. — Вы достали пилюлю?

— Не успел, — ответил Юра. — Она ее проглотила.

Пиар-директор бросилась к двери:

— Надо срочно промыть девочке желудок! Немедленно!

— Мама, — вдруг очень тихо сказала Тина, — я устала! Голова кружится. Стены качаются! Ой!

Постанывая, девушка опустилась на пол. Тут уже перепугались все без исключения. Юра и Леонид ринулись поднимать Тину, Катя бросилась к буфету, на котором стояли бутылки с минералкой, Аня начала обмахивать девушку газетой, Никита пытался открыть иллюминатор, Манана рыдала, Василий Олегович бессмысленно тыкал пальцем в мобильный, Катя искала что-то на тумбочке, я без толку бегала от дивана к двери, не зная, куда себя девать.

В конце концов, Алина Бортникова взяла управление ситуацией в свои руки и принялась командовать:

— Положите Тину на диван, усадите Манану в кресло. Манана, заткнись. Юра, сбегайте в мою каюту и принесите аппарат для измерения давления, еще прихватите серую сумку с желтыми наклейками, там аптечка. Катя, выведи Василия Олеговича на свежий воздух, Вилка, отправляйтесь с ними. Леня, помоги Екатерине. Никита, добудь лед, Аня, поищи полотенце.

Все покорно подчинились. Когда мы очутились на палубе, Зарецкий спросил:

— Полагаете, «омолодитель» — это чушь?

Я пожала плечами. Катя гневно насупилась:

— Нельзя глотать таблетки, не разобравшись, для чего они!

— Тина как пятилетняя девочка, — вступилась я за дочь Мананы.

— Избалованная, плохо воспитанная капризница, — дала нелестную характеристику чужому дитяти Екатерина.

— Думаю, несчастную следует пожалеть, — укорила я жену Самойлова.

Катя облокотилась на перила.

— В нашем приюте сейчас более десяти девочек, и каждая с проблемами. Если разрешить им вести себя так, как они хотят, беды не оберешься. Ребенку нужен пряник, но кнут еще больше. Тина не выглядит стопроцентной идиоткой. Научить ее элементарным правилам поведения можно, но Манана распустила дочь.

— Я готова дать тебе Тину на месяц, забирай ее, а потом продемонстрируешь свои успехи, — заорала пиар-директор. — Легко рассуждать, когда своих не имеешь!

— С девушкой порядок, — провозгласил Юра, выходя на палубу, — она мирно спит.

— Давление нормальное, сердце работает стабильно, — добавила Алина, шедшая за Шумаковым. — Это не похоже на отравление, хотя понаблюдать надо. Я готова сидеть около Тины сколько потребуется.

— Ах, какая самоотверженность, — взвизгнула Манана. — Ждешь поклона в пояс? Не надейся! Кто принес на борт это дерьмо в коробке?

— Мне его ангел дал! — устало повторила Алина.

— Дура! — заорала Манана. — Ангелочков в природе не существует!

— Смотрите! — закричал Леонид. — Там, на берегу, в глубине кустов!

Зарецкий принялся быстро креститься и кланяться, я, ругая себя за глупое кокетство, не позволяющее носить очки, прищурилась и увидела вдали белое пятно, всмотрелась в него...

— Ангел! — закричал Зарецкий. — Глядите! Крылья! Над головой люстра горит!

— Это нимб, — ожил Василий Олегович. — Господи, прости и помилуй!

Зарецкий развернулся и убежал, Шумаков начал почему-то трясти головой, Манана застонала и обняла Алину, обе женщины истерично зарыдали. Я ощутила тошноту и предпочла шмыгнуть по лестнице вниз.

Очутившись в каюте, я поняла, что так и не успела пообедать. Желания возвращаться в столовую не было, но есть хотелось безумно, поэтому я решила заглянуть на кухню, отыскать там свою бывшую одноклассницу Маргариту и попросить у нее бутерброд.

Камбуз располагался в конце длинного коридора, я туда заглянула и увидела рыжего парня — того самого, что помогал в первый день пассажирам найти их каюты, — меланхолично чиркавшего ножом по картофелине.

— Чего вы хотите? — неприветливо спросил он.

— Маргариту Некрасову ищу, — ответила я.

— У ней перерыв на обед, — пояснил матрос. — Нам днем час отдыха положен.

— Значит, мне к семи подойти? — уточнила я.

Юноша поднял голову и посмотрел на круглые часы с методично движущейся секундной стрелкой.

— Ща шесть, ну к восьми-то она проснется.

Картофелина шлепнулась в таз с водой, я постаралась не засмеяться. Пару месяцев назад, оформляя разрешение на перепланировку квартиры, я зашла в БТИ и наткнулась на гениальное объявление: «Бесплатное оформление бумаг — сорок пять минут, платное — три часа. Просим рассчитать свое время заранее и не подгонять сотрудников». Почему задаром мне сделают документы быстро, а за немалую мзду провозятся в несколько раз дольше, осталось за гранью моего понимания. Может быть, во втором случае вызывают каллиграфиста и тот при помощи пера и чернил затейливо украшает текст завитушками?

— Че хотели? — зевнул подсобный работник.

— Проголодалась, — честно призналась я, — прямо живот подвело.

— Ужин в двадцать ноль-ноль, — напомнил парень.

Я предприняла попытку его разжалобить:

— До него еще дожить надо!

— Человек способен не есть тридцать дней, — равнодушно прозвучало в ответ.

— Сам-то пробовал? — обозлилась я. — Лично мне требуется еда, и желательно из свежих продуктов.

— Сгущенку любите?

— Обожаю, — заявила я.

Парень швырнул очередную очищенную картофелину в таз и стал немного любезнее:

— Маргарита завсегда камбуз запирает, когда соснуть уходит. За продукты с нее спрашивают, а у нас тут народ прожорливый! Недоглядишь — все слопают, и наше, и клиентское. Но маленький холодильник она не трогает. Там сгущенка есть.

— А где он? — обрадовалась я.

— Вона, у хлебницы. — Юноша ткнул рукой в сторону белого агрегата, похожего на картонную коробку для обуви. — Если охота, можете и куски нарезного прихватить.

Я открыла дверцу и испытала разочарование:

— Никаких банок нет.

— Она на нижней полке, — терпеливо объяснил поваренок, — в тюбике.

Моя рука схватила бело-голубую тубу с надписью «Буренка Зина»[1]. К сожалению, вкус многих продуктов, любимых россиянами моего возраста со времен их не очень сытого детства, кардинальным образом поменялся. Исчез московский хлеб, пропало настоящее молоко и мечниковская простокваша. Давно не встречаю на прилавках так называемый «фруктовый сахар» (не путайте с фруктозой) и копеечные конфеты «Киевская помадка». Затерялось в неизвестности шоколадное масло, суворовское печенье и грузинский чай № 38. Вероятно, кому-то эти продукты казались невкусными, но я их любила. И вот теперь сгущенка, внешне напоминающая зубную пасту, получила название «Буренка Зина».

— Берете? У меня тоже перерыв, — поторопил матрос.

— Да, — опомнилась я, хватая из жадности две упаковки, — спасибо.

---

[1] Название придумано автором, любые совпадения случайны.

Нехорошо признаваться во вредных привычках, но я люблю есть в кровати. Поэтому, придя в каюту, я взбила подушку, легла под одеяло, взяла журнал и открутила крышку сначала одного, а потом и второго тюбика. Сейчас с восторгом слопаю бутерброд. Но налить сгущенное молоко на хлеб не удалось: в спальню постучали.

Я со скоростью ящерицы, застигнутой врасплох, пихнула «Буренку Зину» под подушку Юры, бросила вторую упаковку в прикрытое накидкой кресло и пошла открывать дверь, в которой опять заклинило замок.

Почему-то до сих пор я боюсь признаться Шумакову в своей слабости и ухитряюсь перекусить в постели, пока он принимает душ.

Войдя в каюту, Юра обнял меня, но сказать ничего не успел, потому что раздался Мананин крик:

— Господи-и-и! А-а-а!

Нас будто смело с порога. Чуть не столкнувшись на выходе, мы поспешили на крик и ворвались в кают-компанию. На диване сидела Тина, держась ладонями за виски, рядом на коленях стояла Манана, прижав руки к груди, она истошно кричала:

— Помогите! Сюда! Люди!

Юра потряс ее за плечо:

— Эй! Очнитесь!

Манана икнула.

— Что случилось? — устало спросила я.

— Она, она. — Манана показала на дочь. — Она, она...

— Тина, ты поранилась? — заботливо спросил Юра. — Или упала?

Девушка исподлобья посмотрела на Шумакова.

— Нет. Вы же видите, нет ни ран, ни ссадин.

— Почему твоя мать разволновалась сверх меры? — продолжал Юра.

— Понятия не имею, — пожала плечами Тина. — Я заснула здесь на диване, очнулась, вижу — мама не в себе.

Я заморгала, Юра крякнул, Манана схватилась за горло:

— Доченька! Скажи еще словечко!

Тина повернулась к Юре:

— Что она имеет в виду? Я и так говорю без умолку.

— Она вылечилась, — простонала Манана.

— Я болела? — изумилась Тина. — Чем? Надеюсь, не гепатитом или СПИДом?

— Ущипни меня, — попросил Юра. — Такого не бывает.

— Солнышко, — затряслась Манана, — не знаю... не понимаю... не верю!

— Что-то еще случилось? — испуганно спросила Аня, входя в кают-компанию.

— Тина вылечилась от идиотизма, — неполиткорректно огласил вердикт Юра. — Заснула дурой, встала нормальной.

— Кто дура? — заморгала Тина. — Я?

— Нет, конечно, — Манана поспешила успокоить дочь.

Аня выбежала в коридор.

— Никита, Алина, Василий Олегович, Леонид, Катя! Сюда! Скорей! Чудо! «Омолодитель» работает!

Манана упала на колени и принялась отбивать земные поклоны, твердя:

— Спасибо, господи! Спасибо!

Юра беспомощно посмотрел на меня, но и я ничего не понимала. Человек с нарушением умственной деятельности может быть очень мил и вполне социализирован. Многие дауны самостоятельно себя обслуживают, пользуются городским транспортом, умеют читать, писать, владеют ремеслом, они адекватны при общении, и вы получите удовольствие, разговаривая с ними, если заранее усвоите: у тридцатилетнего собеседника менталитет малыша. Вылечиться от олигофрении тоже нельзя. Однако Тине это удалось. За короткое время сна ее больной мозг переродился. И как объяснить произошедшее?

Глава 16

Спать мы с Юрой отправились рано. Детское время отхода ко сну объяснялось сильной усталостью. Два часа подряд Василий Олегович, Катя, Леонид, Никита и Аня пытались добиться от Тины ответа на вопрос:

— Что с тобой случилось?

— А что со мной случилось? — переспрашивала дочь Мананы. — Просто я легла отдохнуть, а потом встала.

— Помнишь ваш адрес? — надрывалась Катя.

— Телефон? — вторил Леонид. — Расскажи о своем детстве!

Вначале Тина изумлялась, затем рассердилась:

— Вы с ума сошли? Извините за грубость, но вы сами напросились!

Беседа сопровождалась заунывным распеванием Мананы:

— Богородица, радуйся, пресвятая дева Мария, Христос с тобой!

В конце концов, Леонид не выдержал и приказал ей:

— Смени пластинку.

Манана захлебнулась словами, потом затряслась.

— Я не знаю другой молитвы.

— Ну и нечего гундосить, — пошел вразнос Зарецкий.

— Чудо случилось! — воздела руки к небу пиар-директор. — Милость божья.

— Ангел явился, — торжественно вторила ей Алина, — его Деня послал! Знак мне с неба!

— Чушь! — застучал кулаком по столу Зарецкий.

— Пожалуйста, не надо, — взмолилась Тина. — Мигрень на меня накатила, голова раскалывается, вероятно, гроза приближается, я метеозависима сверх меры.

— И это ли не чудо! — заметалась по каюте Манана.

— Ангел пришел нас предупредить! — объявила Алина. — Настанет судный день, все ответят за свои грехи. Леня, неужели ты жил праведно?

Зарецкий, не говоря ни слова, вылетел в коридор. Теперь и мою голову сдавило.

— Можно попросить таблетку аспирина? —

повернулась Тина к Кате. — Лучше быстрорастворимого, от обычного у меня гастрит обостряется.

Не успела Тина закончить пассаж о влиянии погоды на ее самочувствие, как Манана кинулась к дочери, сжала ее в объятиях, а затем молча схватила стоявшую на столе коробку с «омолодителем» и вытащила оттуда пилюлю. Она действовала так быстро, что мой крик: «Не делай этого!» — прозвучал уже после того, как Манана сжала в кулаке неизвестное снадобье.

— Ты отравишься! — всплеснула руками Катя.

— Вовсе нет, — торжественно заявила пиар-директор. — Тиночка выздоровела и теперь проживет тысячу лет, а мне, значит, раньше нее умирать? Я не жажду бессмертия, но не собираюсь оставлять дочку сиротой.

Катя потянулась к упаковке с таблетками:

— Надо немедленно убрать это в сейф. Ай! Алина, мне больно!

Бортникова, с силой стукнувшая жену босса по руке, схватила «средство Макропулоса»[1].

— Мое! Не хапать! Это посылка от Дениса! Распустила тут свои лапы!

Екатерина покраснела.

— Алина, мы не знаем, что в коробке! Вдруг там яд!

— Действительно, — согласился с женой Василий Олегович. — Я спрячу лекарство подальше.

Диетолог сунула под нос кондитеру фигу:

— А это видел?

---

[1] «Средство Макропулоса» — произведение Карела Чапека, рассказывающее о лекарстве, которое дарит вечную молодость.

— Что ты хочешь этим сказать? — задал совсем уж нелепый вопрос Самойлов.

Алина прижала к себе «посылку» с неба.

— Все, — бормотнула она, — уйду в монахини. Даже если придется пару тысяч лет простоять на коленях перед иконами, я потерплю. Теперь я знаю — впереди встреча с Деней, надо замолить грехи, чтобы в вечной жизни соединиться с сыном.

Манана подскочила к Алине:

— Правильно, мы должны теперь держаться вместе!

— Они сошли с ума? — вырвалось у меня.

Пиар-директор засмеялась.

— Нет, мы воспользовались шансом, который нам послал господь!

— Да, — подхватила Алина, — именно так. Непременно съем «омолодитель»!

— Тина выздоровела! — ликующе закричала Манана.

— Мама, — с укоризной сказала дочь, — пожалуйста, перестань. Извините, но я абсолютно не понимаю, что тут происходит?

— Я тоже, — вздохнул Юра.

Алина потрясла коробкой:

— Лекарство действует! Оно изменило Тину, я тоже стану бессмертной. Представляете, сколько денег отвалят за «омолодитель» богатые люди? Отдадут мне все свои сбережения, чтобы жить тысячелетия!

— Лина, опомнись! — воззвал Василий Олегович. — Оставь жестянку!

Диетолог открыла крышку, вытащила одну

таблетку, зажала ее в кулаке и протянула коробку Самойлову:

— Мне теперь плевать на звонкую монету. Поэтому я оставляю подарок тебе. Хочешь принимай — его сам, хочешь — отдай другим. Я пойду в каюту. Очень устала. Перед тем как принять лекарство, надо прийти в себя.

Едва Алина ушла, как Манана кинулась к Василию Олеговичу:

— Послушай, там на всех не хватит!

— Вы же не собираетесь это глотать? — не удержалась я.

— Тине оно уже без надобности, — заявил Никита.

— Почему нас с Тиночкой нужно лишать «омолодителя»? — возмутилась Манана.

— Потому что девчонка его уже приняла, — взвизгнул Зарецкий. — Дайте мне две таблетки!

Я удивилась: надо же, я совсем не заметила, когда Леонид вернулся в кают-компанию.

— С какой радости тебе положена двойная доза? — насупился Редька. — Надеешься пару тысяч лет протянуть?

— Сам проглочу и жене дам, — продемонстрировал благородство Леонид.

— Осталось уточнить, кого из своих баб ты решил наградить бессмертием, — выпустила ядовитую стрелу Аня. — Законную супругу, в верности которой клялся, оформляя брак, или Вику. Я бы на твоем месте не спешила, вероятно, найдутся более достойные кандидатуры!

— Господа, господа, — зачастила Катя, — давайте попытаемся сохранить ясность ума и поймем: таблеток от смерти не бывает. Ангел — это галлюцинация!

— Да вот же коробка! Ее твой муж к груди прижал, — Аня ткнула пальцем в Василия Олеговича.

— Значит, бедняжке Бортниковой на пути попался местный житель, сошедший с ума или от одиночества, или под влиянием отравления после взрыва химзавода, — изменила свою версию Катя. — Нам всем надо успокоиться.

Аня одним прыжком очутилась около Самойлова.

— Дайте мне одну штучку!

Катя двинулась к мужу, но ее отпихнул Леонид.

— Мне положено две! — взвыл ученый. — Тут семейное дело!

— Пожалуйста, отойдите, — чуть не заплакала Катя. — Неизвестно, что содержат пилюли.

Но Зарецкий оттолкнул плечом жену директора, за ним к Самойлову кинулись Никита и Аня.

— Милый, — взмолилась Катя, — не давай им пилюли.

Аня повернулась ко мне:

— Чего тормозишь?

Я поспешила к Самойлову и была схвачена Юрой.

— Мы, пожалуй, отправимся на боковую, — громко сказал Шумаков. — Прогулка на свежем воздухе утомительна. Я дитя загазованного мегаполиса, кислород меня валит с ног. Вилка, двигаем.

Я попыталась высвободиться, но шансов победить состоявшего из одних мышц Юру не хватит и у мужика. Шумаков легко сдвинул меня с места и поволок к двери.

— Эй, люди! — завизжала Манана. — Вы отказываетесь от бессмертия?

— На фиг это надо? — фыркнул Юра. — Я мечтаю выйти на пенсию и разводить гортензии. А в случае вечной жизни придется пахать вечно. Спасибо, не хочу!

— Значит, мы можем забрать вашу долю себе? — алчно поинтересовалась Манана.

— Просьба не стесняться, — кивнул Шумаков, — встретимся на том свете. Кстати, почему вы сами пока не принимаете «омолодитель»? Боитесь отравиться? Ждете, кто первый проглотит?

Едва Шумаков вытолкнул меня в коридор, как я спросила:

— Ты любишь гортензии?

— Понятия не имею, что это такое, — признался он. — Еда? Овощ вроде авокадо?

— Цветы, — усмехнулась я и тут же разозлилась: — Почему ты не дал мне взять таблетку?

Юра обнял меня за плечи.

— Только не говори, что поверила в возможность обрести бессмертие.

Я потупилась. Да, мне запала в голову мысль о вечной жизни. А теперь называйте меня дурой и спросите себя: «Как бы поступила я, увидев в непосредственной близости блистер с пилюлями, обещающими долгую жизнь?» Неужели не рискнули бы проглотить?

Юра укоризненно цокнул языком.

— Ну-ну! Встречал я дураков, но такие мне еще не попадались! Глотать невесть какую дрянь лишь потому, что тетка со съехавшей набок крышей спела о встрече с ангелом! Вот вам пример общего помешательства. Вилка, ау!

От Юры хорошо пахло знакомым одеколоном. Как многие мужчины, Шумаков не умеет пользоваться парфюмом. Он не знает простого правила: если не ощущаешь исходящий от себя запах, то это не означает, что окружающие не задыхаются от удушливой волны твоей туалетной воды. Утром после бритья Юра самозабвенно пшикает на себя из флакона. В машине, в бардачке, у него лежит еще один пузырек, третий спрятан в ящике стола на службе. Раза четыре в день Шумаков «освежается» и к вечеру похож на сотрудника парфюмерной фабрики, который искупался в продукции своего предприятия. Как-то я не выдержала и сказала:

— Запах — как взбитые сливки: небольшое количество в кофе очень вкусно, но попробуй съесть полкило — и в процессе скончаешься. Сделай одолжение, не обливайся духами.

— Лучше издавать аромат духов, чем пота, — возразил Шумаков. — Ты не согласна?

Я пожала плечами. Грязный парень с нечищенными зубами, носящий неделями одну и ту же рубашку, — явно герой не моего романа. Но и мачо в облаке «шипра с нотками грейпфрута и сандала» тоже не лучший вариант. Очевидно, я капризна сверх меры!

Я оглушительно чихнула и стукнулась затылком о стену коридора.

— Отлично, — сказал Юра, отпирая дверь каюты. — Небольшая встряска ставит мозги на место.

Спрошу снова: ты поверила в существование пилюль бессмертия?

Я кивнула:

— Да. Может, съедим по таблеточке?

Юра втолкнул меня в каюту.

— Ты натуральная блондинка. Вот теперь мои сомнения отпали: жизнь не подсунула мне брюнетку, косящую под Барби. Создание красок для волос сильно усложнило парням жизнь. Мы-то хотим видеть дома существо слабое, беззащитное, в любой ситуации бегущее к партнеру за советом. Поэтому рейтинг блондинок на брачном рынке столь высок. И что же выясняется после свадьбы? Милое, нежное создание похоже на железный прут, обернутый ватой. Мало того что любимая владеет приемами самообороны и может пересчитать зубы Змею Горынычу, так она еще читает на ночь «Справочник физика-экспериментатора», способна собрать в сарае из дров и кирпичей «Мерседес» и зарабатывает намного больше мужа. Правда, женушка не брезгует и глянцевыми журналами, старательно следуя их рекомендациям, вроде: «Пусть в споре за мужчиной останется последнее слово».

— Точно, — влезла я в монолог Шумакова. — При обсуждении проблемы мужчина обязан сказать последние слова, и это будет звучать так: «Конечно, дорогая, ты всегда права». Я считаю, что глава семьи должен решать глобальные проблемы: где разместить ракеты противовоздушной обороны, как справиться с мировым экономическим кризисом, на худой конец, он должен давать советы по тренировке наших футболистов для участия в чемпионате мира. Нам, бабам, оставьте нудные бытовые проблемы: куда поехать отдыхать, на что потратить заработанные деньги, какую машину купить. В этих вопросах с нами лучше не спорить.

Но Юра не обратил внимания на мое высказывание, он нудил свое:

— С течением времени у мужика зарождаются сомнения: а на блондинке ли я женился? И тут он находит в ванной упаковку с краской для волос и осознает: супруга — брюнетка, нагло косящая под Барби. Такая страшнее волка в овечьей шкуре. Не скрою: у меня шевелились подозрения в отношении тебя, но сейчас, после твоего желания налопаться «омолодителя», они испарились. Прости, милая, ты истинная блондинка!

— Но Тина выздоровела, — напомнила я. — Была умственно отсталой, а превратилась в здраво рассуждающую девушку! У тебя есть объяснение этому чуду?

— Нет, — буркнул Юра. — Пока нет! Но поверь: оно непременно найдется. Надеюсь, Василий устоит и никому не даст эту дрянь.

Несмотря на работающий кондиционер в каюте стояла жара. Юра отрубился первым, а я провертелась под одеялом довольно долго, прежде чем веки сомкнул сон. Но долгого сна не получилось: меня разбудил голос Шумакова.

— Вилка, эй, Вилка, очнись!

Я приоткрыла один глаз.

— Что случилось?

— Очень душно, — прошептал Юра, сидевший на постели.

— Ты растолкал меня, чтобы отправить открыть иллюминатор? — возмутилась я.

— Окна задраены, — напомнил Юра, — здесь кондишн.

Я перевернулась на другой бок.

— Отлично, теперь, обладая столь интересной информацией, я спокойно предамся сну.

— Вилка, что у меня за спиной? — неожиданно поинтересовался Юра.

— Подушка, — зевнула я. — Ты на нее опираешься.

— Больше ничего?

— Нет. Спокойной ночи!

— Погоди, посмотри еще раз, — попросил Юра. — Она там точно одна?

Остатки сна улетучились, я тоже села в кровати.

— Я вижу Юру, который навалился на мешок, набитый пухом. Дальше чернеет спинка кровати, за ней стена теплохода, далее река, остров, город Козловск... Хватит?

— Не ерничай, — зашипел Юрасик, — лучше помоги мне встать!

Я потерла кулаками глаза, зевнула и уточнила:

— Куда?

— Что куда? — повысил голос Юра.

— Встать!

— На пол! Дай руку, — попросил он. — У меня самого не выходит.

По мне забегали мурашки.

— Тебе плохо? Голова болит? Давление поднялось?

Юра вздрогнул.

— Нет. Просто не могу сдвинуться с места.

Ощущая нарастающий страх, я сдернула с него одеяло и приказала:

— Пошевели пальцами ног.

Шумаков беспрекословно выполнил мой приказ. Мне стало чуть легче, и я не удержалась от замечания:

— Вот одеколоном обливаешься, а педикюр никогда не делаешь.

— Что я, гей? — возмутился Юра.

— Если мужчина следит за собой, он необязательно гомосексуалист, — фыркнула я. — Нужно носить красивое белье, а не отвратительные «боксеры» с изображениями машинок.

— Стринги со стразами на мой размер не шьют, — хохотнул Юрасик.

Ком, стоявший у меня в горле, растаял. Слава богу, на инсульт это не похоже, Юра пытается острить и способен управлять конечностями.

Глава 17

— Хватит идиотничать, поднимайся, — приказала я.

Юра дернулся.

— Не могу.

— Решил пошутить? В четыре утра?

— Нет, — заныл он, — что-то меня не пускает.

Я решила поддержать игру:

— Ладно, давай лапы, я сдерну тебя с кровати.

Юра вытянул руки.

— Попробуй.

Я вцепилась в его ладони, уперлась ногами в пол, вдохнула побольше воздуха и на выдохе рванула Шумакова на себя.

Юра даже не пошевелился, он лишь коротко

вскрикнул, зато я свалилась прямо на него и заверещала:

— Понятно, что ты задумал! Оригинальный способ затащить подругу в койку. Милый, тебе следует обратиться к врачу, получить рецепт на таблетки от склероза, тогда ты вспомнишь, что мы лежим в одной постели и нет никакой необходимости затевать игры, чтобы обнять меня. Кстати, в четыре утра я люблю мирно спать, а не заниматься сексом!

— Ну почему женщинам постоянно лезут в голову глупости? — взвыл Юра. — Сколько раз повторять: я не могу даже приподняться! Меня держат!

— Кто? — осведомилась я.

— Пальцы!

— Чьи?

— Понятия не имею, — простонал Юра. — Может, это щупальца?

— Из реки вынырнуло чудо-юдо, прогрызло пол и вцепилось в Юрочку-у-у-у, — завыла я. — Понимаю, что душно, но давай попробуем заснуть.

— Сидя не умею, — удрученно ответил он.

Я переползла через шутника на свою половину кровати, свернулась калачиком под простыней и с трудом произнесла:

— Вот у меня проблем с бессонницей нет! Больше не тормоши меня, я хочу баиньки.

Если Юра и произнес что-то в ответ, то я его не услышала, провалилась в небытие, словно с разбега шлепнулась в яму. Но, видно, Морфей обиделся на меня: не прошло и получаса, как я опять проснулась и увидела Юру, по-прежнему привалившегося к спинке кровати.

— Эй, чего не спишь? — окликнула я его.

— Сидя не получается, — тихо ответил Шумаков.

— А ты ляг!

— Не могу! Что-то меня не пускает!

— Ты не шутишь? — недоверчиво осведомилась я.

Юрасик обиженно засопел, я вскочила с кровати, схватила любимого за плечи, попыталась сдвинуть его с подушки и поняла — это простое действие неосуществимо.

— Бред! — вздыхал Шумаков. — Что же случилось?

— Каждый фантастический случай непременно имеет научное объяснение, — оптимистично заявила я. — Давай повторим попытку.

Однако сколько я ни дергала Юру в разные стороны, он не сдвинулся с места ни на сантиметр. В конце концов, я устала и приняла решение:

— Пойду позову на помощь!

— Еще чего! — занервничал Шумаков. — Никогда! Сами справимся! Мне просто надо встать!

— А у меня не хватает сил тебя сдвинуть, — возразила я.

— Лебедка! — воскликнул Юра. — На палубе прикреплена круглая штука с ручкой и крючком, она служит для подъема на борт груза. Тащи ее сюда.

— Ну ладно, — с сомнением согласилась я и отправилась на палубу.

Юра из тех мужчин, которые, запутавшись на дороге, никогда не спросят у аборигенов, как проехать в нужное место. К чужой помощи Шумаков прибегать никогда не станет, он считает это унизительным.

Не успела я вновь очутиться в спальне, как милый забеспокоился:

— И где крюк?

Меня затрясло от негодования.

— Ты на самом деле полагал, что я выломаю железную махину из пола, а затем, держа ее двумя пальцами, приволоку в каюту? Я не представляла, о чем ты ведешь речь! Решила, это что-то типа хлеборезки, но увидела огромную дуру с цепями! Издеваешься, да?

Юра закатил глаза.

— Нужно отмотать трос, втянуть сюда конец, дать мне его в руки, а потом идти назад крутить ручку! Стальная веревка очень длинная, что бы меня ни держало, оно отпустит под воздействием большой силы.

Я стала кипятиться:

— Следовало объяснять по-человечески! А то сказал: «Неси сюда лебедку!»

— Не произносил я ничего подобного, — возмутился Юрасик.

— Нет, говорил, — топнула я ногой. — Конечно, легче выставить меня идиоткой, чем признаться в собственном косноязычии!

— Лучше притащи крюк, — взмолился Юра. — Надо действовать, пока все дрыхнут.

Я вернулась на палубу и начала изучать конструкцию. На первый взгляд она выглядела проще некуда: здоровенная катушка, из которой торчат массивная стальная палка, блестящий трос и железная загогулина, хозяйственно всунутая в крепление. Рядом располагались стойка с огнетушителями и ведро с песком.

Глаза боятся, а руки делают. Я вцепилась в крюк и сумела вытащить его из «гнезда». Маленькая удача приободрила меня, но впереди была самая тяжелая часть операции «Ы». Мне предстояло протащить очень тяжелую железяку сначала по верхней палубе, затем спуститься по лестнице и донести крюк до нашей каюты.

Пожалев, что не занимаюсь регулярно фитнесом, я сделала несколько шагов и обрадовалась: трос легко разматывался. Открытое пространство теплохода мне удалось преодолеть относительно легко, но вид узкой, отвесно уходящей вниз лестницы заставил меня призадуматься. Чтобы не споткнуться, я обычно предпочитаю держаться за перила, но сейчас-то я лишена этой возможности. Кстати, достигнув лестницы, я ощутила, что трос сильно протянулся, приходилось с каждым шагом прилагать все больше и больше сил для движения вперед.

Постояв на краю лестницы, я поняла, как поступить: надо положить крюк, стать спиной к ступеням, вновь взять железяку и ползти почти на животе вниз. Вот тогда я не упаду и выполню задание с честью. Вдохновленная собственной редкостной сообразительностью, я начала претворять план в жизнь. Крюк очутился на полу, правая нога нащупала ступеньку...

Гигантский крючок вздрогнул и с бешеной

скоростью начал удаляться от застывшей в изумлении писательницы. Спустя пару секунд послышался короткий звук, словно кто-то захлопнул со всего размаха крышку стального чемодана, и вновь повисла тишина. Я побежала назад.

Трос снова намотало на барабан, крюк загадочным образом очутился в креплении. Я присела около лебедки на корточки, еще раз изучила механизм и цокнула языком. Вилка, ты техническая идиотка! Следовало застопорить ручку, только в этом случае веревку не утянет на катушку. Сломав два ногтя, я опустила специальную защелку, взяла крюк, дернула... еще раз... снова... и тут только до меня дошло: если рукоятка зафиксирована, размотать стальной канат не получится. Я имею шанс дойти до лестницы только при поднятом стопоре, но тогда не смогу спуститься вниз. А вот если застопорить ручку, я сползу по ступенькам, но лишусь возможности дотащить до них крючок. Шах и мат.

Первым желанием было помчаться в каюту капитана и распихать Ивана Васильевича, но затем я представила, как обидится Юра, и решала рассчитывать только на собственные силы. Ответ нашелся быстро.

Подпрыгивая на ходу, я вернулась к лебедке, освободила ручку, споро донесла крюк до лестницы и зацепила его за перила. «Г»-образная часть мгновенно съехала с никелированной трубы и помчалась на свое место. Только в отличие от прошлого раза сейчас за изогнутый конец изо всех сил цеплялась я.

Удивительно, сколько конструктивных мыслей

может прийти в голову человеку за пару мгновений. Я успела сообразить, что намотанная на катушку Вилка более не напишет ни одного романа и похоронят меня вместе с лебедкой: даже самый опытный паталогоанатом не сможет соскрести мои останки с троса. Значит, необходимо бросить крюк, но тогда сила инерции протянет меня вперед и с огромной силой хлопнет лицом либо о палубу, либо все о ту же катушку — и прости-прощай, светлое будущее. Правда, в последнем случае мне гарантирован роскошный гроб на одну персону. Но, согласитесь, перспектива все равно не очень радостная. Что делать? Орать? И кто придет на помощь? Внезапно я увидела столб, приближающийся со скоростью пьяного мотоциклиста. Руки сработали быстрее мозга. Левая отпустила крюк и ухватилась за вертикально торчавшую штуку, правый бок дернулся, я разжала пальцы. Меня завертело вокруг трубы, потом плюхнуло об пол. Вновь раздался звук захлопывающегося кофра из нержавейки. Я приоткрыла один глаз, второй, пошевелила конечностями, встала и разъярилась, словно плохо пообедавший крокодил. Черт побери, кто кого победит? Если лебедка полагает, что я сдамся, то она жестоко ошибается: я на удивление упорна, и мне не нравится быть глупее механизма.

При третьей попытке я учла все совершенные ранее ошибки и пристегнула крюк не к перилам, а к одному из круглых колец, зачем-то приделанных на подступеньках.

В конце концов, потная, в разорванной пижаме и с содранной на ладонях кожей я очутилась в каюте.

— Чего так долго? — спросил Юра.

Я подала ему крюк.

— Держи, главное — не выпускай его из рук. Лебедка — зверь, если тебя кто-то или что-то держит, ему несдобровать.

Руки Юры вытянулись.

— Меня сильно тащит вперед, — обрадовался он. — Слушай, разве не надо вращать ручку?

Я снисходительно хмыкнула: да уж, теперь я знаю о повадках катушки поболее, чем Шумаков. Но будем толерантны к малоопытным товарищам.

— Нет, трос сам...

Завершить фразу мне не удалось, послышался треск, Юру вымело из постели и поволокло к двери.

— Мама! — жалобно пискнул отважный борец с миром криминала.

На меня, уже не первый раз за последнее время, напал столбняк. Шумаков несся к дверному проему вместе с подушкой и спинкой от кровати, самым чудесным образом приклеенными к его телу.

Крак! Юрасик миновал вход, обломив часть полированной спинки. Если раньше мой любимый отдаленно напоминал дельтапланериста, то сейчас он смахивал на сэндвич диковинного вида: внизу Шумаков, посередине подушка, сверху обломок спинки.

Из коридора долетело мерное постукивание, я встряхнулась и ринулась за «бутербродом». Перед глазами предстала душераздирающая картина. Юру волокло вверх по лестнице; стук, задевая ступени, издавала деревяшка.

— Отпусти крюк! — заорала я. — Брось его, брось!

— А-а-а, — долетело в ответ уже с палубы.

Поверьте, никогда я не преодолевала почти вертикальную лестницу с такой скоростью. Я вообще-то ленива и предпочитаю садиться в лифт, даже если надо попасть на второй этаж. Но сейчас я летела гепардом, парила орлом, скакала боевым верблюдом — никак не могу подобрать достойного сравнения. Важно другое. Очутившись за миллидолю секунды на верхней палубе, я увидела Юру, лежавшего у подножия железной палки, торчавшей из пола, и крюк, мирно покоившийся в креплении.

— Милый, ты жив? — бросилась я к Шумакову. — Хорошо, что догадался уцепится за столб!

— Меня на него понесло, — прошептал Юра и сел. — Что это было? Где я? Кто я? Как меня зовут? Какое нынче тысячелетие на дворе? Фу, я думал, круче американских горок ничего не бывает! И что за дрянь висит на моей спине?

Я дернула деревяшку, та неожиданно легко упала на палубу, прихватив с собой часть наволочки. Юра встал.

— Безобразие, — донеслось снизу. — Сколько можно шуметь! Дайте поспать наконец!

Из люка начала появляться фигура. На палубе было уже достаточно светло, и я узнала Зарецкого, который, преодолевая лестницу, громко злился на тех, кто его разбудил.

— Вот черт, — шепнул Юра. — Теперь от насмешек не избавимся.

Я тоже без радости смотрела на Леонида, он

будет зубоскалить, растреплет всем о нашем маленьком ночном происшествии. Но Зарецкий, выйдя на палубу, прошел не более двух метров, замер и стал креститься.

— Доброе утро, — на всякий случай пискнула я. — Вот, на восход солнца любуемся! «Горит на западе пожар, но он не рукотворный» — дальше не процитирую, забыла!

— Ангел, ангел, — зашептал Леонид, — ты пришел! Ты знаешь, ты... я... О нет! Я не хотел! Поверь! Все она! Не я это придумал! Боже!

Зарецкий взвизгнул и рванул к лестнице, я не успела пискнуть, как ученый, словно дьявол, провалился вниз.

— Натуральная палата номер шесть, — прошипел Юра. — Что это Зарецкий нес про ангела?

Я повернулась. Юра стоял лицом ко мне. Он был почти обнаженным: ну, не считать же одеждой ошметки белых трусов, разрисованных разноцветными машинками. Собственно говоря, «боксеры» трансформировались в некое подобие мини-юбочки теннисистки. Не забудьте: Шумакова тащило по ступенькам и палубе, тут лопнет любой, даже очень качественный трикотаж. Восходящее солнце било Юре в спину, отчего его фигура казалась словно сотканной из золотисто-розового света. Но самое главное! Подушка, остатки которой по сию пору болтались у Юры за спиной, оказалась набита не синтепоном, а натуральным пером. Пару минут назад подул легкий ветер, он медленно и осторожно высвобождал белые комочки из разодранной наволочки, они кружили в воздухе и тихо уплывали в сторону. Смотрелся Шумаков интригующе, лица его было не разобрать, четко вырисовывался лишь силуэт в ореоле из перьев.

— Бедный Леня, — вырвалось у меня, — он испытал сильнейший стресс!

— Очень мило жалеть Зарецкого и плевать на меня, — заревновал Юра. — Отдери от моей спины тряпку!

Я обошла его и дернула за лоскут, болтавшийся у него между лопаток.

— Ой! Осторожнее! — взвыл любимый. — Больно! Что там?

Шумаков еще говорил, а я уже сообразила: на его спину намазана некая субстанция, к ней прилипла наволочка, если дергать за ткань, она отходит вместе с кожей.

Глава 18

— Ты мог упасть на клей? — спросила я.

Юра хмыкнул:

— Шикарное предположение! Но нет, не мог.

— Незаметно, — настаивала я. — Шел, шел, споткнулся, шлепнулся на спину, а до этого там разлили...

— И в бензине я не плавал, — перебил меня Юра. — И керосин не пил, и зубную пасту из тюбика не жевал.

— Тюбик, — ахнула я.

Шумаков обернулся.

— Не понял!

— Все хорошо, — защебетала я. — Побегу в нашу каюту, поправлю постель, а ты туда осторожно двигайся.

— Ладно, — согласился Юра. — У меня до сих пор ноги трясутся, быстро не получится.

Я поспешила в каюту. Кровать лишилась спинки, но не рухнула. Матрас располагался на раскладушке, дерево вокруг нее служило исключительно декоративным украшением. Опасаясь, что Юра передумает и быстро вернется, я начала со скоростью обезьяны, ищущей конфету, рыться в постельном белье. Ведь это я взяла на кухне тюбик со сгущенкой, собираясь полакомиться любимым с детства сладким бутербродом, отвернула крышку... и тут в каюту постучал Юра. Чтобы Шумаков не стал потешаться и обзывать меня первой среди обжор, я быстренько, не подумав о последствиях, сунула тюбик под подушку, причем не свою, а Юрину. И теперь пытаюсь сообразить: завернула я колпачок или забыла? Если упаковка осталась открытой, то содержимое могло вытечь. Но где накидка с кресла, куда я запихнула второй тюбик? Нет ни покрывала, ни сгущенки, пусто.

Я перетрясла одеяла, но ничего не нашла. Внезапно мне стало душно. Дыша, как загнанная собака, я поспешила в коридор, а оттуда на палубу. Даже если я и не закрыла тюбик, то сгущенка не суперклей. Да, при помощи сладкой густой массы можно временно приклеить к себе рубашку или салфетку, но подушка — довольно объемная вещь, вместе со спинкой от кровати она составляет тяжелую конструкцию. Мне пришла в голову очередная глупая идея.

— Эй, — тихо позвал Юра, спускаясь по лестнице. — Можешь объяснить, что происходит?

— Пошли в каюту, — шепнула я. — Зарецкий

тебя не узнал, не хочется разбудить кого-нибудь более сообразительного.

Мы вернулись, я еще раз осмотрела спину Шумакова и рискнула выдвинуть предположение:

— В нашу кровать попал клей.

Шумаков зевнул.

— Есть объяснение, как такое могло случиться?

Я пожала плечами.

— Единственное, что приходит в голову: мебель на теплоходе не самого лучшего качества, она сделана не из массива, а склепана из опилок, спрессованных с каким-то вязким материалом. Клеящая субстанция просочилась на кровать, сначала спинка прилипла к подушке, затем подушка — к твоему телу.

— Звучит глупо, — подвел черту Юра, — но за неимением достойной версии придется принять идиотскую. Следующая проблема. У меня между лопатками мотается кусок наволочки. Как его убрать? Хочу предупредить: дергать нельзя, мне очень больно.

— Сейчас схожу в местную кладовку, — предложила я, — поищу там растворитель, на корабле он непременно есть, здесь полно крашеных деталей.

— Угу, — пробормотал Юра и плюхнулся на матрас, — возьму пока твою подушку.

Я, уже в который раз за эту беспокойную ночь, вышла в коридор и на цыпочках отправилась в ту часть теплохода, где располагались на нижнем уровне спальни команды. Помню, официант Антон выходил из двери в самом конце узкого коридора с бутылкой чистящего средства для серебра в руках.

Темно-коричневые полированные двери закончились, красивая синяя дорожка с рисунком, завернув за угол, сменилась дешевым ковровым покрытием экономичного серого цвета. Я остановилась около створки и, не колеблясь, дернула ее, ожидая увидеть небольшую каморку с вениками, швабрами, ведрами и бытовой химией. Но перед глазами возникла небольшая кровать, привинченная к стене, и подобие крохотной тумбочки.

— Пожалуйста, — умоляюще сказал тонкий голосок. — Я не виновата! Она сама все придумала! Я ничего не знала! Поверьте!

Маленькая щуплая девушка, до подбородка закутанная в одеяло, заплакала так горько и безнадежно, что я испугалась, вошла, захлопнула дверь, села на жесткую постель и хотела погладить Светлану по голове.

Воспитанница Кати отпрянула в сторону и стукнулась о стену каюты, которая была мала даже для кошки.

— Плиз, плиз, плиз, — частила она. — Екатерина Максимовна, поверьте! Разве я могу вас обмануть? Ничего я не знала о Лизкиных планах!

Лишь услышав имя Самойловой, я сообразила: девочка находится в состоянии шока, неудивительно, что ее нервная система дала сбой. Обе подруги, Ирина и Лиза, в морге. Светлана не знает о смерти воспитанниц, но ее, наверное, испугало сообщение о карантине. Бедная девочка, о ней все забыли, никто не позаботился о сироте. Однако Катя не столь уж и милосердна: взяла ребенка на прогулку по реке и абсолютно им не занимается.

Я попыталась обнять Свету.

— Тише, милая, все хорошо!

Но девочку затрясло, как мышь, попавшую в грозу, она натянула одеяло на голову и зашептала:

— Екатерина Максимовна, я не Лиза! Я на такое не способна! Я в первую очередь вас люблю! Вы для меня мать родная! Честное слово! И Василия Олеговича обожаю! Но вас больше!

Я осторожно погладила ее сквозь тонкую байку.

— Сделай одолжение, сбрось одеяло и объясни мне, почему ты нервничаешь. Может, я тебе помочь смогу?

Край застиранного старомодного пододеяльника с большим круглым вырезом посередине приподнялся.

— Вы кто? — донеслось из норки.

— Виола Тараканова, — представилась я, — подруга Юры Шумакова.

— Не Екатерина Максимовна? — допытывался испуганный голосок.

— Конечно, нет, — терпеливо уточнила я.

Светлана села.

— Вы писательница! Вас еще как-то по-другому называли в столовой.

— Арина Виолова. Но это не настоящее имя, а псевдоним.

— Что? — не поняла Света.

— Псевдоним, — повторила я непонятное ей слово. — Иногда литераторы ставят на обложках книг выдуманные фамилии.

— Вспомнила, — кивнула Светлана. — Пока вы не приехали, мы сидели на палубе в шезлонгах. Женщина, у которой дочка психическая, сказала: «У нас здесь скоро появится звезда, Арина Виолова, ее даже члены правительства читают». А Екатерина Максимовна ответила: «Отрадно узнать, что наши министры грамотные люди, но если они увлекаются Виоловой, понятно, по какой причине в России постоянный кавардак. Убогие книжонки обожают только нищие духом».

— Очень мило, — сказала я. — Екатерина Максимовна, похоже, редкая лицемерка. В глаза хвалит, а за спиной говорит пакости.

Светлана схватила меня за руку.

— Вы знакомы с президентом?

— Нет, — засмеялась я, — не имела чести.

— Жаль, — пригорюнилась Света. — У меня к нему просьба есть, он один способен мне помочь.

— У тебя проблема? Если хочешь, можешь мне все рассказать, вероятно, для ее решения глава государства не понадобится, — серьезно сказала я. — Что стряслось?

Света сложила тонкие, почти прозрачные руки поверх одеяла.

— Вы дружите с Екатериной Максимовной?

— Увидела ее на теплоходе впервые, она производит приятное впечатление, — дипломатично ответила я. — Занимается благотворительностью, основала приют, где ты живешь. Не всякая богатая дама станет тратить время и средства на чужих детей, основное большинство предпочитает бегать по тусовкам и изображать из себя меценаток на светских мероприятиях. Довольно часто глянцевые журналы устраивают акции что-то типа «нарисуй свой портрет». Селебретис хватаются за кисти с красками, малюют картины, а потом позируют около них, улыбаясь фотографам. В результате у журналистов появляется очередной повод для статей, борзописцы довольны. Звезды и светские персонажи продемонстрировали себя с лучшей стороны, увидели свое изображение в прессе и тоже испытали положительные эмоции: приятно чувствовать себя благодетелем, чья физиономия красуется на обложке. Ужасные картины певиц и телеведущих покупают их мужья или спонсоры. В недоумении остаются лишь те, кому обещали передать крупные суммы: деньги так и не добрались до адресатов, растаяли по дороге от аукциона до приюта в тридесятой области тридевятого района. Обычно получается именно так. А Катя реально помогает сиротам, она хороший человек.

— Ага, — еле слышно сказала Света. — Самойлова супер, а мы, воспитанники, нищие, кое-кто даже настоящей своей фамилии не знает!

— Человек не выбирает родителей, — вздохнула я. — Это как выигрыш в лотерее: кому машина, а кому шариковая ручка. Любой может подняться из пропасти к вершине.

— Слышала это уже, — сердито отмахнулась Света. — «Дети, учитесь хорошо, тогда получите шанс поступить в институт и перед вами откроется весь мир».

Я погладила ее по голове.

— Вероятно, сейчас подобные речи кажутся тебе идиотскими, но пройдет лет десять, и ты поймешь: есть время разбрасывать камни — и есть время их собирать. До двадцати пяти тебе придется упорно набираться знаний, и только потом потраченные усилия начнут оправдываться.

— Хорошо вам болтать! — фыркнула Света. — Небось родились в богатенькой семье, папа с мамой в рот доченьке ложки с икрой запихивали, дорогу вымостили: школа — институт. Деньги лопатой гребете!

— Никогда не суди о людях по первому впечатлению, — укорила я обозленного на весь мир тинейджера. — Я никогда не видела свою мать, она сбежала от новорожденной дочери. Не удалось мне до зрелых лет познакомиться и с отцом, он коротал срок на зоне.

— Так ты детдомовская? — сразу стала фамильярной Света. — Вау! Круто поднялась!

Я поудобнее устроилась на ее кровати.

— Нет, меня воспитывала Раиса, большая любительница залить за воротник, но добрая и ответственная женщина. Я в детстве не особенно ее любила, не понимала, что Раиса спасла меня от приюта, в котором мне жилось бы намного хуже, чем дома. Лишь спустя много-много лет я по достоинству оценила тетю Раю, жаль, не могу сказать ей слова благодарности. Вероятно, ты тоже когда-нибудь сообразишь: Катя старалась заменить вам мать.

Светлана разгладила на коленях одеяло.

— Раз ты тоже сирота... то...

— Говори, не бойся, — кивнула я. — Люди, которые росли без родителей, всегда поймут друг друга. Кто тебя обидел? Почему ты так перепугалась, когда я случайно вошла? Ты ведь приняла меня за Екатерину Максимовну? Кстати, извини, я-то искала кладовку.

Света почесала кончик носа.

— В нашем приюте живут одни девочки, мальчишек нет. Разве это не странно?

Я пожала плечами.

— Думаю, Катя побоялась иметь дело с хулиганистыми подростками, не захотела возиться с пацанами, ей легче и приятнее с девочками.

— Во! — подняла палец Света. — В точку. Добавьте еще сюда слова: беззащитными и глупыми. Кто попадает в приют?

— Наверное, сироты? — предположила я.

Светлана захрустела пальцами.

— Ребят, у которых никого нет, мало. Обычно либо мама, либо бабушка, либо хоть тетя заваляшенькая есть. Родственники ханку жрут, дерутся, их родительских прав лишают, а детей государству отдают. Еще вариант: мать сама притаскивает младенца в приют, сдает на пару лет, говорит, материальное положение тяжелое. В родильных домах новорожденных бросают. Кое-кому везет, иногда их берут в семью, но новые родители хотят, чтобы дети были здоровые, красивые, талантливые, умные и без родственников. Можно подумать, что их собственный ребенок получился бы супер-пупер. Если ты решил забрать человека из приюта, хватай первого попавшегося, а то выбирают, как мясо на базаре! Вот насчет родичей я их понимаю. Кому охота с ними разбираться! Подрастет приемыш, ты к нему привыкнешь, денег в него вложишь кучу, и вдруг — тук-тук, войдите, мамашка с зоны приперла! Приятно?

— Нет, — признала я.

— Екатерина Максимовна занимается только

полными сиротами, — продолжала Света. — Ну чтобы вообще никого не было! Круто?

— Сама только что говорила про мамашку с зоны, — напомнила я. — Самойлова считает воспитанниц своими детьми, бережет себя от отрицательных эмоций.

— Ха! — подпрыгнула Света. — Ни фига ты не понимаешь! Катька забирает семи-восьмилеток без приютского опыта, с такими легко справиться.

— Не поняла, — протянула я.

— Проще только батон откусить, — хмыкнула Света. — Ну, смотри. Если тебя с пеленок через дом малютки в интернат отправили, небось ты ко всему привыкнешь. Начнут наказывать, ты даже не чихнешь, воспитатели везде одинаковые. Если не слушаешься — еду отнимают, в карцере запирают, ремнем лупят, одежду новую не дают. К третьему классу тебе все по фигу, ну унесли суп, и чего? А вот домашние дети, у которых, допустим, папа-мама в аварии погибли, те будут в шоке. Жили раньше в красивой комнате с игрушками, капризничали, от шоколадных конфет морды отворачивали, и вдруг бумс! Закончилась пруха! Ложись дрыхнуть десятым в спальне, жри дерьмо, мойся холодной водой, слушай вопли няньки. Мы спокойны, а они в истерике, потому что страшно. Старшие им дедовщину устраивают, домашних никто не любит, их каждый поколотить готов.

— Почему? — растерянно спросила я.

— Они хорошо жили много лет, когда нам плохо было! Это разве справедливо? — с возмущением воскликнула Света.

Глава 19

Вместо того чтобы попытаться погасить агрессивность девочки, я совсем не педагогично воскликнула:

— Хорошо, что я воспитывалась дома!

Света кивнула.

— Даже не представляешь, как тебе повезло! Поставь той тетке памятник. Катька принимает к себе только домашненьких, с ними легко. Начнут хныкать, им скажут: «Если у нас не нравится, переведем в интернат». Мигом тишина наступает. Домашние больше всего на свете приютов боятся, они только в распределителе побывали, но кое-кто пару месяцев успел и в детдоме покуковать.

Я с сомнением посмотрела на Свету.

— Ты говоришь правду? Я видела в каком-то популярном журнале фоторепортаж из вашего дома и была поражена роскошными условиями. У каждой девочки своя комната, игрушки. В гостиной огромный телевизор, масса аппаратуры, ковры, цветы, много книг. С отстающими занимаются репетиторы, девочки ходят в модной одежде, им не запрещают разумно пользоваться косметикой.

Света прикусила губу, а я продолжала цитировать статью:

— Екатерина предоставляет воспитанницам огромные возможности, они получают образование, комнату в общежитии, начинают самостоятельную жизнь не с нуля. Кое-кто сделал головокружительную карьеру, сейчас не вспомню имен, но ряд девочек поступил в вузы, одна стала модельером, другая актрисой.

— Галка Степанова, — передернулась Света, —

ну эта ваще! Блин! — Девочка добавила еще несколько слов, на сей раз нецензурных. Я поморщилась.

— Светлана, ругательства не украшают женщину. Лучше никогда не употреблять подобных слов, а то ругань войдет в привычку и может вырваться в любой момент.

— Кто бранится? — вскинула брови девочка. — Степанова шлюха! И те, кого ты вспоминала, тоже... э... проститутки.

— Зависть — плохое чувство! — не успокаивалась я.

— Думаешь, я завидую? — взъерепенилась Света. — Ни на секунду! Их все в приюте презирали! Они бежали к папашке по собственной воле! Галка, когда из подходящего возраста выпала, истерики закатывала, вены резать пыталась, из окна выпрыгнуть, кричала: «Не бросай меня!» Вот гадина! Хотела получить побольше. Ну и заработала себе место актерки, за страсть и верность ее наградили. И все шлюхи подарки получили! Тем, кто не хотел, фигу показали!

Я перестала понимать смысл ее пылкой речи.

— Девочкам что-то дарили? Ничего плохого в этом не вижу!

Света вскочила на ноги, стукнулась боком о тумбочку, села опять на кровать и хмуро спросила:

— Совсем не соображаешь? Зачем Катька воспитанниц домой на время приглашает?

— Хочет побаловать сирот, — ответила я. — Дает детям возможность пожить в настоящей домашней обстановке.

— Три ха-ха! — стукнула кулачком по постели девочка. — Она Ваське их подкладывает!

Я не поняла, о ком идет речь.

— Васька? У Самойловых что, есть кот?

— Точняк, — мрачно улыбнулась Света. — Котище, гадкий мурзище! Нет у нее животных, Катька их терпеть не может, как, впрочем, и нас. Иногда видно, как она еле-еле сдерживается, чтобы на девчонок не наорать и по щекам их не нахлопать. Катька бы нас с огромным удовольствием в унитазе утопила, да низзя! Она папочке служит, а он маленьких девочек любит, от девяти до четырнадцати лет. Подавай ему все новые и новые шоколадки! Ну, дошло до тебя?

Я уставилась на Свету, та щелкнула пальцами.

— Ау, войдите! Доперло?

В моем горле заворочался колючий комок.

— Васька — это Василий Олегович?

Света хлопнула в ладоши.

— Иес, беби!

— Он педофил?

— Вау! Сообразила, — обрадовалась Света. — Папочка пирожные жрет, а мамочка ему корзиночки со взбитыми сливками приносит. Потому и приют организовала!

— Врешь! — выпалила я и тут же пожалела: — Извини, слишком уж шокирующая информация.

Но Света не обиделась, она по-взрослому кивнула.

— Понимаю, сама прифигела, когда впервые об этом услышала. Хочешь, расскажу, как и чего у нас происходит, о’кей?

Я лишь молча кивнула и захлебнулась в сточной воде сведений.

Жизни воспитанниц маленького детдома Самойловой могли позавидовать многие домашние дети. Комнаты, еда, одежда, игрушки — все выше любых похвал. Три монашки, следившие за порядком, профессионально исполняли свои обязанности, вот только особой разговорчивостью не отличались. Если девочки хотели обсудить назревшие проблемы, они шли к матушке Аглае и делились с ней сокровенными мыслями. Несмотря на то что обслуживающий персонал посвятил себя богу, воспитанницы вели абсолютно светский образ жизни. Их не заставляли молиться, стоять на коленях в церкви и читать жития святых. Ни о каком соблюдении поста тоже речи не шло, зато на Пасху на столе появлялись куличи и разноцветные яички. Девочки воспринимали особую еду как веселую традицию, вроде жаворонков из пресного теста, которых они пекли весной. На Новый год в гостиной высилась елка, а под ней лежала груда подарков.

Когда Света, чье детство прошло в государственных учреждениях, очутилась под крылом Екатерины Максимовны, девочке показалось, что она попала в рай. Личная спальня, санузел, который она делила всего с одной воспитанницей, обитавшей в соседней комнате! Куклы! Книги! DVD-проигрыватель! Телевизор! Красивые новые платья! Туфли!

Все вызывало восторг. Няня не ругается, не орет, не пытается стукнуть шваброй, матушка Аглая уютная, милая старушка, пахнет то ли ванилином, то ли корицей. Никто не ограничивает хождение по четырехэтажному особняку, в любое время можно забрести на кухню, беспрепятственно открыть холодильник, налить себе молока, намазать масло на хлеб и наесться вволю. В столовой в вазах совершенно открыто лежат яблоки, печенье, конфеты.

Первое время Света быстро набивала себе рот, а потом давилась непрожеванной едой. Ей казалось: через мгновение она проснется, так и не попробовав всех вкусностей, и обнаружит себя в комнате, тесно заставленной железными кроватями, помчится умываться в ванную с оббитыми раковинами под вопли злобной воспитательницы Галины Михайловны Андреевой: «Живее шевели граблями, кто опоздает на завтрак, ни хрена не получит».

Но шли дни, а сказка длилась, и Света привыкла к новой жизни. Она только боялась, что Екатерина Максимовна отошлет ее назад. Светлана знала: хозяйка приюта совсем не хотела брать ее, отнюдь не тихую домашнюю девочку, но директор детского дома мечтала избавиться от строптивой грубиянки и расписала ее Самойловой в самых радужных красках. В конце концов, Екатерина забрала Свету к себе. По дороге в новое место обитания Света, уже сменившая не одно заведение, со злорадством думала: «Ну погоди, скоро узнаешь, как тебя обдурили, я не пряник с шоколадной начинкой, никого не слушала и подчиняться чужим приказам не собираюсь!»

Но уже через два дня Света ходила на цыпочках, старательно убирала постель, вешала вещи в шкаф и готовила уроки. В своей комнате хочется уюта и порядка. А главное — воспитанница Глаголева боялась вылететь из замечательного приюта и вновь очутиться у воспитательницы Андреевой, в память о которой у девочки остался на руке шрам. Милейшая дама треснула непослушную воспитанницу железной линейкой. Понятно, почему Света изо всех сил стремилась понравиться Екатерине Максимовне?

Когда эйфория первых недель прошла, девочка поняла, что особой дружбы между обитательницами приюта нет. Некоторые воспитанницы не разговаривали друг с другом, хотя со стороны все выглядело идеально: по ночам никто не дрался в спальне, днем девочки не затевали скандалов, они были подчеркнуто вежливы друг с другом, но свободное время предпочитали проводить в одиночестве в своих комнатах. Гигантская гостиная с огромным телевизором чаще всего пустовала. Сначала Света сидела там в надежде познакомиться с кем-то из старожилов поближе, но потом отказалась от своего намерения. Только не подумайте, что новенькую третировали, унижали и не хотели принимать в коллектив. Девочки очень приветливо встретили Свету, объяснили местные порядки, подарили ей купленного в складчину плюшевого мишку, охотно помогали с уроками, но ни на какие личные темы не беседовали. Светлана была очень удивлена: обычно новенькой устраивают настоящий допрос, а здесь лишь вежливая доброжелательность. Девочки прилежно исполняли свои роли, они были веселы, улыбчивы и разговаривали не так, как нормальные дети. Если Светлана подходила к кому-нибудь с вопросом, воспитанница вмиг откладывала свои занятия и восклицала:

— Я могу тебе чем-то помочь?

А по окончании разговора собеседница всегда, улыбаясь, произносила:

— Рада оказаться полезной, мы одна семья.

Через месяц Свете стало казаться: в приюте разыгрывают спектакль, всем детям раздали роли, а новенькой забыли вручить листок с текстом, и она выглядит полной дурой.

В середине мая в приюте был устроен выпускной бал. Екатерина Максимовна собрала девочек в гостиной и торжественно объявила:

— У нас сегодня радостный и одновременно грустный день. Аллочка Земцова и Галя Степанова уходят в большую жизнь. Идите сюда, дорогие мои.

Яркая брюнетка со слишком большим для ее возраста бюстом и худенькая, похожая на встрепанного воробья рыжеволосая девочка послушно приблизились к хозяйке. Екатерина Максимовна начала толкать речь, Света, навесив на лицо улыбку, автоматически кивала в такт ее словам. Она знала, о чем будет говорить Самойлова. «Вас вырастили, одели-обули, дали образование, теперь работайте в полную силу, чтобы оправдать вложенные деньги».

Но Екатерина Максимовна озвучила другой текст:

— Аллочка решила стать медсестрой, она уже поступила в училище и получила место в общежитии. Но Земцова может быть уверена: сюда, в родные стены, она может прийти в любое время, здесь ей всегда помогут добрым советом.

Присутствующие зааплодировали, брюнетка встала и толкнула ответную речь. Света постаралась незаметно зевнуть — ничего интересного не происходило. Когда Алла села, Екатерина Максимовна торжественно провозгласила:

— Ну, а теперь о нашей Гале! Вы все знаете, насколько она талантлива! А как говорится, таланту надо помогать, бездарность пробьется сама. Галочка, для тебя у меня есть невероятный сюрприз, ты приглашена на роль в телесериале. Конечно, главной героиней ты пока не станешь, но после окончания института кинематографии, куда ты с блеском поступила, непременно будешь звездой. А я стану гордиться, что вырастила новую Мэрилин Монро!

Присутствующие забили в ладоши, и тут сидевшая на диване почти впритык к Свете Ася Винокурова буркнула себе под нос:

— Сволочин Мурло, а не Мэрилин Монро.

Светлана покосилась на Асю: та с самой приветливой улыбкой хлопала в ладоши, а Галина почему-то хмурилась. Внезапно она вскочила и крикнула:

— Я не хочу уходить!

Екатерина Максимовна кашлянула.

— Галя, тебе пора начинать самостоятельную жизнь.

— Нет, не хочу, — повторила воспитанница.

— Ты уже взрослая, — терпеливо сказала хозяйка, — пора вылетать из гнезда.

— Не хочу, — твердила Степанова. — Пожалуйста, не выгоняйте меня.

На лице владелицы приюта буквально на секунду появилось раздражение, но Света успела заметить его и сообразила: будущая кинозвезда вовсе не является любимицей Самойловой.

— Сейчас мы будем пить чай с праздничным тортом, — влезла в разговор мать Аглая. — Ради выпускного вечера накрыли стол в гостиной, прямо тут и побалуемся!

Присутствующие демонстративно выражали радость.

— Ой, как здорово! — запрыгала на диване Ася.

— Торт! — зааплодировала Регина Маркова. — С кремом!

— И конфеты! — подхватила Марина Рогачева.

— Какие мы счастливые! — излишне радостно воскликнула Ната Калугина.

Света, сидевшая молча, вдруг ощутила толчок в бок и уловила быстрый шепот Аси:

— Эй, не сиди кучей, радуйся громко.

Света растерялась, но потом спросила:

— А сладкое всем дадут? Или только выпускникам?

Воспитанницы захихикали, на этот раз, похоже, искренне. Мать Аглая горестно вздохнула, потом подошла и погладила своей мягкой рукой плечо Светы.

— Ну, конечно, торт получит каждая. У нас одна семья, здесь никого не угощают тайком.

Вдруг Галя рванулась к накрытому столу, схватила со скатерти длинный острый нож, которым мать Аглая собиралась нарезать свежеиспеченный «Наполеон», и полоснула себя по сгибу локтя левой руки. Из раны потекла кровь. Девочки замерли, Екатерина Максимовна и мать Аглая тоже обомлели, но потом кинулись к Гале, а та поднесла лезвие к горлу и заявила:

— Или оставляете меня здесь, или я отчекрыжу себе башку!

Хозяйка и монашка умудрились скрутить Степанову, отняли у рыдающей девочки нож и почти вынесли ее из гостиной. Света приблизилась к Асе и спросила:

— Почему Галя устроила этот шум?

Та отреагировала странно.

— Конечно, можно, — кивнула она. — Сейчас покажу, где аптечка висит. У меня тоже голова заболела. М-м-м!

Картинно схватившись за лоб, Ася выскользнула в коридор. Света двинулась следом. Не успела она очутиться около Винокуровой, как та схватила ее за руку и шепнула:

— Сегодня, в час ночи, я приду к тебе в спальню. Увидишь меня, лежи тихо, не шевелись, ничему не удивляйся. Сейчас двигаем к аптечке и изображаем мигрень.

Глава 20

Не успело на электронных часах, стоявших на тумбочке, появится «01:00», как дверь в комнату Светы беззвучно отворилась, и появилась Ася на четвереньках. Хорошо, что Винокурова успела предупредить новенькую, а то Светлана могла и заорать.

Девочка приложила палец к губам, постояла минуту у порога, затем вскочила, ящерицей юркнула в постель к Свете и шепнула:

— Накрой нас с головой одеялом, чтобы никто не увидел.

Светлана выполнила ее требование и тихо спросила:

— В комнате никого нет, зачем прятаться?

— Наивняк, — бормотнула Ася. — Здесь повсюду камеры, день и ночь запись ведут.

— Вот почему ты на четвереньках шла! — осенило Свету.

— Оптика рассчитана на рост, — усмехнулась Ася, — пол она не показывает. Еще есть мертвые зоны, а в спальнях камера поворачивается, надо только выждать момент, чтобы удрать из комнаты или, наоборот, в нее войти. Запихнешь под одеяло халат, полотенца, покрывало — и получается: спит Асенька, сопит в свое удовольствие, а я уже давным-давно в другом месте. Видела, какой концерт Степанова замутила? Вау, я даже не ожидала от нее. Сильно придумано — вены при всех резать! Артистка, блин, Сволочин Мурло!

— Думаешь, она прикидывалась? — спросила Света.

Ася с шумом выдохнула.

— Не, взаправду заистерила! Полагала, что ее здесь на всю жизнь оставят, сделают помощницей бабки!

— Аглаи? — уточнила Светлана.

— Ага, — подтвердила Ася. — Сообразительная ты наша.

— Вот дура! — чуть громче воскликнула новенькая. — Я бы в актрисы просто побежала!

— Тс-с, — шикнула Ася. — Гале тут лучше, она зайчик Васи.

— Кто? — захихикала Света. — Зайчик? Прикольно!

— Угу, — мрачно подхватила Ася, — обхохочешься. Че, думаешь, в шоколадное место попала? Ща объясню, куда ты угодила!

Ася начала шептать Свете на ухо. Под одеялом было жарко и душно, но спустя короткое время новенькую затрясло в ознобе, руки и ноги у нее стали ледяными, а спина взмокла от пота.

Милые няни и мать Аглая только прикидывались монашками.

— Это для проверяющих придумано, — бубнила Ася. — Приходит комиссия, видит дамочек в черном, с крестом на груди, и сразу все уверяются: детям здесь хорошо, за ними смотрят глубоко верующие люди. Маша Боровикова утверждает: Аглая и няньки никогда в храм не заглядывали. Манька из семьи священника, у них дом со всеми людьми сгорел, Боровикова одна живой осталась и сюда попала. Машка отлично в церковных делах разбирается, она мне объясняла, что Аглая неправильно платок повязывает, ихние правила не соблюдает, в пост пирожок с мясом ела, еще всякие мелочи.

— Они вроде милые, — перебила информаторшу Света.

Ася больно вцепилась в руку новенькой и рассказала совсем ужасные вещи.

У Екатерины Максимовны есть муж, богатый бизнесмен Василий Олегович. Старый пень, но любит маленьких девочек, кому еще не исполнилось пятнадцати. Катерина в курсе страсти супруга, потому и основала приют, в который берут лишь симпатичных малышек. Мальчики здесь без надобности. Катерина не работает, живет на деньги супруга и на них же содержит детдом. Всякие организации, занимающиеся проверками, бьются в экстазе, очутившись в особняке. Едва переступив порог приюта, чиновники бывают сражены интерьером и набором продуктов, которые дают ребятам. Тут все без обмана: на столе у воспитанниц никогда не заканчиваются мясо-овощи-фрукты, спальни выглядят роскошно, одежда у сирот модная. Правда, Екатерина Максимовна пытается привить девочкам умение правильно питаться, поэтому сладкое и выпечку она ограничивает. Но Василий Олегович иногда приходит к детям в гости с коробками шоколадных конфет и от всей души одаривает сироток.

На следующий день после визита мужа Екатерина Максимовна приглашает к себе домой трех воспитанниц, девочки живут у благодетельницы месяц, потом возвращаются в интернат. И дальше начинается самое интересное. На квартиру к Самойловым отправляется новая группа сироток, но в ее составе непременно оказывается одна из предыдущей группы. Примерно полгода особо отмеченная сирота живет у Екатерины Максимовны, все понимают, в чем дело, но молчат. Затем девочка возвращается в детдом и больше не ездит в большую квартиру Самойловых. А Василий Олегович опять притаскивается в приют с конфетами. Директор фабрики любит менять юных любовниц. Когда похотливый мужичок прибывает для очередного кастинга, девочки стараются стать незаметными, но зоркий глаз благодетеля все равно выхватит из толпы нужную кандидатуру. Скорее всего, он смотрит записи видеокамер, которые натыканы в приюте по всем углам, и делает выбор заранее.

— И все молчат? — возмутилась Светлана, которую из-за слишком свободолюбивого нрава частенько перебрасывали из одного детдома в другой. — Я бы ему пенделей надавала и удрала!

— Куда? — безнадежно спросила Ася. — Бомжевать на улицу? Вернуться в обычный детдом? Сама знаешь, какие там порядки. Здесь хоть не бьют, кормят хорошо, есть своя комната. А еще Екатерина тем, кто Ваську ублажил и в приют вернулся, потом помогает. Устраивает учиться, добывает прописку.

— Да чтобы я трахалась с козлом за койку в общаге?! — взвилась Светлана.

— Тише, — взмолилась Ася. — Я тебя пожалела, решила правду рассказать, не ори, иначе меня турнут отсюда.

— И очень хорошо, — не успокаивалась Светлана. — Лучше со старшеклассниками драться и тухлую баланду жрать, чем вашего Ваську обслуживать. Спасибо тебе, завтра скандал устрою, меня назад отправят. Ты не волнуйся, никому про наш разговор не сообщу.

— Тебя на прежнее место не возьмут, — чуть слышно сказала Ася. — Ты не кипятись, а слушай. Катька хитрая, она нас покупает.

— Как? — подскочила Света.

— Дает денег директрисе, та медкарту подправляет, — раскрыла подоплеку дела Винокурова. — Получается, мы тут все больные: у одной сердце дрянь, у другой желудок не работает. Думаешь, до тебя никто бунтовать не пытался? Лариса Обухова стулом в окно запулила, высунулась в разбитую раму и ну орать:

— Люди, помогите! Нас насилуют! Звоните в милицию!

Никто даже не обернулся. Ларку через час увезли, больше мы ее не видели. Аллочка, ну, та, что сегодня выпускалась, говорила, будто ее Роману отдали.

— Кому? — спросила Светлана.

Ася обняла новенькую.

— Одни девчонки стараются Ваське понравиться, понимают: они в его власти. Долго дедок с одной не развлекается, шесть месяцев — это предел. Зато потом навсегда он оставит ее в покое, живи в свое удовольствие. Поэтому улыбаются козлу, изображают любовь, не шумят, в постели его слушаются. Я именно так и поступила.

— Жесть, — выдохнула Света.

— Нормально, — дернула плечом Ася. — Сначала противно, потом привыкаешь. Васька не злой, сюсюкает постоянно. У него две фишки. Первая: требует надевать школьную форму, старую такую, коричневое платье, фартук, красный галстук, гольфы. Вторая: надо облиться духами, забыла, как они называются, розовый флакон, воняют отвратно. Васька еще ими подушку и простыню опшикивает, задохнуться можно. У меня аж в носу щипало, а дедок балдеет. Мне десять было, когда я в их квартиру впервые попала. Трахал он меня четыре месяца, и усе! Три года живу в шоколаде, иногда, когда он сюда приезжает, подойду и шепну:

— Василий Олегович, я вас люблю.

А он меня в лоб поцелует и говорит:

— Асенька, ты очень хорошая девочка, я тебя тоже люблю. Екатерина Максимовна воспитанницу Винокурову за отличное поведение и успехи в учебе хвалит. Старайся, солнышко, помогу тебе в МГУ поступить.

Знаю, что Васька не обманет, я получу хорошее образование, диплом, устроюсь на работу. Мои родители погибли в маршрутке, ее смертник взорвал, я одна осталась, на кого мне рассчитывать?

— И здесь все такие? — ошарашенно пробормотала Света.

— Нет. Есть дуры, которые с Васькой дерутся, кусают его, рыдают, ну никак не соглашаются, — вздохнула Ася. — Сколько раз я таким объясняла: «Перестаньте, только хуже себе сделаете». И чего? Где они теперь?

— Где? — эхом повторила Света.

Ася еще теснее прижалась к новой подруге.

— Их отводят к Роману, у него массажный салон. Кто туда попал, тот через год станет инвалидом сексуального труда. Маленькие девочки в цене, богатых дедков много, не один Васька такой, и он, уж поверь, не самый гадкий из всех. Мне в распределителе девчонки кой-чего порассказали, поэтому я и согласилась к Самойлову в койку лечь.

— Почему же тех девочек никто не ищет? — изумилась Светлана.

— Кому мы нужны? — серьезно ответила Ася. — Близких нет, мы полностью в руках Катьки, наши документы у нее в сейфе. Не знаю, чего она придумывает, но народ исчезает тихо, появляются новые. Мой тебе совет: если Васька грабки растопырит, кидайся ему на шею. Мучиться придется недолго, зато потом наступит райская жизнь.

— Не понимаю, — затряслась Света, — зачем тогда Степанова просила ее здесь оставить? Галине роль в сериале устроили и в институт впихнули, а она...

— Степанова зайка, — хихикнула Ася. — Она влюблена в Ваську, все в халат обряжалась, когда он сюда приезжал. И так перед ним жопой крутила и эдак, да дедушка на ее старания срать хотел. Прикинь, какой угар, она один раз у меня спросила: «Аська, ты хорошо Василия Олеговича знаешь, как ему понравиться?» Ну я и присоветовала: надень короткое темное платье, белые гольфы, повяжи на шею красный платочек и жди эффекта. Короче, сбылась мечта кретинки: уехала Галка к Самойловым и продержалась там десять месяцев! Рекорд! Получи золотую медаль и не вякай! А она! Цирк на льду! Едва Васька сюда войдет, она на шее у него виснет: «Папочка, возьми меня домой!» Пишет ему письма, рубашку орнаментом вышила, бегает к Екатерине и ноет: «Неужели я Василию Олеговичу не нужна?»

Таких здесь несколько, зайки долбанутые. Во чего устроила! Ее в сериал продвинули, Васька надеялся, заинька про кино услышит и забудет о нем. Хрен ему в зубы. От зайки за один чмок не отделаешься. Ща терпение у Самойловых лопнет, и они ее, если откажется уйти, Роману сдадут!

После разговора с Асей Света больше всего

боялась, что липкий взор Василия Олеговича задержится на ее фигуре. Кое-кто из бывших юных любовниц проболтался, что муж хозяйки не обращает внимания на распустившийся цветок, его привлекает незрелый бутон. И теперь, услышав о приезде педофила, Света запихивала в лифчик вату и надевала на себя несколько пар колготок в надежде на то, что слишком полный подросток не вызовет у сатира желания. Два года Глаголевой удавалось уворачиваться от дедули, но настал и ее черед. Екатерина Максимовна позвала сироту на прогулку по реке...

Светлана замолчала, я с трудом открыла рот:

— Ты рассказываешь страшные вещи! Можешь предъявить доказательства?

— Нет, — замотала головой девочка, — он хитрый, только у себя дома балуется, никуда девочек не возит, первый раз на корабль позвал, до этого лишь в квартире перепихивался. Не пойман — не вор.

Я ощутила прилив злобы.

— Надо что-то делать!

— Да? — хмыкнула Света. — Например?

— Пойти в милицию! — крикнула я.

Светлана засмеялась.

— Ты Красная Шапочка? Думаешь, менты волка пристрелят? Они даже со стульев не встанут! У Васьки бабла море. Кому поверят, нам или ему? Василий Олегович любому забашляет. А Екатерина Максимовна тех, кто на ее мужа наехал, живо к Роману сплавит. Знаешь, где теперь Ася? В МГУ учится, жениха там встретила, он богатый, с квартирой, я тоже так хочу.

— Ни в коем случае, — испугалась я. — Запирай на ночь каюту.

— Какая разница, где с ним первый раз трахаться? — отмахнулась Света. — Здесь увернусь, он в Москве меня догонит. Уж лучше тут, романтично, в круизе все-таки. Чем раньше он меня дрючить начнет, тем быстрее я ему надоем.

Чтобы предостеречь глупую девочку от ужасного поступка, я решила ее обидеть:

— Получается, ты тоже зайка! Соглашаешься спать с Самойловым в обмен на спокойную жизнь в приюте и поступление в институт!

Я предполагала, что она с возмущением воскликнет: «Неправда! Если это так выглядит, ни за что не соглашусь спать с Самойловым».

Но Света отреагировала иначе.

— Зайка сама напрашивается, приматывается, хочет внимания, надеется, что Васька ее навсегда к себе возьмет. А я мечтаю выплыть из дерьма. Есть шанс без взятки в Институте восточных языков и менеджмента[1] очутиться.

— Ну ты и замахнулась! — воскликнула я.

— Если выигрывать, то джекпот, я не тот человек, который обрадуется ста рублям, — отрезала Светлана. — В этом вузе учатся сыновья богатых папочек, я найду себе жениха. А если таковой не отыщется, то не беда, за границу усвищу, осяду в Лондоне, Париже, Нью-Йорке. Такой вот план! Ради его исполнения я с десятком Васек перепихнусь и не поморщусь. Я даже нервничать стала,

---

[1] Название придумано автором, любые совпадения случайны.

когда сообразила, что Васька на Ирку глаз положил!

— Погоди, ты хотела стать любовницей Самойлова? — передернулась я.

Светлана закатила глаза.

— А как в вуз попасть? Василий Олегович помогает только тем, кто через его койку прошел.

— Сначала ты в лифчик вату засовывала, чтобы педофила отпугнуть, а теперь, наоборот, хочешь его привлечь? — окончательно запуталась я.

— Маленькая была. — Света щелкнула языком. — Глупая и наивная, думала, хуже, чем Васька, в жизни со мной ничего не случится. А теперь выросла и по-другому рассуждаю. Рита Олина Ваське не подчинилась, палец ему прокусила, и... тю-тю, исчезла. И Катя Федорова за ней пропала, смыло их, как и не было. Зато Ася Винокурова в МГУ, Оля Забелина на художника учится. Вот Кира, которая вместе с Винокуровой выпускалась, Ваське ни разу не потребовалась. Случается так, что он на девочку и не смотрит. И чего? В училище ее запихнули, будет помощницей кондитера. Во крутизна, орехи колоть станет! Впрочем, Кирке хорошо, она тупая, на тройках в школе катилась. Я на другое рассчитываю, мне Васька нужен, а время летит, скоро я ему старой покажусь!

— Сколько тебе лет? — в растерянности спросила я.

— Тринадцать, — спокойно ответила Света, — это по календарю, а по уму мне в три раза больше, я своего в жизни добьюсь, вот увидишь! Жаль только, что Екатерина на теплоход Лизу Суханову позвала.

— Девочка тоже претендовала на любовь педофила? — скривилась я.

Светлана натянула одеяло на плечи.

— Такая каша заварилась! Лизка зайка, Васька ее зимой оприходовал. Я бы на месте Сухановой до потолка прыгала, успела в последний час поддержкой Самойлова заручиться, Лизке летом интернат покидать, а Василий Олегович все мимо проходил. А она решила навсегда с Васькой остаться, впрочем, и до нее желающие находились, но папик жену никогда не бросит. Нечего надеяться. Суханова мечтала с дедусей в загс пойти. Ржака!

Глава 21

Я закрыла глаза. Бедные, никому не нужные, оставшиеся без родителей дети. Даже если нарастить на сердце каменную броню и стать недосягаемым для стрел врагов, все равно внутри будет биться живое сердце, которому хочется тепла, нежных слов и заботы. Василий Олегович — подлый растлитель малолетних, его место в тюрьме, желательно, в набитой уголовниками-рецидивистами камере. Отлично знаю, как они поступят с хозяином кондитерского холдинга, и не испытываю к нему ни малейшего сочувствия. Но, похоже, развратник пытался наладить с малышками хорошие отношения, вероятно, он их нахваливал, покупал милые детскому сердцу мелочи, вселял в бедняжек уверенность: они могут быть спокойны за свое будущее. Домашний ребенок, как правило, не задумывается о том, чем станет заниматься после школы. У него есть мама, папа, собственный уголок в квартире и ощущение защищенности. Детдомовец живет в подвешенном состоянии, он никому не нужен, впереди туманная неизвестность. Где жить? Как заработать денег на еду? Что случится, когда двери интерната захлопнутся за ним навсегда? Каким образом устроиться в равнодушном мире? При подобном раскладе даже Василий Олегович покажется желанным. Бедные «зайки», они очень боялись брать на себя ответственность за свою судьбу. На вопрос: «Кто у меня есть?» — абсолютное большинство сирот вынуждено отвечать: «Я сам у себя есть».

Но не каждый обладает сильным характером, кое-кто мечтает спрятаться за широкую спину, причем неважно за чью. Главное — притаиться в ее тени и знать, что есть человек, который скажет: «Не волнуйся, я решу твои проблемы».

Света ничего не подозревала о моих мыслях, она излагала составленный ею план.

— Ирка Ваську боялась. Она глупая, таблицу умножения едва запомнила, ей институт без надобности, счастье, если училище окончит и у конвейера торты украшать будет. Я, как только на теплоход попала, сразу врубилась, к кому дедуля намылился.

— Да ну? — удивилась я.

Света снисходительно глянула на меня.

— Нас с Лизкой поселили в ящиках от пылесоса. Повернуться негде, ни унитаза, ни душа. Екатерина решила сэкономить, взяла «любимым девочкам» самые дешевые комнаты. Ирка же оказалась в супер-пупер каюте. Кровать на пятерых, в ванной глаза от золота слепит. Че, Катька ее обожает? Нет, она знала: Василий Олегович ночевать тут станет!

Я потерла лицо рукой, а Света трещала сорокой.

Когда Глаголева из любопытства заглянула в каюту к Ирине, то не сумела сдержать возгласа:

— Ох и не фига себе! Королевский зал!

— У тебя комната хуже? — насторожилась Ира.

Света ткнула пальцем в ложе, застеленное светло-бежевым покрывалом.

— Она вполовину меньше этого сексодрома. Круто повеселитесь с дедулей.

Ира схватила с дивана красную подушку, прижала ее к груди и попятилась к стене.

— Ой! Нет! Не хочу! Боюсь!

И тут Светлану осенило:

— Могу тебе помочь!

— Да, пожалуйста, — заканючила Ира, — сделай что-нибудь!

— Я останусь тут, а ты ляжешь у меня, — предложила Глаголева. — Нам велят в одиннадцать на боковую отправляться, тогда и махнемся спальнями, ОК?

Ирина кинулась Свете на шею.

После отбоя Света осторожно поскреблась в дверь шикарной каюты.

— Кто там? — спросил тонкий голосок.

— Сто грамм и бутербродик, — хихикнула Света.

— Уходи, — велела Ира.

— Офигела? — обозлилась подруга. — Это я!

— Проваливай, — еле слышно сказали из-за двери.

— Эй, мы договорились, — напомнила Света.

— Вали отсюда! — заявила Ирина.

Света стукнула по двери ногой.

— С ума сошла?

Но ответа не дождалась. В конце коридора послышались шаги, и девочка убежала.

Утром Света увидела Иру на палубе и зашипела:

— Передумала? Понравился Васька?

Подруга потупилась.

— Я спала в каюте Лизы.

Светлана вцепилась в перила.

— А Суханова?

— Легла в моей спальне, — через силу произнесла Ирина.

— И кто ты после этого? — ахнула Глаголева. — Место мне обещала!

Ирина обняла Свету.

— Не злись! Лизка так просила, на коленях стояла, она Василия Олеговича обожает, надеялась, он в кровать ляжет, а когда сообразит, что там Суханова, будет уже поздно. Лизка мечтала его любовь вернуть.

— Что-то нашей новобрачной не видно, — язвительно прыснула Света. — Знаю, что вышло, Васька в каюту вошел, свет зажег, морду на подушке увидел и надавал приставале тумаков. Сейчас Лизка синяки лечит. Вот, блин, дерьмовка! Сама уже все получила, так дай другим, непристроенным, шанс!

— Василий Олегович может драться? — обмерла Ирина.

Света начала остывать.

— Не, он хороший, но Лизке нужно по жевалу

въехать! Вот появится на палубе, я сама ей все объясню!

Но Суханова так и не вышла, а потом всем сообщили об ее отравлении шаурмой.

Я не упустила момента позанудничать:

— Нельзя даже приближаться к палаткам, там полная антисанитария.

— Ерунда, — беспечно отреагировала Света, — если вкусно, то не опасно! И Лизка к тонару со жрачкой не приближалась! Мы стояли вместе на пристани, никто никуда не отлучался, я точно помню. Елизавета мясо не любила, курицу старалась не есть, она фигуру берегла, перешла на одни овощи, хотела талию пятьдесят сантиметров. В шаурме вдобавок еще лепешка, майонез. Суханова скорее застрелится, чем что-то калорийное съест. Не ее формат, Лизке подавай капусту без соли, зеленые яблоки, морковь, арбуз. К бананам она не притронется, даже картошку не жрет.

— Ты уверена, что Елизавета тайком от всех не сгоняла к ларьку? — не успокаивалась я. — Некоторые люди демонстративно жуют у всех на глазах веточку укропа, уверяя, что это их рацион на сутки, а по дороге с работы домой заскакивают в булочную и там набивают желудок свежеиспеченными плюшками!

— Не, Суханова дура, но у нее железный характер, — помотала головой Светлана. — И она реально теряла вес. Вот Ирка тоже на диету села, придумала после шести ничего не жрать. Программу по телику посмотрела, ее дяденька с тетенькой ведут, про всякие средства от болезней рассказывают, вот там и объявили: если вы не ужинаете, то будете похожи на супермодель.

— Надо же, — вздохнула я. — А вот мне всегда отчаянно хочется подкрепиться после программы «Время».

Света шмыгнула носом.

— Точняк! Обожаю в одиннадцать, перед отбоем, бутербродик соорудить. А Ирка всем растрепала: я на ужин не хожу, только воду пью.

— Помогло? — полюбопытствовала я.

Светлана прыснула:

— Не! Хотя с такой оригинальной диетой ваще в двери застрянешь! Театр Куклачева отдыхает! Ты только послушай!

Мне было совершенно не интересно узнавать ненужные детали, но я отлично знаю: хочешь вытащить из собеседника сведения, не перебивай его, пусть выбалтывает все, самое важное иногда можно извлечь из пустого трепа. Куприн когда-то вычислил серийного убийцу, зацепившись за на первый взгляд ничего не значащую фразу одной девушки: «Сергей надел в тот вечер под пиджак синюю рубашку, расстегнул ее до середины груди, и я в него сразу влюбилась». Парень на тот момент был вне всяких подозрений, девушку допрашивали как свидетельницу, ее просили вспомнить, кто находился ночью в клубе, про своего нового знакомого любительница потусить ляпнула просто так. А Куприн неожиданно подумал: «Отчего скромный, во всех отношениях положительный учитель математики впервые, по его словам, осмелившийся зарулить в увеселительное заведение, решил выставить наружу голый торс? Задумал привлечь девушек? Мужчины, если они, конечно, не стриптизеры и не альфонсы, так себя не ведут. Это женская манера демонстрировать красивую грудь и ноги».

Через день патологоанатом сказал, что в желудке трупа нашли самую обычную темно-синюю пуговицу от мужской сорочки, которую жертва отгрызла от одежды маньяка, пытаясь защититься. Снять отпечаток пальца с крохотного кусочка пластика, который к тому же находился в пищеварительной системе человека, невозможно. Определить, к чьей рубашке она ранее была пришита, тоже нельзя, таких пруд пруди. И тут Олег вспомнил фразу девушки про красавца с голой грудью. Куприну в голову пришла простая мысль: что, если скромный преподаватель вовсе не расстегивал рубашку, а просто лишился пуговицы? Зацепившись за крошку информации, прозвучавшую в пустой болтовне, мой бывший муж вычислил убийцу. А если бы Куприн в тот момент, когда девушка, закатив глаза, принялась описывать своего нового знакомого, сказал: «Это к делу не относится, давайте вернемся к основной теме беседы», — фраза про рубашку осталась бы невысказанной, и маньяк продолжал бы убивать.

Вот почему я сейчас внимательно слушала Глаголеву.

Как-то раз около шести вечера Светочка захотела какао и отправилась ставить чайник. Едва девочка открыла шкаф, где хранились банки, как в кухню влетела Ира, распахнула холодильник, вытащила оттуда гору пакетов, положила их на стол и стала самозабвенно есть сыр, колбасу, сырые сосиски. Одновременно она ухитрялась намазывать толстые куски белого хлеба маслом, шарить рукой в коробке с зефиром, отправляя сладкое за сэндвичами, и хватать из стоящей на плите миски котлеты.

— Эй, тебе плохо не станет? — не выдержала Света, наблюдая за невиданным обжорством.

Ира, не отвечая, в два глотка выхлебала здоровенную кружку чая, вывалив туда полбанки клубничного варенья, схрумкала мимоходом горсть сухариков и громко икнула.

— Лучше сядь, — посоветовала Света. — Стоя только лошади харчатся. И не торопись, а то подавишься.

Ириша еще раз издала квакающий звук, влила в себя новый стакан сладкой заварки, плюхнулась на табуретку и выдохнула:

— Успела!

— Куда? — не поняла Светлана. — Ты боялась, что кухня в Питер уедет? Успокойся, она здесь останется, и холодильник в Турции отдыхать не собирается!

Ирина, отдуваясь, указала на большие стенные часы.

— Через секунду шесть вечера, а я на диете, не ужинаю. Надо до восемнадцати подкрепиться, чтобы потом живот от голода не крючило!

Услышав эту историю в Светином пересказе, я рассмеялась:

— Отличный метод! За пару минут до часа икс напихаться под завязку продуктами, словно верблюд, отправляющийся в дальний путь. Ясное дело, до утра есть не захочется.

Светлана кивнула.

— Ага! Вот только эффект специфический получился. Килограммчики не ушли, а прилипли. Ирка стала напоминать кабачок, вроде небольшая, но со всех сторон круглая. Но, похоже, она Ваське и в таком виде понравилась. А Лизке, несмотря на ее осиную талию, уже ничего не светило. Папочка два раза с одной и той же не связывается.

— Погоди, — удивилась я. — Лиза, по твоей терминологии, «зайка»?

— Точняк, — подтвердила подросток.

— Но ее отношения с Василием Олеговичем уже в прошлом? Каким же образом отставная любовница очутилась на теплоходе? — недоумевала я.

Ира скосила глаза.

— Ей свезло. В круиз позвали троих: меня, Ирку и Нину Сереброву. В полдень Екатерина велела нам стоять в холле с сумками. Ирина и я выполнили указание, а Нина опаздывала. Екатерина Максимовна велела воспитанницам идти в машину и приказала крутившейся рядом Лизавете:

— Сбегай к Серебровой, поторопи ее.

Минут через десять в автомобиль, где сидели девочки, влезла невероятно довольная Суханова и объявила:

— Нинка с лестницы упала, ногу подвернула. Чтобы оплаченная каюта не пропадала, Екатерина Максимовна велела мне с вами ехать.

Светлана перевела дух и продолжила:

— Уж больно Сереброва вовремя со ступенек сверзилась. Лизка прям вся от счастья светилась, она постоянно около нас находилась, боялась даже шаг в сторону сделать, вдруг Екатерина обозлится и назад ее отошлет.

— Значит, Суханова шаурмой не лакомилась! — подвела я итог услышанному. — Чем же она отравилась?

Светлана опять скосила глаза.

— Ну... Ирка мне сказала, что она Ваську видела, когда тот из шикарной каюты как ошпаренный выскочил! А потом Екатерина примчалась. Лизка ведь умерла, правда? Самойлова правды не расскажет, потому что сама ее пристукнула. Катька хитрая, у нее море долларов! Забашляла местным ментам, те и рады ни фига не делать!

Глава 22

Я постаралась сохранить спокойствие.

— Света, почему ты считаешь Лизу мертвой? Она сейчас в больнице, ее отвезли в Козловск.

Девочка скорчила гримасу.

— Видела! Живой человек так не лежит! Глазами она не моргала, не дышала, не шевелилась! Екатерина Суханову придушила! Подушкой! Я сразу поняла! Все красные, а одна черная! Она ее унесла вместе с вещами!

— Стоп, — приказала я. — Что значит «видела»?

Светлана надула щеки.

— Врать бесполезно, — предостерегла я. — Ты уже проговорилась, первое слово дороже второго!

Света заерзала на матрасе.

— Ладно, расскажу. После того как я от Ирки узнала, что она вместо меня Лизку в спальне оставила, мне так обидно стало! Прямо до слез! Пошла к себе в каюту, слышу шепот, решила позырить, кто полуночничает, осторожно из-за угла высунулась: Вася бежит в противоположную от меня сторону. Потом Екатерина появилась и в каюту, где Лизка затаилась, шмыг. Спустя минут пять вылетает, в руках охапка тряпок, какие-то пакетики, и на цырлах прочь. И тишина! Тут меня торкнуло: значит, Васька вперся в спальню, обнаружил там Лизку, взбесился и к жене поплюхал, велел той базар разрулить. Екатерина явилась, выдала Сухановой люлей и уперлась. А шмотки зачем унесла? Они ваще чьи? И Лизка не выходит!

Я попыталась разжать пальцы, которыми вцепилась в край узкой кровати, но они не слушались. Светочка монотонно бубнила дальше.

Постояв в коридоре, девочка решила заглянуть в каюту, проверить, как там Суханова, но не успела ни шагу сделать, потому что вновь появилась Катя. Самойлова прижимала к груди большую черную подушку. Хозяйка приюта заскочила в спальню, где совершенно точно находилась Суханова, и быстро вышла наружу, опять с подушкой, только на сей раз с красной.

Светлану заело любопытство: что за странности творятся ночью на корабле? И вдруг она почувствовала, что за спиной кто-то есть. Девочка в страхе обернулась и выдохнула:

— Черт! Как ты меня напугала!

— Я давно здесь стою, — шепнула Ира. — Чего Катька с подушками носится?

— Фиг ее знает, — пробормотала Светлана.

— Пошли к Лизке, — велела Ирина. — Думаю, Самойловы больше не вернутся.

Подростки без стука ввалились в шикарную каюту и увидели на кровати Лизу.

Попытки завести разговор с Сухановой не удались, она не желала отвечать. Девочки подошли к кровати вплотную и поняли: подруга мертва.

— Мы сразу догадались про подушку, — заговорщицки шептала мне Света. — Катька Лизку ею удушила и решила орудие убийства унести, наверное, в реку бросила.

Я потрясла головой, надеясь, что после этого мысли улягутся по полочкам, но мозг отказывался верить услышанному. Василий Олегович педофил? Его жена ради удовлетворения животной страсти мужа содержит приют, который на самом деле является своеобразным гаремом? Екатерина задушила Елизавету?

— Ты не врешь? — вырвался из груди вопрос. — И ты вовсе не утром встретила Иру, а ночью?

Света пожала плечами.

— За фигом мне врать? Спросите Ирку, она то же самое видела: Катька туда нырнула с черной подушкой, назад с красной. Зачем бы?

Я притихла. Отлично помню, что в каюте, где обнаружили труп, на красном диване было две среднего размера подушки в цвет обивки, а посередине выделялась третья, и была она черной. Никакого удивления сей факт у меня не вызвал, все мое внимание устремилось к пионерскому галстуку, который обнаружил Юра. Вот уж невероятная деталь! Ну с какой стати давно не используемый атрибут советской детской организации очутился в шкафу у современной девочки?

Теперь я знаю ответы на все вопросы. Отчего Лизу поселили в шикарной каюте, а другим девочкам достались кладовки? Ну, во-первых, спальня предназначалась Ире. Юра увидел тело в постели и сделал неверный вывод. Любой на его месте мог ошибиться. Логично предположить: если девушка лежит в кровати, то это ее комната. Во-вторых, сюда для удовлетворения своего сексуального аппетита намеревался захаживать Василий Олегович, роскошные условия готовили для него. А если вспомнить слова Светы о любви кондитера к подросткам, облаченным в пионерскую форму, то станет ясно: эту одежонку — коричневое платье, фартук, гольфы, банты и пресловутый галстук — купили в секс-шопе.

Светлана громко зевнула и повторила:

— У Ирки спросите. Вот выпустят ее из больницы, она мои слова подтвердит.

Я вздрогнула, Света не в курсе, что Ирина умерла.

— Ты понимаешь, что обвинение в педофилии и убийстве — очень серьезная вещь?

Светлана кивнула.

— Ну да.

— Нельзя задержать людей на основании простой болтовни, — сказала я. — А если ты ошибаешься?

— Нет! — уверенно заявила Глаголева. — Пусть Ирка подтвердит! Двое нас там было.

— Без улик никто тебя слушать не станет, — вздохнула я. — Этак каждый напраслину возвести может. Нужны неопровержимые доказательства.

— И где их взять? — напряглась девочка.

— Надо подумать, — сказала я, — а ты пока помалкивай. Вдруг Василий Олегович и Катя здесь ни при чем? Не трогали они Лизу. Представляешь свою судьбу, если поднимешь скандал? Думаю, спокойной жизни в приюте у воспитанницы Глаголевой уже не будет!

— Роману меня отдадут! — отшатнулась Света. — Ой! Ой! Там! За окном!

Каюта Светланы имела лишь один иллюминатор, который парадоксальным образом смотрел не на реку, а во внутренний коридор. Скорее всего, комнатенка предназначалась для кого-то из членов команды, может, для боцмана, призванного наблюдать за матросами.

— Там, там, — лязгала зубами девочка, — привидение!

Коротко взвизгнув, Света свалилась с постели и со скоростью, которой мог позавидовать юный таракан, закатилась под кровать. Я глянула в окно.

За круглым стеклом стоял кто-то бело-серый, без лица. У существа не было ни глаз, ни носа, ни рта, но тем не менее жуткое создание казалось живым. Голова (если предмет полукруглой формы без органов дыхания, зрения и слуха можно так назвать) медленно поворачивалась. Затем вдруг взметнулись то ли руки, то ли крылья, призрак исчез, послышался легкий стук.

— Не пускайте ее, — завыла из-под кровати Света.

— Кого? — впав в панику, осведомилась я.

— Лизку, — заплакала девочка. — Мертвецы завсегда в привидения превращаются и на место своей смерти приходят! Ой-ой!

В отличие от Светы я не верю в призраки, поэтому толкнула дверь и выскочила в коридор. Стук створки всполошил безобразника, вознамерившегося поиздеваться над Светой. Представитель загробного мира проявил удивительную прыткость. Я увидела, как невысокая фигура в ореоле развевающегося белого одеяния летит в сторону кухни. Не задумываясь, я бросилась за шутником и в какой-то момент ухитрилась уцепить его за край одеяния. Но шалун оказался проворным, он рванул вперед, полотно выскользнуло из моих пальцев. Привидение скрылось в камбузе.

Вход на кухню был распашным, створки ходили туда-сюда и не имели ни замка, ни ручек. Очень правильная конструкция: официанту, который тащит тяжелый поднос, неудобно возиться с запорами. Но со мной двигающиеся дверки сыграли злую шутку. Не успела я подскочить к проему, как одна из лакированных плоскостей, приведенных призраком в движение, довольно больно стукнула преследовательницу поселившегося на корабле Каспера[1].

Я взвизгнула, не догадалась отскочить в сторону и была наказана за свою глупость другой дверкой. Если первая угодила мне по носу, то вторая пребольно треснула по лбу. Пришлось остановиться, потереть поврежденные места и лишь по-

---

[1] Вилка вспоминает мультфильм «Привидение Каспер».

том войти в пищеблок. Я нащупала у входа выключатель и нажала на клавишу. Под потолком вспыхнул иссиня-белый свет и озарил помещение, в котором царил армейский порядок. На одной стене висели сковородки, у другой громоздилась начищенная до блеска плита, посередине тянулся стол с ножами в подставках. И никого!

— Эй! — тихо сказала я. — Ау! Выходи, а то хуже будет.

В ответ не раздалось ни звука. Я попробовала вразумить хулигана:

— Теплоход полон гостей, которые равнодушны к алкоголю. Никто из нас не напивается и не способен глупо подшучивать над подростком. Значит, ты член команды. Интересно, понравится Ивану Васильевичу сотрудник, который, завернувшись в простыню, издевался над туристкой? Короче, если ты покажешься сам, я никому не сообщу о твоей проделке. Затаишься в укромном уголке, я тебя непременно найду и отведу к капитану. Кухня большая, но я упорная. Ну, раз, два, три...

Безобразник не захотел принять разумное предложение, и я разозлилась:

— Ладно, четыре, пять, иду искать!

Я сделала пару шагов, решила обогнуть стол и налетела на большую, примерно в две трети моего роста, кастрюлю. С нее слетела крышка и с оглушительным звоном грохнулась на пол. Я невольно отшатнулась, задев стоящую у стены швабру, та стала падать, сметая развешанную на стене утварь.

— Что за гады! — заорали сбоку.

Я дернулась и увидела, как из небольшой, ранее не замеченной мною дверки, расположенной около шкафа с разнообразными банками, медленно вытекает тучная фигура моей бывшей одноклассницы Маргариты Некрасовой. Недолго думая, я подняла с пола крышку кастрюли, запрыгнула внутрь и живо прикрылась сверху.

Через мгновение мне в голову пришла мысль: зачем я спряталась? Я не совершила ничего плохого, ну, уронила случайно кухонные причиндалы, так им хуже не станет! И как теперь вылезать? Что сказать Некрасовой, высунувшись из горшка? «Привет, я шла мимо, решила заглянуть»?

— Нет, только посмотри! — завозмущалась Рита. — Какая сволочь тут похозяйничала. О-о-о! Тефлон от сковородки отлетел! Поймаю суку — убью!

Я съежилась в комочек. Пожалуй, затаилась я правильно. Некрасова еще в школе отличалась уникальной гневливостью и категорически не желала никого слушать. На своих настоящих или мнимых обидчиков Ритуля налетала с кулаками, а они у нее были тяжелыми даже в детстве, а сейчас и вовсе превратились в пудовые гири. Выгляну из кастрюли, Некрасова наподдаст мне от всей широты души. Надо всегда адекватно оценивать противника. Муравью ни за что не победить собаку! В данный момент я проявляю не трусость, а благоразумие.

— Тут никого нет, — ответил знакомый мужской голос.

— Откуда погром? — проревела Некрасова.

— Может, это крысы? — предположил парень.

— Тогда они размером с троллейбус, — объявила Рита. — Ну лады, котик, ты мне поможешь?

— Если из кухни выходить не нужно, я готов на все, — галантно ответил кавалер.

— На корабле камбуз, — хихикнула Некрасова, — а я типа как... Ой! Не щиплись!

— Руки сами потянулись, такая у тебя попка симпатичная, — засмеялся парень. — Пошли вниз!

Я изумилась. Надо же, нашелся человек, которому нравятся габаритные бабенки: два на два и еще раз на два метра. Куб на ножках! Ладно, не буду ехидничать. Если Некрасова встретила свое счастье, я за нее рада, но меня больше занимает другая проблема: как вылезти из кастрюли?

— Не, — вздохнула Маргарита. — Усе! Теперь пахать пора. Я бедлам разберу, а ты принеси из холодной кладовки ведра с картошкой и опрокинь их вон туда. Я с вечера заготовку начистила, кому охота на два часа раньше вставать. Кстати! Не трогай картоху, когда сварится, она ночь в подсобке кисла, я нам потом свеженькой отварю. Дрянь пусть пассажиры едят.

Я испытала острое желание вылететь наружу и высказать лентяйке Некрасовой все, что думаю о ней, но не успела. В кастрюлю проник свет, кто-то снял крышку. Я приготовилась услышать вопль, машинально улыбнулась, собираясь сказать: «Спокойно, это всего лишь Виола Тараканова», — но тут мне на голову хлынула вода, и по макушке забили крупные градины.

От неожиданности мои голосовые связки отказались работать. Свет померк. Я тихонько чихнула, высунулась из воды, нащупала небольшие твердые комки, которыми оказалась засыпана, и поняла, что произошло.

Парень выполнил приказ Риты — он сгонял за ведрами с картофелем, а потом вывалил их содержимое в кастрюлю. Человек со знакомым голосом проявил крайний пофигизм, он не заглянул внутрь емкости. Ну разве можно так поступать? Вдруг внутри с ночи притаился таракан, мышь или небольшого размера женщина? Нет, я постараюсь больше не есть ничего из приготовленных на местной кухне блюд. Буду питаться исключительно творогом из банок, бананами, йогуртами — короче, всем, что имеет герметичную упаковку.

Глава 23

— Теперь включи котел, — велела Рита.

Кастрюля дернулась пару раз.

— Не могу, — сообщил парень. — Тяжело.

— Да ну? — захихикала Некрасова. — Обычно я одной левой справляюсь. Ты такой слабый?

— За ночь устал, — ответил знакомый тенор. — А ты заводная.

— Ой! — воскликнула Рита. — Дурачок! Не щиплись! Шутка! Кастрюля насмерть приделана, надо шнур в розетку воткнуть, и она греться начнет. Вот так! Хоп! Теперь займемся сосисками. Помой их в тазу, срок годности закончился, они скользкими стали, но пассажирам сойдет. Сам не жри!

— Йес, босс, — отчеканил парень.

Раздались странные щелчки, тихое гудение, затем шорох.

— Может, пойдем к тебе? — предложил тенорок. — Пусть картошка поспевает!

— Вечером, — кокетливо отвергла его предложение Рита.

— Лучше сейчас, — не отставал кавалер.

В кухне стало тихо, а мои ноги ощутили, как теплеет дно кастрюли. Еще через мгновение я сообразила: ее включили, чтобы вскипятить. Если я сейчас же не выберусь наружу, пассажиры получат эксклюзивное блюдо на бульоне из писательницы Арины Виоловой. Представляю заголовки в желтой прессе: «Разгневанные читатели сварили детективщицу», «Виолову приготовили на обед коллеги по жанру», «Издательство, возмутившись ленью автора, пустило его на холодец»! Что испытают Василий Олегович и компания, когда официант, запустив в супницу поварешку, сначала выловит мои домашние тапки, а затем голову? Мне не хочется быть поданной к столу, да еще без макияжа и прически!

Температура воды росла, я осторожно сдвинула крышку, чуть приподнялась, вежливо сказала:

— Здравствуйте! — и осеклась.

Маргарита и парень увлеченно целовались. Ромео стоял спиной к котлу, я не увидела его лица. Мне не хотелось смущать влюбленных, поэтому я быстро села обратно в воду.

— Ты слышал? — спросила Рита.

— Чего? — выдохнул кавалер.

— Кто-то поздоровался!

— Здесь никого нет. Если не хочешь идти в каюту, можно на столе пристроиться.

— Нет, — без особой уверенности произнесла Рита. — Вечером!

— Мы быстренько, — начал соблазнять ее любовник.

Неудобно подслушивать чужой разговор, и уж совсем нехорошо присутствовать в качестве наблюдающего в интимный момент. К тому же вода нагревалась. Я снова высунулась из котла:

— Извините, не хочу вам мешать, мне лучше уйти.

Парочка, успевшая слиться в новом объятии, замерла. Рита глянула на меня, попятилась и замахала руками.

— Сгинь, исчезни, рассыпься! Говорила же, по кораблю дьявол ходит!

Парень обернулся.

— Андрей! — воскликнула я. — Невзоров! У тебя роман с Некрасовой?!

От возбуждения я слишком нервно дернула ногой, поскользнулась на картошке и упала в кастрюлю, подняв фонтан воды.

— Сатана! — пробормотала Некрасова.

— Откуда он меня по имени знает? — трясущимся голосом осведомился начальник отделения милиции Панова.

Я пыталась снова выглянуть, но кастрюля, огромная, смахивающая на громадный чан, в которых во времена моего детства дорожные рабочие варили асфальт, была забита скользкой картошкой, поэтому я барахталась среди будущего пюре, не имея возможности ничего сказать.

— Глупости! — отмер Андрей. — Чертей не существует.

— А в кастрюле кто? — простонала Некрасова.

— Ты туда курицу не пихала? — спросил милиционер.

— Говорящую? — уточнила Маргарита.

— Ну, это говядина булькает, — забормотал Андрюша. — Или свиная голова!

Последнее заявление показалось мне столь возмутительным, что я моментально встала на ноги с воплем:

— Я совершенно не похожа на бройлера или грудинку и уж тем более на морду хрюшки! Неужели непонятно, с кем вы имеете дело? Откройте глаза!

Некрасова и начальник милиции синхронно сели на пол, уткнулись головой в колени, прикрыли макушки руками и завизжали на одной ноте:

— А-а-а-а!

Реакция Риты меня не удивила: она еще в школьные годы не отличалась ни умом, ни сообразительностью, но представитель властей должен быть адекватным. Я выпрыгнула на пол, и тут дверь в кухню открылась. В проеме стоял Иван Васильевич. С кем, с кем, а с капитаном мне объясняться категорически не хотелось, и я быстро влезла в другую кастрюлю, чуть поменьше, но все же вполне пригодную для игры в прятки.

— Что здесь происходит? — грозно поинтересовался речной волк.

Парочка притихла, Рита вполне отчетливо сообщила:

— В кастрюле сатана варится!

— Ну, блин, еперный театр, — гаркнуло начальство. — А зеленые человечки из мясорубки не прыгают? Некрасова, я тебя из жалости взял! Выпру вон и забуду.

— Правда, — захныкала Маргарита, — он из котла высовывается.

— А я по ейному вызову прибыл, — зафонтанировал враньем Невзоров. — Хоть просто до Вакулова доехать хотел и правов не имею на воде работать, тама своя, речная милиция есть, но не мог мимо факта обращения простой гражданки пройти! Подтверждаю: из кастрюли морда зырилась. Глаза — жуть!

— Пасть с клыками, — всхлипнула Рита. — С них кровь капала.

— Нос пятачком, — добавил Андрей, — щеки с бородой, усищи торчком!

— Хвост и копыта очумелые, — довершила описание Некрасова. — Выл барсуком: у-у-уздрасте-у-у-у!

Вот так на свет рождаются самые нелепые легенды! Где у меня окровавленные зубы, расплющенный нос, растительность на лице, не говоря уже про хвост и копыта?

— Там одна картошка, — сердито заявил капитан, очевидно, заглянувший в кастрюлю. — Что вы пили?

— Какао! — хором ответила парочка.

— На водяре порошок развели? — уточнил Иван Васильевич. — Оба на палубу марш! Там повсюду куриные перья! Собрать! Доложить! Во-он!

Громкий топот перекрыл вопль приведенного в бешенство начальника. Оставшись один, капитан отвел душу словами, которые я здесь приводить не рискую.

Похоже, гнев босса от крепких выражений не утих. Через секунду Иван Васильевич с силой пнул кастрюлю, в которой я сидела.

— Ой-ой! — воскликнула я.

Голос морского волка перешел в более высокий звуковой регистр.

В мое убежище ворвался свет, я подняла голову и увидела нависшее надо мной лицо Ивана Васильевича с пунцовыми щеками и выпученными глазами.

— Доброе утро, — вежливо сказала я. — Погода сегодня обещает быть теплой, не находите?

Капитан странно каркнул, потом исчез. Я встала, увидела, как Иван Васильевич исчез между деревянными дверцами, и скрылась в коридоре.

Дверь в нашу каюту неожиданно оказалась заперта изнутри. Сначала я удивилась, потом поняла: снова заклинило замок. Сегодня же попрошу, чтобы механизм починили! Впрочем, отлично знаю, как поступить. Я открыла соседнюю пустую каюту, прошла сквозь общий для двух спален санузел, поставила на рукомойник большую бутыль растворителя, которую прихватила по дороге в кладовой. Очень надеюсь, что Юра спит, иначе мне, вместо того чтобы подремать часок до завтрака, придется рассказывать ему невероятную историю про Самойлова.

Шумаков тихо похрапывал, но мне не удалось закатиться к нему под бочок. В каюте обнаружился Иван Васильевич, который тряс следователя за плечи.

— Что вы делаете? — зашипела я.

Капитан вздрогнул, выпрямился и спросил:

— Ты откуда?

Его фамильярность меня удивила, но я ответила, ткнув пальцем в дверь, за которой скрывались душ с туалетом:

— Оттуда, а что?

Иван Васильевич откровенно растерялся, но сумел вывернуться из щекотливой ситуации:

— Мне положено проверять количество пассажиров на борту, нынче сильно развито пиратство, возможны похищения. Пойду дальше!

Ладонь капитана легла на ручку и стала дергать ее в разные стороны.

— Замок сам по себе захлопывается, — пояснила я, — его надо открыть.

Капитан, не произнеся ни слова, повернул ключ и испарился. Я юркнула под одеяло, закрыла глаза и вдруг поняла, по какой причине Иван Васильевич выглядел как детсадовец, потерявший на людной улице мать. Увидев меня на дне кастрюли, капитан оторопел, а потом, наверное, решил, что пассажирка сошла с ума, если уютно устроилась в емкости для супа. Он и поспешил в нашу каюту, чтобы побеседовать с Юркой. Думаю, Иван Васильевич хотел посоветовать Шумакову отправить меня к психиатру. Но разбудить Юру — сложная задача, тут необходимо применять особые приемы, о которых капитан не знает. Речной волк стал тормошить парня, и тут из санузла появилась я, в халате и босиком. Тонкий пеньюар успел высохнуть после купания в воде с картошкой, поэтому я выглядела вполне обыденно: женщина, проснувшись, сбегала в туалет и теперь возвращается, чтобы покемарить до побудки. Наверное, Иван Васильевич решил, что на кухне у него была галлюцинация.

К завтраку мы с Юрой опоздали. Вошли в столовую в тот момент, когда официант Антон уже подал горячее.

— Просим прощения, — сказал Шумаков. — Не привыкли к свежему воздуху, вот и спим, словно оглушенные!

Манана заулыбалась:

— Дело молодое, не оправдывайтесь.

— Я бы не назвала этих двух молодыми, — как всегда бестактно брякнула Алина.

Пиар-директор мне подмигнула:

— Дело не в возрасте, а в любви. У Вилки с Юрой сейчас самый хороший период в жизни, им надо наслаждаться на полную катушку.

— Надеюсь, мы проживем с таким настроением до конца жизни, — серьезно ответил Юра.

— На это не рассчитывайте, — каркнула Алина. — Встретимся через два года — будете орать друг на друга и сыпать взаимными упреками.

Мне стало неприятно. Совершенно не к месту вспомнился Олег Куприн. Каким милым он был в период жениховства и как сильно изменился спустя несколько лет после нашей свадьбы! Интересно, что думает по этому поводу Юрасик? Шумаков знает о некоторых деталях моей биографии, но сам не любит говорить о своем прошлом, мне известна лишь малая толика. Юра никогда не регистрировал брак и не имеет детей. Даже о родителях не распространяется. Иногда, правда, мне достаются крохи информации. Вот сейчас на теплоходе я выяснила: отец Юры имеет дачу. И это все. Интересно, как мой спутник отреагирует на выпад диетолога? Юра воткнул вилку в кусок рыбы.

— Говорите, через два года? Шикарно, у нас будет двадцать четыре месяца безоблачного счастья, а там посмотрим!

— Эйфория продлится от силы до зимы, — зудела Алина, решив навсегда испортить мне аппетит. — Уж поверьте, я знаю, о чем говорю. Мужчины — козлы!

Шумаков засмеялся:

— Вы правы, около тридцати процентов парней заслуживают сравнения с бородатыми животными. Но кто у козла жена? Ведь не тигрица же! Тоже коза. А вот у льва в прайде — львица. Если вы супруга козла, это одно дело, а если льва, то другое. Вилка, ты какого мнения на сей счет?

— Мне нравится леопард, — с набитым ртом ответила я. — Благородный, красивый, смелый зверь, и красавец в придачу!

— Если хищника привязать дома к батарее, он превратиться в кролика, — не успокаивалась Алина, которой, похоже, очень хотелось, чтобы разгорелся скандал.

Я кожей ощутила, как в столовой сгущается атмосфера. Очевидно, Катя почувствовала то же самое. Она нарочито весело спросила:

— Ну, чем будем заниматься сегодня?

Василий Олегович улыбнулся:

— Можем изучать остров.

— Остров? — переспросил Никита Редька. —

Но мы же пристали к выселенному городку Козловску!

Иван Васильевич, который сегодня решил трапезничать с пассажирами, сообщил:

— Забыл вам сказать. Населенный пункт располагался на куске суши, со всех сторон окруженном водой. Здесь река настолько широка, что практически превращается в море, посередине есть остров, где и построили химзавод. В прежние времена тут строго по расписанию ходили паромы. Было очень удобно, путь до любого берега занимал меньше пятнадцати минут. Но жители все равно просили построить мост. В конце концов, было принято решение о создании переправы, но тут разразилась перестройка — и проект остался невыполненным. Думаю, после катастрофы на предприятии власти порадовались отсутствию дороги, связывающей остров с сушей. Изолировать зону бедствия оказалось проще простого. Паромы отменили, народ вывезли на баржах.

— Говорят, в Козловске кое-кто остался, — сказала Манана.

— Верно, — согласился капитан, — но людей немного. Первое время всякие чиновники приезжали, пытались отказников убедить уехать. А потом рукой махнули, оставили стариков на насиженных сотках.

— Господи, — всплеснула руками Аня, — как же они там живут? Без электричества, водопровода, магазинов и больницы!

Капитан улыбнулся:

— Керосиновые лампы жгут, свечи, колодцы и лодки имеют, огород сажают, скотину держат. Если понадобится на большую землю попасть, на весла садятся.

— Жесть, — проронила Тина. — От скуки сдохнуть можно, ни кино, ни клуба!

Капитан выронил ложку и уставился на девушку. Реакция Ивана Васильевича была понятна: он не участвовал в затее с «омолодителем» и не видел чудесного исцеления дочери Мананы.

— Хочу еще кофе, — потребовала Катя.

— Несу, — сказал Антон и открыл дверь столовой, чтобы отправиться на кухню.

По моим ногам пробежал сквозняк, в столовую влетели белые перышки и закружились в воздухе.

Глава 24

— Тополиный пух? — изумился Юра. — Разве он в сентябре бывает?

— Это куриные перья, — ответил Иван Васильевич. — Утром встал, как всегда, спозаранок, пошел осуществлять обход. Смотрю, вся палуба словно снегом засыпана!

Я опустила глаза и сделала вид, что сосредоточенно отламываю кусок от сырника. Да, это остатки перьев из Юриной подушки. Кстати, я с большим трудом, изведя немалое количество растворителя, сумела-таки отделить остаток наволочки от спины Шумакова. С перьями нет никакой загадки, изумляет другое: как в нашу постель попал клей и куда подевалось покрывало с кресла?

— Я присмотрелся и понял — куриные перья! Прямо чертовщина! — недоумевал Иван Васильевич.

— Ничего странного, мимо пролетала стая куриц, их потрепал ветер, — объявила Тина. — Один раз, давно, я еще совсем маленькой была, пяти лет не исполнилось, на наш город стали падать дрозды. Стояла осень, птицы улетали на юг, их сбило фронтом грозы. Помнится, так было страшно! Утром вышла во двор, а бабушка мертвых птиц заметает!

Никита хихикнул, Леонид кашлянул, Алина снова не сумела сдержать эмоций.

— Тина, хоть ты и поумнела, но не сильно. Куры не летают. Может, таблетка на тебя лишь временно подействовала?

— Неправда, — возразила девушка. — Я видела, как наседки с сарая на землю планируют и через изгородь перелетают!

— Но в Африку несушки на зиму косяком не тянутся, — засмеялась Алина.

Манана вскочила и выбежала из столовой.

— Жестоко говорить матери об окончании действия лекарства, — не выдержала я.

— С больным и его родственниками нельзя сюсюкать, — отрезала диетолог.

— Но пожалеть-то их можно, — пробормотала Катя. — Манана потратила лучшие годы жизни, угрохала состояние на лечение дочери, лишилась не только денег, но и здоровья. И тут эти таблетки.

— Нельзя проявлять слабость, — стояла на своем Алина. — На голову врачу сядут! А если человеку после кратковременного улучшения станет хуже?

Катя покраснела.

— У Мананы нет никаких родственников, ее родители погибли в автокатастрофе, когда она училась на первом курсе института. После рождения Тины Манане никто не помогал, она одна сражалась с бедой, не надо ее обижать, прояви милосердие.

Я уставилась на недоеденный сырник. И эти душевные слова произносит женщина, которая основала приют для девочек, чтобы муж имел возможность осуществлять свои извращенные сексуальные фантазии? Может, Светлана что-то напутала? Но откуда тогда в роскошной каюте взялся пионерский галстук и флакон дорогих духов?

— Смотрите скорей, лохнесское чудовище! — завизжала Манана, всовывая голову в столовую.

Все подскочили и бросились на палубу. День обещал быть жарким, и я, очутившись на солнцепеке, стала дышать ртом, как собака.

— Где заморское чудо-юдо? — поинтересовался Юра.

— Жуть зеленая, — завизжала Тина, тыча пальцем за борт. — Там оно!

Все ринулись к перилам и почти одновременно издали вопль. В воде плыло нечто. Длинная, абсолютно безволосая морда торчала над речной гладью, голова напоминала башку динозавра, а изредка появляющиеся в зоне видимости когтистые лапы лишь усиливали производимое впечатление.

— К берегу гребет, — прошептал Леонид.

— Наверное, охотилось с утра, — тихо предположил Никита.

Зверюга достигла мелководья и встала. Я вцепилась в Юру. Ни на одно известное мне живое существо речная тварь не походила. Четыре тонкие длинные ноги, странно закрученный хвост, тело, напоминающее баллистическую ракету, и приплюснутая вытянутая голова, отдаленно смахивающая на змеиную. Особое внимание привлекали уши: одно, походившее на небольшой лопух, стояло торчком, второе блинчиком свисало вниз. Все части тела не имели волос. Страхолюдина энергично встряхнулась, уши поменялись ролями — теперь не правое превратилось в антенну, а левое.

— Химические вещества провоцируют рождение мутантов, — обморочно пролепетала Катя.

— Это кто такой? — поразилась Тина.

— Уж точно не собака, не кошка и не крыса, — ответил Леонид.

— Если Мурзик питался отходами от производства химического оружия, то он мог трансформироваться во что угодно, — предположила Анечка, — происходят генные изменения, на острове возникла новая популяция зверей. Сюда необходимо прислать биологов.

Алина со стоном осела на палубу. Присутствующие сразу забыли о речном монстре.

— Тебе плохо? — спросил Василий Олегович.

— Тошнит, — пожаловалась диетолог.

— Это стресс, — с видом знатока заявила Тина.

— Голова сильно кружится, — прошептала Алина, вставая.

— Можешь идти? — наклонился над ней Самойлов.

— Давайте отведем Алиночку в столовую, — засуетилась Катя. — Там можно чаю выпить!

— Нет, нет, лучше в каюту, — попросила Алина. — Я очень спать хочу, глаза помимо воли закрываются.

— Обопрись на мое плечо, — предложила Катя.

Бортникова навалилась на Самойлову, женщины медленно побрели по палубе.

— Кому еще нехорошо? — спросил Василий Олегович.

— Я кашляю, — поднял руку Никита, — простыл.

— Ерунда, — отмахнулся директор. — Итак, каковы наши планы?

Я потихоньку стала пятиться к лестнице. Не хочу ходить с группой по острову: вдруг там и впрямь обитают монстры? Лучше посижу на палубе в шезлонге, надо только зайти в каюту и надеть бикини.

Не успела я влезть в купальник, как появился Юра и, тщательно закрыв дверь, сказал:

— Только что мне звонил Тельман.

— Кто? — не сообразила я.

— Руфов, патологоанатом, — пояснил Юра. — Получены результаты вскрытия Елизаветы Сухановой. Ее, с большой долей вероятности, задушили. В глазах точечные кровоизлияния, в носу обнаружены волокна красного цвета, предположительно ткань, которая используется в мебельной промышленности для обивки диванов, кресел, сидений стульев. Можно посмотреть, какая фабрика ее производит, просчитать, сколько единиц товаров получили магазины, и попытаться выяснить, кто ее купил.

— Практически неразрешимая задача, — остановила я Шумакова.

— Да, — кивнул он, — это плохая новость. Но есть и хорошая. Если мы обнаружим предполагаемое орудие убийства, то сможем сравнить образцы и точно сказать: этой ли подушкой убили Лизу.

Внезапно мне захотелось остаться на некоторое время в одиночестве. Юра замечательный человек, с ним интересно и весело. За весь период нашего знакомства я не слышала, чтобы Шумаков недовольно ворчал или занудствовал. С таким мужчиной приятно проводить время, но есть одна загвоздка. Юрий экстраверт, ему нравится общаться с людьми, он готов обсуждать со мной все, включая служебные дела. Лучшим досугом он считает долгую задушевную беседу, с радостью ходит по гостям. Я не против, но иногда мне требуется посидеть в тишине, в полном уединении. Вот только как сказать любимому человеку: «Сделай одолжение, погуляй пару часиков без меня. Для пополнения своего энергетического запаса я хочу побыть одна».

Скорее всего, Юра обидится и подумает, что наши отношения стали мне в тягость. До сих пор такая проблема остро не стояла. Шумаков рано утром уходил на службу, возвращался поздно, для тесного общения у нас оставались выходные и праздники. Но сейчас мы практически неразлучны: проводим дни на теплоходе, а ночи в комфортабельной, но общей каюте. Я не могу улизнуть от Юры на кухню или в кабинет, он постоянно маячит рядом. Интересно, сколько супругов скандалят во время долгожданного совместного отдыха?

— Вероятно, подушка здесь, — продолжал не подозревавший ничего о моих мыслях Юра. — Если ее отыскать...

Меня охватила радость: вот она, возможность остаться одной и не обидеть Юру.

— Давай я поищу думку, а ты пойдешь вместе с Василием Олеговичем и остальными на прогулку!

— Тебе одной будет скучно, — возразил Юра. — Лучше я деликатно откажусь от экскурсии, проведем обыск вместе.

— Нет, нет, — пылко сказала я. — Наоборот, тебе необходимо быть в группе гостей. Возьми с собой мобильный. Если кто-то захочет прервать прогулку раньше и направиться на теплоход, сразу звони мне. Не хочу быть застигнутой в чужой каюте.

— Верно, — после небольшого колебания согласился Юра. — Только действуй осторожно, помни: на судне останется команда.

Я призадумалась.

— Надо предложить Ивану Васильевичу устроить для сотрудников небольшой отдых. Погода роскошная, может, он разрешит команде покупаться в реке?

— Сейчас попробую его убедить, — быстро предложил Юра и ушел.

Я расхотела загорать и легла на кровать, после бессонной ночи начала болеть голова.

— Нет, нет и еще раз нет, — донесся из коридора голос Ани. — Я не пойду на остров! Там живут чудовища! Видели этот лысый ужас, который плыл к берегу? Вероятно, их там целая стая, и они с голодухи не откажутся закусить заблудившимися туристами.

— Анечка, право, не стоит отказываться от прогулки, — вклинился в торопливую речь Ани голос Кати. — Нас много, ни одна тварь не рискнет подойти к компании! Предположим, на острове обитает одичавшая... э... ну...

— Помесь лошади с танком, — вдруг засмеялась Аня. — Ни за какие коврижки не спущусь с теплохода. И я вовсе не уверена, что в покинутом городке совершенно безопасно. Вон Припять не зря стоит пустая.

— Здесь нет радиации, — предприняла новую попытку Катя. — Никакого стронция, или урана, или не знаю, на чем работала погибшая АЭС[1].

— Я боюсь, — уперлась Аня. — И Никита не хочет уходить с теплохода. Зачем нас принуждать? Мы, видишь ли, на взводе. Собирались весело провести время в приятной компании, днем посещать города, где пристанет теплоход, вечером пить вино, танцевать на палубе, расслабляться, а в результате оказались в карантине!

— Это необходимая мера предосторожности, — уверенно и спокойно произнесла Екатерина. — Думаю, врачи решили: лучше перебдеть, чем недобдеть. Не поняли, какую заразу подцепили девочки, и на всякий случай приняли меры. Вот увидишь, очень скоро нас отпустят.

— Надеюсь, ты не ошибаешься, — нервно воскликнула Аня. — А то я слышала, что в некоторых

---

[1] АЭС — атомная электростанция.

прибрежных городках летом случаются вспышки холеры.

Катюша засмеялась:

— Сейчас осень.

— Но очень теплая, — не успокаивалась Аня. — Я даже ни разу не набросила на плечи кардиган.

— Холеру отлично лечат, мы живем не в пятнадцатом веке, уже и чума с оспой перестали уносить сотни тысяч жизней. Есть вакцины, мощные антибиотики, человечество питается намного лучше, чем в Средние века, все знают о пользе занятий спортом и прогулок, — назидательно заявила Катя. — Анечка, ты чего больше боишься: мутанта с острова или инфекции?

— Сложный вопрос, — промямлила Редька. — Полагаю, заболеть намного хуже. Во всяком случае, подцепить заразу более вероятно, чем столкнуться с водоплавающим кошмаром!

— Тогда тебе просто необходимо проводить как можно больше времени на свежем воздухе! — воскликнула Катя. — Теплоход практически не проветривается, бациллы и вирусы прячутся здесь повсюду.

— Нет, — не поддалась на уговоры Аня, — никуда я не двинусь, и Никита со мной останется. В крайнем случае, спустимся на берег и посидим на песке. Если монстр обнаружится в зоне видимости, успеем улизнуть на корабль.

— Как хочешь, дорогая, — расстроенно сказала Катя. — Жаль, когда человек сам лишает себя удовольствия, но я исчерпала все аргументы. Подумай еще раз, нас ждет невероятно увлекательная прогулка, захватывающая экскурсия по пустому городу! Прямо голливудский фильм! Ты будешь отчаянно завидовать всем и ругать себя за упущенную возможность!

Неожиданно в беседу женщин вмешался мужской голос:

— Давай пойдем!

— Никита! — с раздражением воскликнула Аня. — Я же просила!

— Там, наверное, можно найти тему для новой серии картин, — задумчиво протянул художник.

— Катюша-а-а, — донеслось издалека. — Ты где?

— Вы решайте поскорей, — попросила Самойлова, — уходить пора. Двинем на центральную улицу, там, говорят, удивительный пейзаж: дома в целости и сохранности, а людей нет. Ой, совсем забыла! Стивен Спилберг ведет сейчас переговоры с Россией, хочет снимать в Козловске кино. Можно выстроить любые декорации, создать при помощи компьютера иной мир, но ничто не сравнится с реальностью. Такие места, как Козловск, на земле можно по пальцам пересчитать, и в большинство из них даже сунуться страшно: либо высокий радиоактивный фон, либо неведомая зараза витает. Так что Козловск уникален.

Глава 25

Нехорошо подслушивать чужую беседу, но я лежала в собственной каюте, и если Аня и Никита хотели сохранить в тайне свой разговор, им следовало запереться у себя, а не вести диалог на повышенных тонах в коридоре.

— Кит! — возмутилась Анна, когда шаги Кати удалились. — Ты обещал остаться со мной!

— Пойми, — смущенно забубнил художник. — Мне необходим толчок, новая тема, впечатления. Я хочу создать серию полотен, давно пора заняться настоящим творчеством, жизнь утекает сквозь пальцы. Перед нашим отъездом я включил телик — ба! Костя Рябкин! Мой однокурсник, абсолютно бездарный, его в Строгановское приняли исключительно из-за папиных заслуг, тот очень известный скульптор, глыба, прости за случайный каламбур. На Косте природа, как ей и положено, отдохнула. Он и малевал пейзажики, похожие на те, которыми у метро торгуют. Знаешь, кто был самый талантливый?

— Догадываюсь, — протянула Аня.

— Не стоит ехидничать, — обозлился Никита. — Действительно я. Но мы сыграли на третьем курсе свадьбу, и чтобы прокормить семью, мне пришлось подрабатывать, и в результате до сего дня я малюю фантики для конфет! А Рябкин с его нулевым потенциалом открыл выставку, о ней сообщила программа «Время»!

— Значит, из-за меня гениальный Никита превратился в ничтожество? — уточнила Аня. — Отлично! Нашел кого обвинить в последствиях собственной лени. Я не знакома с бесталанным Костей, но смею предположить, что он без отдыха стоял у мольберта! А ты любишь полежать на диване, поиграть на компьютере, потрепаться в компании о своих планах на будущее. Между прочим, я в последние годы совсем даже неплохо зарабатываю, мог бы в мастерской трудиться!

— Анечка, — неожиданно ласково перебил жену живописец, — вот и настал этот великий момент. Я готов к творческой работе, осталось только получить заряд! Пойдем в Козловск! Я вижу некое полотно в манере Босха, мир чудовищ, обнаженный кошмар человеческой души! Кстати, у меня для тебя сюрприз! Вот!

— Что это? — удивилась Аня.

— «Омолодитель»! — сообщил Никита. — Мне Василий две таблетки дал. Сегодня утром он вышел на палубу, а я курю в одиночестве. Самойлов постоял минуту и вдруг сказал:

— Похоже, это лекарство действует, а я сволочь! Отнял вчера у Алины коробку, побоялся, что народ пилюлями неизвестного состава отравится, спрятал ее в своей каюте, а ночью проснулся и задумался. Тина была полной кретинкой, я точно знаю, что ее умственное развитие соответствовало пятилетнему возрасту. Манана несколько раз у меня в долг брала, возила дочь ко всяким чудодеям. А тут за пару часов полная трансформация. Думаю сам съесть таблетку!

Я испугался и говорю ему:

— С ума сошел! Этак можно на тот свет отъехать!

А Самойлов в ответ:

— Тина в порядке, значит, в пилюлях нет никакого яда. Отчего бы не рискнуть? Короче, я принес тебе порцию, держи, здесь на двоих. Только никому не рассказывай, иначе остальные тоже потребуют, а я не уверен, что хочу вечно видеть около себя Зарецкого с его шлюхами. Вы с Анютой другое дело, вместе мы горы свернем.

— Обычные пилюли, только красные, — сказала Аня.

— Давай примем, — предложил муж.

— Офигел? — спросила она. — Представь, что тебе эту историю рассказывает другой человек! Как ты отреагируешь?

— Назову его идиотом, — честно признался Никита. — Но Тина стала нормальной, и Василий сам хочет пилюли слопать.

— Немедленно отдай их мне, — приказала Аня.

— Держи!

— Здесь одна!

— Правильно, — согласился Никита. — Тебе столько и надо.

— Вторую таблетку! — потребовала жена. — Сейчас же!

— Зачем? — насторожился художник.

— Я выброшу их за борт! — повысила голос Аня. — Никита!!! Стой!

— Поздно, дорогая, — засмеялся супруг. — Теперь с большой долей вероятности я обрету бессмертие или, как библейский патриарх, протяну тыщу лет!!

— Идиот! Кретин!!! Немедленно выплюнь! — скомандовала Аня.

— Я устал подчиняться твоим приказам, — сухо проговорил Редька, — и способен, знаешь ли, сам принимать решения. Мне выпал шанс, и я его не упустил, а теперь ухожу в Козловск. Если хочешь — глотай свою порцию, и двигаем вместе. Если нет — поступай с таблеткой как тебе заблагорассудится. Но, возможно, «омолодитель» действует, и через тридцать-сорок лет ты превратишься в морщинистую мумию, а потом очутишься в уютном полированном ящике. Обещаю, что не сэкономлю на твоих похоронах, проведу их по высшему разряду. Поставлю на могилке памятник, белого ангела из итальянского мрамора, и...

— Ты уже продумал надгробие, — ахнула Аня. — Уму непостижимо!

— ...женюсь на молодой кобылке, — с торжеством завершил Никита, — а ты останешься в прошлом.

— Скотина! — всхлипнула Аня.

— Неужели ты боишься рискнуть? — тоном змея-искусителя спросил муж. — Вдруг мы станем долгожителями?

— Бред, — тихо произнесла Анна.

— Решай сама, — отрубил супруг, — вероятно, пилюля поможет тебе родить ребенка.

— Это нечестно, — всхлипнула она. — Я лечилась много лет, эффект нулевой.

— Вот именно, — подхватил Никита. — Ты делала уколы, терпела болезненные процедуры, ездила по монастырям, советовалась со знахарями, но малыша у нас так и нет!

— Сволочь! — взвизгнула жена. — Доктора велели мне прекратить попытки из-за возраста! Я перепробовала абсолютно все! Предложи мне кто ведро дерьма сожрать чайной ложкой, я бы не отказалась!

— Тогда почему не хочешь принять таблетку? — добил ее Никита.

В коридоре воцарилась тишина, потом послышались тяжелые шаги, тихое всхлипывание, дробный стук, хлопок и далекий голос Ани:

— Кит! Погоди, я только возьму мобильный. Черт, куда он подевался? Лежал ведь на столе!

Аня решила отправиться со всей компанией в Козловск. Проглотила ли она волшебную таблетку, осталось для меня тайной.

Я провалялась на кровати еще около получаса, потом осторожно вышла в коридор и стала осматриваться. Если вспомнить шокирующий рассказ Светланы, то наибольшие подозрения вызывает Василий Олегович. Педофил не ожидал увидеть в постели надоевшую ему Елизавету. Наверное, он разозлился, стал выгонять Суханову, та сопротивлялась, в какой-то момент закричала. Кондитер испугался, прикрыл лицо бывшей любовницы подушкой. Навряд ли он планировал лишить ее жизни. Скорее всего, произошел несчастный случай. Почему я сделала такой вывод? Василий Олегович не дурак, он понимает, что убивать юную девушку на теплоходе во время круиза более чем опасно. Круг подозреваемых слишком узок. Если уж Самойлову взбрело в голову избавиться от Сухановой, то сам он не стал бы пачкать руки, нанял бы киллера, организовав себе алиби. Нет, он просто испугался, что вопли Лизы перебудят людей на теплоходе, и слишком сильно прижал к ее лицу подушку.

Когда он сообразил, что произошло, то запаниковал и бросился за помощью к жене. Катя прибежала в каюту и старательно уничтожила следы пребывания там супруга. Самойлова унесла школьную форму, но забыла галстук и оставила дорогие духи, не заметила заколку с божьей коровкой, пантуфли, не проверила корзинку для мусора, в которой остались ватные диски. Короче, наделала глупостей. Утащила даже зубные щетки и дешевые сливки для лица.

Катя очень торопилась, времени на раздумья у нее не было, отсюда и косяки. Спрятав шмотки, Екатерина вспомнила о подушке. Ей пришлось вернуться в каюту. Стоп! Я замерла около спальни Самойловых. Мне чудится или неподалеку раздаются тихие шаги? Спина моментально вспотела, а уши, наоборот, похолодели. Вдруг это тот самый монстр?

— Кто там? — закричала я. — Немедленно выходи! Иначе я стреляю!

Но ничего не случилось. Из моей груди вырвался вздох облегчения. У страха глаза велики! По теплоходу гуляет сквозняк, он и вызвал шуршание то ли занавесок, то ли еще чего-то, нельзя быть такой трусихой! Надо сосредоточиться на поисках.

Светлана сказала, что Катя притащила с собой черную думку, а красную унесла. Значит, Лизу задушили той, что в наволочке алого цвета. Волокна ткани, найденные в носу трупа, подтверждают такой вывод. Следовательно, мне необходимо найти комнату, в которой стоит черная мебель. Вдруг Катерина бросила туда красную подушку?

Я стала открывать незапертые пассажирами двери кают. У Редьки голубая мягкая мебель, у Мананы и Тины оранжевая, у Алины зеленая, наша с Юрой комната оформлена в солнечно-желтых тонах, столовая темно-синяя, в кают-компании мебель коричневая.

Потерпев первую неудачу, я не стала унывать:

есть еще каюты команды и капитана. Решив начать с Ивана Васильевича, я постучала в дверь:

— Можно?

Всегда вежливый командир корабля не спешил с ответом. Я повторила попытку, затем приоткрыла дверь, поняла, что хозяина нет, и испытала очередное разочарование.

Кресло и диван в этой каюте имели серо-синюю обивку, да еще и в клетку. Оставалось проверить помещения для команды, но, подойдя к крутой железной лестнице, почти отвесно уходившей вниз, я поняла: надо окончательно потерять голову, чтобы ночью помчаться в этот, как его там, в общем, подвал. Екатерина не могла знать в подробностях убранство внутренних помещений, она впервые путешествует на этом теплоходе и, думаю, не заглядывала в отсеки команды. Что там делать пассажирке? Небось Катя даже не в курсе, где спит обслуживающий персонал. Нет, ползти по ступенькам на нижний уровень она бы не решилась, кстати, Самойлова быстро приволокла черную подушку, та явно была у нее на глазах! Так где она ее увидела?

Я подошла к каюте, где умерла Лиза, и попыталась восстановить картину событий. Дверь в комнату находится в небольшом холле, в который вливаются два коридора, оба делают поворот недалеко от него. Справа пряталась Светлана. Я быстро встала на это место, потом чуть-чуть высунулась из-за угла. Отличная площадка для наблюдений, хорошо видно дверь и крохотный предбанник. Слева выходила Катя. Я переместилась в противоположный коридор и посмотрела по сторонам. Секундочку, а что за этой дверью? Я туда не заглядывала! Ну почему проскочила мимо? Вилка, ты становишься невнимательной! Нажмем на ручку. В отличие от остальных комнат эта оказалась заперта. Помните, что делала очередная жена Синей Бороды, когда муж, вручив ей связку ключей, говорил: «Ангел души моей, ходи по всему замку, но никогда не заглядывай в запертую кладовку».

Едва супруг отбывал по делам, как любопытная дамочка прямиком рулила именно туда, куда заходить запрещалось.

Я тоже принадлежу к людям так называемого «кошачьего» типа. Тот, кто имеет дома Мурку, отлично понимает, о чем идет речь. Ни один уважающий себя кот не потерпит в квартире плотно затворенных створок. Если вы случайно закроете дверь в кухню или ванную, то услышите заунывно-протяжное «мяу». Питомцу вовсе не надо принимать душ, он просто желает иметь доступ во все помещения.

Я еще раз подергала дверь и пошла к столовой. Если память мне не изменяет, в маленьком простенке около лестницы, ведущей на верхнюю палубу, висит доска с запасными ключами.

Деревянная панель оказалась там, где я предполагала, на железных крючках висели ключики, но под небольшой бумажкой с цифрой «8» было пусто. Вот теперь я твердо решила во что бы то ни стало залезть в тщательно запертое помещение.

Мое детство прошло во дворе, где погожими вечерами за длинным деревянным столом собирались мужики, чтобы «забить козла». Доминошники курили жутко вонючие сигареты «Дымок» и «Прима», постепенно входили в раж, стучали костяшками и порой матерились. Едва из чьих-то уст вылетало бранное слово, как какая-нибудь из баб, развешивающих на веревках выстиранное белье, начинала громко возмущаться:

— Ирод! Не бранись! Здесь дети!

Мужик принимался извиняться:

— Ладно, ладно, ненароком вылетело. Больше ни-ни.

Но, несмотря на обещание, «ненароком» вылетало часто, и школьники уже к третьему классу осваивали великий и могучий русский язык в полном объеме. А еще мои соседи регулярно оказывались за решеткой кто за пьяную драку, кто за кражу. Женщины собирали передачи, ездили на свидания, а когда сиделец возвращался, весь двор сутки гулял. Бывший уголовник делился впечатлениями, а длинными июньскими вечерами очень часто под нашим окном звенела гитара и хриплые голоса пели: «Таганка, все ночи, полные огня, Таганка, зачем сгубила ты меня? Таганка, я твой бессменный арестант — погибли юность и талант в твоих стенах».

Таганская тюрьма к тому времени уже была разобрана, но в фольклоре продолжала жить. Стоит ли удивляться, что все ребята нашего двора умели открывать замки при помощи спицы, вязального крючка или пилки для ногтей? Запоры раньше были примитивными, а маникюрные принадлежности — железными. Я овладела наукой взломщика в полном объеме, а мастерство, как известно, не пропьешь.

До своей каюты я дошла за секунду, взяла из сумочки тоненькую пилочку для ногтей, вернулась к непокорной двери, пошуровала в замке, открыла его, бесстрашно вошла внутрь и поняла: я нахожусь в каюте Зарецких. На стуле у входа висел очень приметный ярко-красный свитер ученого с вышитой на нем буквой «L», а на кровати лежала Вика.

— Простите, я хотела узнать, как вы себя чувствуете, стучала, стучала, ответа не услышала, решила посмотреть. Вика, не сердитесь. Вам лучше? — пролепетала я.

Девушка не отвечала. В каюте царил полумрак, два иллюминатора были закрыты темными шторами, малая толика света в каюту проникала из третьего, на нем жалюзи опустили на три четверти.

— Вика, — позвала я. — Вика!

Никакой реакции не последовало. Я бесцеремонно зажгла верхний свет, сделала три шага к постели и зажала рот рукой. По подушке разметались белокурые волосы, тонкие руки лежали поверх одеяла, на фоне белого белья они казались желто-синими. Пальцы слегка скрючились. Голубые глаза, не моргая, уставились в потолок, рот был слегка приоткрыт. Подруга Леонида не походила на глубоко спящего человека: передо мной лежала покойница. Но самым страшным было другое. Лицо Вики загадочным образом постарело, оно принадлежало не юной девушке с пухлыми щечками и гладкой кожей. Сейчас лоб Зарецкой изрезали морщины, у глаз образовались «гусиные лапки», от носа к подбородку пролегли складки, кожа выглядела дряблой, а кисти рук покрывали мелкие пигментные пятна. Вике с легкостью можно было дать лет пятьдесят, от прежней юной особы остались лишь волосы да худоба. Узнать девушку было просто невозможно.

Я, ошалев от изумления, смотрела на труп, и вдруг меня осенило: на лице нет синяков. Преодолев страх, я откинула одеяло, увидела стройное тело, облаченное в дорогую ночную рубашку, потом, собрав в кулак все мужество, я осторожно приподняла край шелкового, щедро украшенного кружевами одеяния и поняла: на травмированной ноге нет и следа ссадины. В каюте Зарецких лежала совершенно незнакомая мне женщина. Она не имела ни малейшего отношения к Вике, я не встречала ее на борту. Как она сюда попала?

Глава 26

Я аккуратно вернула одеяло на прежнее место, выползла из каюты, тщательно заперла дверь, выбралась на верхнюю палубу и рухнула в шезлонг. На теплоходе была еще одна гостья, которую хозяин не счел нужным представить остальным? Василий Олегович тайно провел на теплоход женщину? Но почему она находится в каюте Зарецкого? Куда подевалась Вика? Сошла на берег? Однако теплоход делал всего одну остановку в Панове, и после отплытия из богом забытого местечка красавица была с нами!

Я попыталась собрать мысли в кучку, но единственное, до чего додумалась, это взять мобильный и позвонить Юре. Представляю, как он отреагирует. С утра узнал про педофильские наклонности Василия Олеговича, теперь следующая, не менее шокирующая новость.

В каюте я искала сотовый минут десять, потом оставила свои попытки. Скорее всего, Юра, уходя на прогулку, случайно прихватил мою трубку.

Потерпев неудачу, я решила найти Ивана Васильевича, но капитан, очевидно, ушел с остальными. На теплоходе не оказалось и никого из членов команды. Я тщательно облазила все судно, не поленилась спуститься на самый нижний уровень, заглянула в каюту среднего размера, где было пять коек, и поняла, что попала в так называемое мужское общежитие. Через дверь от него обнаружилась крохотная каюта. Она была даже меньше комнатушки, в которой устроили Светлану. Здесь, похоже, обитала Маргарита Некрасова. Почему я сделала такой вывод? На кровати лежала книга под названием «Анжелика — маркиза ангелов». Некогда это произведение Анн и Сержа Голон пользовалось у российских женщин бешеным успехом, я сама, помнится, рыдала над приключениями красавицы и мечтала достать все романы о ней. Увы, заветные книги можно было получить, только сдав двадцать килограммов макулатуры. Помнится, мы с моей подругой Тамарочкой сначала пытались копить старые газеты и собирать прочитанные журналы, но за месяц набрали не очень большую стопку. От того, что романы практически недоступны, они казались еще более желанными, и Тома придумала замечательный план. Для его осуществления требовалось заработать денег. В советские годы подростку устроиться на службу было очень трудно, но мы так жаждали узнать, что же далее случилось с Анжеликой, встретилась ли она со своим возлюбленным, что преодолели все преграды и пристроились на почту разносить газеты. Хитрая заведующая предложила:

— Оформим почтальоном мою маму, а с сумками будете бегать вы. Зарплата десять рублей.

Понятия не имею, каков на самом деле был оклад письмоносицы и какую сумму ушлая баба клала в свой карман, но нам с Тамарочкой червонец казался гигантскими деньгами. Каждое утро до уроков мы носились по подъездам, раскладывая по почтовым ящикам «Правду», «Труд», «Советскую Россию». После шести вечера операция повторялась, наступало время «Известий» и «Вечерней Москвы».

Насобирав солидную сумму, мы отправились в книжный магазин, купили книгу некого Николая Будкина[1] «Горят мартеновские печи», взвесили ее на кухонных весах, выяснили, что один томик весит четыреста граммов, значит, чтобы завладеть одной книгой из серии про Анжелику, нам понадобится приобрести пятьдесят опусов Будкина стоимостью девяносто копеек каждый. Отчего мы выбрали именно произведение про сталеваров? Ну, оно было одним из самых дешевых и толстых. Например, повесть некого Потапова «Бетон и кирпичи» содержала всего сто двадцать страниц, зато стоила аж три целковых. Будкин оказался в два раза больше по объему и во столько же раз дешевле, но все равно сумма в сорок пять рублей ка-

---

[1] Имя и фамилия писателя выдуманы, любое совпадение случайно.

залась нам недостижимо огромной. Кое-кто бы отказался от этой затеи, но нас с Томочкой всегда отличало упорство в достижении цели, поэтому мы решили не сдаваться и к середине декабря сумели накопить необходимое.

Ощутив себя крезами, мы отправились в магазин и спросили у продавщицы:

— Книга Будкина «Горят мартеновские печи» есть?

— Да, — лениво ответила тетка, давно потерявшая надежду продать шедевр в жанре социалистического реализма.

— Дайте пятьдесят штук, — пискнула Томочка.

Торговка вынырнула из летаргического сна, покраснела и рявкнула:

— Убирайтесь отсюда, пока милицию не вызвала!

Я испугалась, что наш план нарушится из-за вредной бабы, и затараторила:

— Тетенька, у нас есть деньги, продайте книжку.

Но продавщица меня не услышала. Она еще сильнее заорала:

— Нахалки! Я вас запомню! Не смейте даже на порог показываться. Придумали! Пятьдесят книг Будкина! Да эту повесть к нам год назад завезли, мы за двенадцать месяцев один экземпляр сбыли! Танька из гастронома схватила, сказала: «Листов много, как раз подойдет, у нас в кондитерском бумага закончилась, кульки под конфеты не из чего вертеть».

Я хотела было рассказать, что и нам сие произведение нужно не для чтения, но подруга выволокла меня на улицу, бормоча по дороге:

— Умный в гору не пойдет, умный гору взорвет. Не волнуйся, я уже нашла выход.

Следующую неделю все наши одноклассницы, которым мы пообещали дать почитать «Анжелику», заходили в книжный магазин и приобретали роман Будкина. Аккурат под Новый год мы собрали пятьдесят книг и оттащили их в палатку, где принимали макулатуру. Наконец-то наступил долгожданный момент: обретение вожделенного произведения Анн и Сержа Голон.

Одиннадцатого января я бежала мимо книжной лавки в школу и внезапно увидела на стеклянной двери здоровенный плакат, гласивший: «Двадцать третьего числа у нас состоится встреча с любимым писателем московских школьниц Николаем Будкиным. В программе обсуждение романа «Горят мартеновские печи». Я не пошла на мероприятие и не знаю, посетил ли его хоть один человек. Представляю, как недоумевал бедный Будкин, когда узнал, что его шедевр внезапно вошел в моду у восьмиклассниц одного московского микрорайона и потом так же стремительно был навсегда предан забвению. Сейчас, заглядывая в книжные магазины и натыкаясь взглядом на шеренги книг Голон, я невольно улыбаюсь и глажу корешки романов об Анжелике. Не удержалась я и сегодня, провела ладонью по обложке и вышла из каюты Маргариты.

Неужели на теплоходе никого нет? Мне стало страшно, и тут слух уловил звук упавшего предмета и брань. Девочку, выросшую на улице, трудно смутить руганью, но сама я не употребляю нецензурные выражения и не люблю, когда их произносят вслух, в особенности если рядом ребенок. Но сейчас заливистый мат меня обрадовал, как встреча с любимым человеком.

Я бросилась туда, откуда слышалась брань, и увидела рыжеволосого парня, который собирал с пола осколки.

— Слава богу, вы здесь! — воскликнула я.

Матрос вздрогнул, уронил стекляшки и взвизгнул:

— Кто тут? Не подходи, часовой стреляет без предупреждения.

Меня охватило любопытство: из какого вида оружия он решил открыть огонь? У него под рукой только швабра!

— Фу! — выдохнул матрос. — Не узнал вас! Думал, все пассажиры на экскурсию ушли. Услышал шаги, потом ваши слова, и мне прям нехорошо стало!

— У меня противный голос? — обиделась я.

Парнишка шмыгнул носом и ответил:

— Не, как у всех, ничего особенного.

— Почему тогда ты испугался? — спросила я.

Матрос заколебался, потом сказал:

— Нечисто на корабле, тетя Рита говорит, что здесь дьявол поселился, она его в кают-компании видела!

— Не следует доверять бредням Некрасовой, — назидательно сказала я. — Вас как зовут?

— Игорь, — представился юноша.

— Очень приятно, а я Виола. Не знаете, куда весь народ подевался?

Игорь оперся на швабру:

— Круизники в Козловск поперли. А наши в бухту подались, Иван Васильевич хоть и строгий, да добрый, он людям отдыхать разрешает и сам не прочь на бережку с удочкой посидеть.

— Вас, значит, бросили? — уточнила я.

— На дежурстве оставили, — отрапортовал матрос.

Мне стало легче: пусть хилый Игорь и не похож на могучего охранника, вдвоем все же безопасней.

— Зря вы на тетю Риту баллон покатили, — заступился за Некрасову матрос. — Она хорошая, помогла мне сюда устроиться. Иван Васильевич брать меня не хотел, потому что мне еще шестнадцати нет, все говорил: «Учись, Игорек, человек с образованием без куска хлеба не останется!» Но у меня мама больная, работать не может, и брат маленький, ему то колготки, то ботинки, то штаны купи. Спасибо, тетя Рита Ивана Васильевича уломала.

— Ты же не всерьез сейчас сказал про нечистую силу? — хмыкнула я.

Игорь округлил глаза:

— Думаете, я вру? Тетя Рита его видела! Мохнатый, черный, с копытами и рогами!

— Перестань, — отмахнулась я. — Стыдно глупости повторять!

Игорь нахмурился:

— Иван Васильевич запретил это пассажирам рассказывать! Но я тоже нечисть встретил! Рано-рано утром встал и пошел на палубу покурить. Выхожу, а там все в белых перьях! Обозлился я! Кому убирать-то? Гляжу, у перил змея стоит!

Еле сдерживая смех, я перебила рассказчика:

— Пресмыкающиеся ног не имеют.

— Ничего не знаю! — потряс головой матрос. — Видел не какого-то смыкающегося, а змеюку. Длинная, лапы тонкие, морда узкая, сверху ухи торчат, сзаду хвостина висит. Она меня тоже приметила, зубы оскалила, в воду плюхнулась и давай вокруг корабля круги нарезать. А потом голос из ниоткуда как завопит: «Болт, болт...» — дальше, простите, материться при вас не хочу, очень уж грубо получится. Змеюка и исчезла!

— Волшебная история, — резюмировала я. — В особенности впечатляет змея на ногах. Вероятно, вы ошиблись, на палубе находился крокодил.

Игорь сунул швабру в ведро.

— Ха! И откуда он в нашей реке? У меня с глазами и ушами без проблем. Ногастая такая змеюка, хвостастая, а звать ее Болт! Тетя Рита права. Сатана в змея превратился, он такие шуточки любит и давно проделывает.

— Дьявол имеет много имен, — вздохнула я. — Эпос народов мира и художественные произведения содержат не один сюжет, в них говорится о Вельзевуле, Мефистофеле, Воланде, но о Болте я не знаю. Ты плохо расслышал имя, вот и получился вонючий сурок.

Глава 27

— Чего? — разинул рот Игорь. — Вонючий сурок?

— Ерунда, — отмахнулась я, — забудь.

Ну не рассказывать же сейчас Игорю историю про то, как меня попросили посидеть с двумя малышами, братьями Минкиными. Их мать, Нюша, наша с Раисой соседка по лестничной клетке, получила из Харькова печальное известие о том, что сгорел дом ее родителей. Нюша прибежала к нам и заплакала:

— Они остались на улице! Теперь надо по чиновникам бегать, погорельцам новое жилье бесплатно положено. Но у мамы с папой сил нет, они люди не скандальные, надо мне ехать. А куда парней девать?

— Оставляй нам, — предложила сердобольная Рая. — У Вилки каникулы, она за пацанами присмотрит.

Нюша расцеловала соседку и на следующее утро притащила двух белокурых крошек.

— Справа Паша, слева Саша, смотри, не перепутай, не покорми одного и того же два раза, — проинструктировала она меня и пошла на выход.

— Что они едят? — закричала я вслед Нюше.

— Кашу, — на ходу ответила она. — Ну и остальное тоже.

Я старательно сварила манку, посадила бутузов на стулья и довольно быстро накормила одного из «кукушат», то ли Сашу, то ли Пашу, досыта. А вот второй уворачивался от ложки, корчил рожи, плевался. В конце концов, я не выдержала и сердито спросила:

— Что ты хочешь на завтрак?

Близнецам по виду было не больше полутора лет, и я, естественно, не ожидала от них членораздельного ответа, но пацанчик неожиданно заявил:

— Вонючий сурок.

Мне в тот год едва исполнилось двенадцать, столичные магазины не радовали разнообразием ассортимента, но и совсем пустыми тогда еще не были, на прилавках было два сорта колбасы — за 2.20 и 2.90, несколько видов сыра, молочные продукты, но вонючими сурками не торговали.

— Повтори, — потребовала я.

Ребенок выполнил мою просьбу:

— Вонючий сурок, — объявил он.

Я почесала в затылке и решила, что мальчик вполне упитан, до обеда от голода не скончается. Около часа дня домой в перерыв забегает тетя Рая, она сразу поймет, о чем говорит юный басурман.

Но Раиса, услышав загадочное выражение, растерялась не меньше моего.

— Вонючий сурок? — заморгала она. — Неужели Нюша парней мышами кормит? И где она сурковятину покупает?

Едва мы с Раисой пережили первое потрясение, как подоспело второе. В самый разгар беседы про вонючего сурка ко мне подошел другой малыш и важно произнес:

— Оковка рома два тифоз.

— Что он имеет в виду? — подпрыгнула Рая.

— Оковка рома два тифоз, — сморщился мальчик.

— Вероятно, следует подковать мужчину по имени Рома, — предположила я.

— Думай, что болтаешь, — поджала губы Раиса. — Как ковать? Кого?

— Рому, — ответила я и быстро отошла подальше.

Если Раиса разозлится, она может с легкостью надавать оплеух, а рука у нее тяжелая, на моих щеках после затрещин всегда оставались внушительные синяки.

— Оковка рома два тифоз, — заревел, кажется, Саша.

— Вонючий сурок, — вступил со своей партией Паша.

Раиса вскочила с табуретки:

— Мне на работу пора.

И я осталась с голосящими пацанами.

Через три дня я отлично управлялась с братьями. Пашу с Сашей больше не путала: чтобы точно знать, кто есть кто, я нарисовала Саше на щеке чернилами крестик и не забывала каждое утро освежать метку. Наладилась и еда. Как только Паша заводил про вонючего сурка, я грозно говорила:

— Вот вернется мама и накормит тебя бурундуками, кротами и котлетами из ежа. А у меня вкусная каша, суп и пюре.

Паша замолкал и ел предложенные блюда. О вонючем сурке он вспоминал еще раз перед тем, как лечь спать. Малыш нежно целовал меня, потом садился в кроватке и с тоской говорил:

— Вонючий сурок!

— Он тебе непременно приснится, — обещала я и гасила свет.

С Сашей оказалось еще проще загадочную фразу «Оковка рома два тифоз» мальчик говорил лишь перед завтраком, обедом и ужином.

Я перестала искать в этой фразе скрытый смысл и весело повторяла за близнецом: «Оковка рома два тифоз». Далее трапеза шла без сучка и задоринки.

Нюша отсутствовала почти месяц, я привязалась к Саше и Паше, научилась понимать их язык. «Ав-ав» — это собака, «ай-ай-ай» — ругательство, «няка» — печенье, «гули» — прогулка, а «кой ночь» — пожелание спокойной ночи. Но «вонючий сурок» и таинственная фраза про «оковку ромы» по-прежнему оставались загадками.

Когда Нюша, выбив для родителей новую квартиру, вернулась, Саша и Паша не узнали мать. Они теперь искренне считали своей родительницей меня и устроили жуткий крик, когда Нюша уносила их домой. Через час соседка вернулась и спросила:

— Требуют кику! Это что?

Я засмеялась:

— Это они так меня зовут, Кика. А вонючего сурка Паша не просил?

— Он их обожает, — кивнула Нюша. — Покупаю, когда вижу, сразу десяток. Жаль, долго не лежат и по цене кусаются.

Я опешила, но решила прояснить ситуацию:

— А где ты берешь вонючих сурков?

— В молочной, где же еще? — заморгала Нюша.

Действительно! Ясное дело, вонючие сурки лежат горой среди пакетов с кефиром и ряженкой!

— Как их готовят? — не вытерпела я.

— Ну дела, — покачала головой соседка. — Вилка, за фигом ванильный сырок готовить! Развернул бумажку и ешь!

Я чуть не свалилась со стула. Ванильный сырок! Паша вовсе не хотел увидеть на своей тарелке вонючего сурка! Бедный крошка жалобно просил самый обычный творожный сырок, а я ни разу не купила ребенку вкуснятину, иезуитски обещая:

— Он привидится тебе во сне.

Ну и кто я после этого? Наверное, Паша считает меня очень жадной и вредной.

— Может, ты в курсе, что такое «оковка рома два тифоз»? — задала вопрос Раиса.

Нюша заулыбалась:

— Саша умный, память у него отличная. Я их обедом по расписанию кормлю, устраиваю в стульчиках, беру тарелки с супом, и тут радио на кухне говорит: «Московское время два часа». Сашенька теперь эту фразу постоянно перед едой произносит.

— Ёшкин кот! — восхитилась Раиса. — Оковка рома два тифоз — московское время два часа! Даже после бутылки водки не допереть!..

Визгливый голос Игоря прервал мои воспоминания:

— Болт его звали!

— Будь по-твоему, — согласилась я, решив, что змея на ногах, плавающая вокруг теплохода, не является сейчас главной темой для обсуждения. — Насколько я помню, ты помогал пассажирам найти свои каюты, нес багаж?

— Ага, — кивнул Игорь. — Ваш мужик мне чаевые дал, хороший человек! Другие даже копеечки не отслюнили. Не упускайте такого, главное, что парень не жмот, остальное приложится.

— Спасибо за совет, — воскликнула я. — Непременно им воспользуюсь. Скажи, ты помнишь тех, кто садился на борт?

— Может быть, — осторожно ответил Игорь.

— Назовешь их?

— Зачем?

— За хорошее вознаграждение.

Игорь принялся загибать пальцы.

— Тот, который всех в гости созвал, был с женой. Тетка с дурковатой дочкой, она мне предложила с ней в мячик поиграть. Еще баба, которая всем аппетит портит, тощая такая, увидела, что я лапшу из стакана ем, и разоралась: «Выплюнь это немедленно, в упаковку сплошь канцелярия напихана! Ешь белое куриное мясо, овощи, фрукты». Хороший совет. Могла заодно подсказать, где бабло на жратву брать.

Сообразив, что Игорь перепутал слова «канцероген» и «канцелярия», я не стала указывать парню на его ошибку, предпочла слушать дальше.

— Еще два мужика и бабы, — монотонно перечислял матрос. — Одна молодая, красивая, вторая курица. Вас двое, и конец.

— Однако ты невнимательный, — укорила я его. — Еще была худощавая дама средних лет, блондинка с хорошей фигурой.

Игорь сделал быстрое движение руками.

— Прическа во такая, завитушки? Она с Леонидом пришла. Я их отлично запомнил. Симпатичная телка! Сейчас девчонки только в кошелек глядят. Если чикса красивая, она к папику пристраивается. Мне без шансов такую оторвать!

— Какие твои годы, еще успеешь стать олигархом, — утешила я парня. — Но память тебя определенно подводит. Я говорю о другой даме, ей чуть больше сорока.

— Старух я всех назвал, — отрезал Игорь, — других не было.

— Вероятно, ты отлучился в тот момент, когда она поднималась по трапу, — предположила я.

— Моя обязанность экскурсантов встретить, — нахмурился Игорь. — Если кому не помогу, он Ивану Васильевичу нажалуется, капитан выгнать может. Я всех видел, каждому сумку допер.

Я погрозила Игорю пальцем:

— И снова придется указать тебе на оплошность. Ты забыл о трех девушках!

Парень махнул рукой:

— Эти не считаются!

— Почему? — удивилась я. — Ира, Лиза и Светлана — гости. Правда, две из них заняли дешевые каюты. Но разве тебе не объяснили, что любой клиент приносит компании прибыль, к тому, кто внес в кассу тысячу рублей, следует проявлять не меньшую учтивость, чем к миллионеру!

Игорь понизил голос:

— А вы почему с другими не пошли?

— Голова заболела, — соврала я. — Вчера на солнце перегрелась.

— Значит, не повеселитесь, — шепотом зачастил Игорь. — Те девки актрисы, им за шоу платят! Из новых они, я их раньше не видел.

Я схватила Игоря за руку:

— Пошли ко мне в комнату, расскажешь все, что знаешь.

— Не, — быстро отказался матрос, — нельзя! Уволят.

— На судне никого нет, — напомнила я. — Можно спокойно побеседовать!

— Вдруг Иван Васильевич вернется? — опасливо сказал Игорь. — Враз службы лишусь!

— Не полезет же капитан без стука в мою каюту, — возразила я. — Не бойся, я хорошо заплачу за информацию.

Игорь заколебался.

— Могу к деньгам добавить свой айпод, — продолжала я искушать матроса. — Он новый, я как раз перед круизом купила, последняя модель, крутая фенька.

Еще пару мгновений жадность и благоразумие вели жестокий бой в душе парня, но наконец первая победила.

Игорь рубанул ладонью воздух:

— Сначала айпод, потом бла-бла.

Техническая новинка очень понравилась матросу. Он живо запихнул в карман небольшую коробочку и провод с наушниками, сел в кресло и стал довольно связно излагать факты.

На самом деле Иван Васильевич — владелец судна. Пассажирам он всегда представляется капитаном, по-иному говоря, наемным работником, и упорно жалуется на небольшой оклад и строгое начальство. Иван Васильевич хитрец, этой ложью он убивает сразу двух зайцев. Если клиенты бывают недовольны, ну, допустим, плохо работающим кондиционером, Иван Васильевич, закатив глаза, стонет:

— Знаю, это безобразие. Но хозяин жмот, у него даже рваный носок не выклянчить.

А еще капитан получает неплохие чаевые. Ну, кто даст пару сотен владельцу теплохода? Это, простите, оскорбительно для обеспеченного бизнесмена. А наемный речной волк рад любой купюре.

— Жадный он, — неодобрительно ворчал Игорь, — за копейку в реку сиганет. Антон, официант, черной икрой приторговывает, это его бизнес с хорошим доходом. Тошка банки в столовой прячет, там у него тайник. Антоха не болтливый, но Иван Васильевич его засек, буквально за руку схватил, и чего? В милицию не сдал, не ругал, наоборот, обрадовался, сказал: «Будешь мне платить с каждой сделки двадцать процентов». Клоун, блин! Если вам порассказать, как он тут химичит! Люди разные бывают, попадаются аккуратные, спят в кровати неделю, а белье на вид чистое. Положено ведь простыни после клиентов менять! Если один круизник сошел, другой под мятый пододеяльник не ляжет! Вот только прачечная денег стоит. И чего Иван Васильевич удумал? Сойдет народ на берег после поездки, он велит Ритке постель внимательно просмотреть, и те комплекты, что посвежее, утюгом прогладить. Некрасова и рада стараться, водичкой сбрызнет, шап-ляп, уноси готовенького!

Меня передернуло. А Игорь, не заметив реакции слушательницы, продолжал вываливать неприглядные секреты хозяина:

— О жрачке ваще молчу! Иван Василич закупается по дешевке курами, их надо в помойку вышвырнуть, ан нет! В марганцовке помоют и на сковородку! Йогурты берет просроченные, велит их на стол без упаковки подавать, вытряхивать в чашки. Пассажирам нравится, типа, им красиво хавку подали! Овощи он в Митькино берет, там в хранилище можно прошлогодние отыскать! Ну че еще сказать? Клоун, он и есть клоун! Хотите совет? Не жрите ничего на борту, лучше лапши в стакане купить, ею отравиться трудно! Клоун!

— Скорей уж патологический скупердяй, — поморщилась я. — Остается только удивляться, почему Иван Васильевич до сих пор не лишился клиентов!

Игорь ухмыльнулся.

— Клоуны завсегда хитрованы. Это раз! Хозяин местных не катает. Думаете, у нас тут богатеньких нет? Ха! Есть наши родные олигархи, например Степан Молотов, он из Карякина. Не знаю, на чем он деньги заработал, только рублей у него — как на бродячей собаке блох. Миллионы! Дом отгрохал в три этажа, четыре машины в гараже, за границу ездит! Степан Сергеевич хотел день рождения дочери на теплоходе отметить, вызвал к себе Ивана Васильевича, а хозяин хоть денег и охота срубить, но ум не теряет, он Молотову сказал:

— Уж простите, но лучше вам мой теплоход не нанимать. Посудина старая, еду хорошую вам не обеспечу.

Во клоун! Дотумкал, что Степан Сергеевич ему башку мордой к спине перевернет, если его дочурка тухлыми цыплятами отравится. А москвичи не в курсе! Да еще Иван Васильевич народ особыми услугами соблазняет!

— Какими? — поинтересовалась я.

Игорь заржал:

— Разными. Он хитрый, сразу видит, с кем дело имеет, и предложение выдвигает. Да вы спросите своего приятеля, он расскажет!

— Юру? — поразилась я. — Шумаков уже бывал на теплоходе?

— Не, — продолжал веселиться парень, — Леонида, он с Иваном Васильевичем раз пять катался.

Внезапно я поняла, что насторожило меня в самом начале беседы с матросом, когда он перечислял пассажиров, которым помогал подняться на борт. Игорь не знал гостей, он говорил обо всех в третьем лице: «они» или «баба с мужиком», но Зарецкого парень назвал Леонидом, значит, они ранее встречались.

Я не успела отругать себя за невнимательность, как память услужливо развернула новую картину. Вот мы все сидим в столовой. Внезапно туда врывается неведомое науке животное. Присутствующие пугаются и реагируют соответственно. Одни запрыгивают на стулья, другие залезают на диван, третьи лезут под стол, а Леонид кидается к стене, открывает шкаф и скрывается в нем. Если Зарецкий впервые очутился на борту, то откуда узнал про отодвигающуюся панель? Лично я очень удивилась, увидев, как он исчезает в укрытии. И он знал, где в столовой найти минеральную воду. Нет бы мне сразу понять, что ученый уже катался на этом теплоходе.

— Он с приятелями нас нанимал, — откровенничал Игорь. — Иван Васильевич им девок приглашал. Местных не звал. Откуда уж те прикатывали, не знаю, с виду и не скажешь, что под мужиками зарабатывают, симпатичные, красивые, одеты хорошо. А на корабле такое выделывали! Бросали у Козловска якорь, и поперла гулянка! Я, когда Леонида увидел, подумал, он с новой компашкой прибыл, потом гляжу, бабы-то все подгнившие, кроме одной.

Мне захотелось треснуть нахала по башке и гневно сказать: «Мы еще молодые, просто щенку все, кто старше его на час, кажутся бабушками!»

Но я сдержалась, а Игорь с презрением произнес:

— Клоун, блин! Как был кривляка, так и остался!

— Что ты имеешь в виду? — не поняла я. — Почему заладил «клоун»?

Игорь громко чихнул:

— Иван Васильевич в цирке служил. Я фотки видел: стоит наш хозяин в клетчатых штанах, к морде нос красный круглый приделан, волосы рыжие. Угарно!

Глава 28

Я с недоверием покосилась на Игоря.

— Ты не ошибаешься?

— Жесть, да? — развеселился матрос. — Начнет на меня орать, так я стою и представляю, как его во время представления по морде дубиной лупят. Сразу легче делается.

— Ты ничего не путаешь? — с сомнением спросила я.

— Не, — весело объявил Игорь, — он этого не скрывает, наоборот, гордится тем, что из цирковых. Местные в курсе, наши сначала над ним подсмеивались, погоняло Рыжий ему навесили. Потом посмотрели, сколько он башлей на реке зарабатывает, и ржать перестали, кланяться начали. Работы кругом нет, а у Ивана Васильевича вакансии открываются. Может тебя на сезон нанять, на один рейс взять или чего на берегу изобразить попросит. Какие-никакие денежки. И связи у него чумовые!

Я подняла руку:

— Погоди! Иван Васильевич — коверный?

Игорь не понял последнее слово:

— Кто?

— Клоун, — поправилась я.

— Верно, — подтвердил парень. — В балагане с детства работал, сначала акробатом прыгал. Он до сих пор может на голове стоять. Когда старость подоспела, переквалифицировался в шуты гороховые. А к концу жизни ему расхотелось по городам мотаться, он осел в наших краях, купил теплоход.

Объяснения матроса внесли в мою голову еще большую сумятицу.

— Теплоход не легковой автомобиль, им нельзя научиться управлять за месяц!

— Правильно, — важно кивнул Игорь. — Наша река хитрая, вроде тихая, а коварная.

— Похоже, Иван Васильевич многосторонне одарен, — отметила я, — из циркачей трансформировался в капитаны. Не хочу никого обидеть, я обожаю цирк, но артисты арены подчас малограмотны. Детей принято обучать основам ремесла с младенчества, в семь лет они уже актеры, участвуют в представлениях, переезжают из города в город, меняют за год по десять школ. Ну о каком образовании может идти речь?

— Кто сказал, что Иван Васильевич капитан? — ухмыльнулся Игорь. — Он к штурвалу не приближается. Я говорил: он хозяин. Почувствуйте разницу! Иван Васильевич ведет бизнес, гостям представления устраивает, свой табор в дело пускает, а судном управляет Михаил Андреевич, он никогда никому глаз не мозолит. Иван Васильевич ваще не любит, если команда на глаза клиентам попадается. Нам велено на палубе не маячить. Один Антон с тарелками носится, остальные тишком сидят. Выползают в затишье, как сегодня. Народ повели пугать, а наши купаться помчались!

— Пугать? — переспросила я.

Игорь стал издавать странные, похожие одновременно на кваканье и на хрюканье звуки:

— Че, не врубились? Иван Васильевич по желанию клиента любую фигню разыграет. Бывших цирковых в Вакулове восемь человек, они вместе работают, Иван Васильевич у них за босса, он че хошь клиенту устроит. Мужики втихую с бабами оттянуться решили? Не проблема! Придут в Козловск, и пошла гулянка. Желает семья дочке день рождения справить? Тут вам шарики, дрессированные собачки, фокусы-покусы. Свадьбу мы устраиваем с похищением! Только в Козловск причалили, пираты налетели! Вау! Круто было!

— Почему ты постоянно упоминаешь Козловск? — перебила я матроса. — Разве мы не случайно тут очутились?

Игорь согнулся пополам и застучал кулаками по коленкам:

— Ну ваще! И вы в это поверили? Да? Я офигеваю! Мы завсегда в Козловске даем представление.

— Прекрати хрюкать и объясни, что тут происходит! — разозлилась я. — Значит, никакого взрыва на заводе не было? И вообще, был завод или все ложь?

— Про аварию правда, — кивнул парень. — Раньше здесь что-то военное было, типа лаборатории, она сгорела. Да только Иван Василич ловко правду с брехней перемешивает. Мне мама рассказывала: полыхнуло на острове еще задолго до моего рождения. Там никогда города не было, да вы оглянитесь! Островок-то совсем небольшой, где на нем народу поместиться! Мамка мне разобъяснила после того, как мы с пацанами сюда съездили и проводов натырили! Такие тоненькие, разноцветные, белые, синие, красные, желтые, из них легко брелки плести. Маманька заприметила добычу и ну орать: «Умереть решил? На острове химическую бомбу делали!» Ну и выложила, че знала. В Козловске одни военные жили, их на катере сменами привозили, местных близко не подпускали. А после аварии там лет десять пост стоял, с солдатами, никому не пролезть. Мужики у нас хозяйственные, много кто хотел в развалинах пошарить, полезные вещи найти, на дворе все сгодится, зачем деньги тратить, если за так взять можно? Ну а потом все про остров стали жуть рассказывать, типа там крысы-мутанты ходят! Только очень это было давно, еще при коммунистах.

— Или змей на четырех лапах, — не упустила я случая подколоть парня.

Но Игорь сделал вид, что не слышит язвительного замечания.

— Иван Васильевич старух послушал, и торкнуло его: это отличное место для представления! Хозяин нас заранее предупреждает, если чего случится, команда нервничать не должна. Иногда бывают изменения, вот как на этот раз! Тяжелый рейс получился.

Матрос замолчал, вытащил из кармана айпод и начал его разглядывать, приговаривая:

— Угарная штука, у наших такой нет, только плееры старые.

— В чем сложность нашей поездки? — насела я на «меломана».

Игорь аккуратно убрал «правнука магнитофона» в карман, задумчиво почесал ухо и не стал прятать раздражение:

— А все через задницу! Нам сказали, что клиент устраивает гостям приключение. Мы пойдем мимо Козловска, там машина сломается, ну, типа, заглохла. Иван Васильевич объявит: «У нас авария, придется тут пожить».

— Зачем? — нетерпеливо перебила я его.

Матрос поморщился:

— Ну, этого нам не объясняют, сами потом видим: у кого свадьба, у кого гудеж по-черному. Если чего от команды надо, Иван Васильевич прямо говорит: «Идешь и делаешь, как я приказываю». А сейчас! Антон чуть не умер, когда монстра увидел, да и сам хозяин хвост поджал!

— Мохнатая жуть не ехала на корабле?

— Не-а, и никто не понял, откуда она взялась, — сказал Игорь. — Появилась внезапно, исчезла без следа! Иван Васильевич нас собрал внизу и говорит: «Меняем сценарий. Идем к Козловску, там ничего не ломается. На борту эпидемия, приедут врачи в комбинезонах».

Игорь закашлялся, я терпеливо ждала, когда

он заговорит снова. Наконец парень справился с приступом, вытер рукавом вспотевший лоб и продолжил:

— Я, как на посадке трех девок увидел, сначала решил, что шлюх наняли, есть такие пигалицы, под малолеток косят. А когда двоих на носилках с корабля потянули, допер: это от Ивана Васильевича актерки, изображают больных. Небось для гостей триллер придумали. Фу, здесь жарища! Чегойто голова кружится. Мне надо выйти!

— Действительно, душно, — согласилась я. — Полагаю, сверхэкономный хозяин велел отключить кондиционер. Иди, подыши, только ответь на последний вопрос: какое приключение Василий Олегович припас для дорогих гостей?

— Не знаю, — вяло протянул матрос, — подташнивает меня. Зря молоко пил, ведь показалось, что оно с кислинкой, но забабахал стакашку, теперь желудок крутит.

— И женщина, блондинка лет сорока, стройная, красивая, в восьмую каюту не вселялась? — вернулась я к началу разговора.

— Старухи не видел, там живут Леонид и телка, — морщась, ответил Игорь и поспешно вышел.

Я осталась сидеть на диване. Вилка, ты полная идиотка! Ну как можно было поверить в сказку про эпидемиологов? Если б на теплоходе обнаружили опасный вирус, нас бы давным-давно со всеми мерами предосторожности отвезли в специальную клинику и поместили под бдительный надзор врачей. На ум пришло воспоминание.

Лет пять-шесть назад одна из моих соседок по многоэтажной башне познакомилась с парнем по имени Ахмет и поселила того в своей квартире. Приятный молодой человек работал на рынке, торговал овощами и фруктами. Очень скоро весь дом стал бегать к Ахмету за покупками. Уж не знаю, как он относился к остальным покупателям, но соседям отбирал самое лучшее. Представьте теперь наш ужас, когда в один далеко не прекрасный день в доме появилась бригада врачей и милиция. Нас всех погрузили в машины и отвезли в клинику, взяли анализы и пару дней продержали взаперти. Причиной неприятностей стал Ахмет. Парень съездил к себе на родину в далекое село, а через несколько суток после возвращения в Москву слег с очень высокой температурой. Спешно вызванная «Скорая» диагностировала... чуму! Если вспомнить область, откуда только-только вернулся бедняга, и учесть симптомы недуга, болезнь никому не казалась фантастикой. И соответствующие службы отреагировали моментально: никто не стал ждать результатов анализов Ахмета, нас живо изолировали и без промедления начали терапию. Слава богу, никакой чумы у Ахмета не нашли, и жители вернулись домой. Пару месяцев потом в квартирах отчаянно воняло дезинфекцией, которой санэпидемстанция щедро залила все вокруг. Нам даже пришлось переклеивать обои. Но была и хорошая новость: из башни сбежали все тараканы, более того, они не вернулись на обжитое место даже спустя годы после обработки здания.

Чума — страшное заболевание, но эта зараза хорошо изучена. Она уже не способна нанести людям такой урон, как в Средние века. Чтобы не допустить массового заражения населения, сразу были приняты жесткие меры. А сейчас на борту вроде вспышка таинственной инфекции, и нас спокойно бросают в Козловске? Не привозят лекарств, не разбивают полевой госпиталь? Судно находится на воде... Что, если один из участников круиза решит искупаться, и вирус попадет в реку, доберется до прибрежных городов? Я полная идиотка! В нашей стране много пофигистов и людей, выполняющих свои служебные обязанности через пень-колоду. Но эпидемиологи — отдельная каста, они отлично понимают возложенную на них ответственность, действуют строго по инструкции и никогда не бросят зараженных загадочным вирусом на острове.

Был и еще один момент, о котором я забыла, но сейчас память проснулась.

Троица врачей, одетая в спецкостюмы, появилась на небольшом катере под вой сирены. Я стояла на верхней палубе и отлично видела плавучее средство, которое больше походило на прогулочное, чем на служебное. На перилах висели женский купальник и полотенце, чуть поодаль стояли столик и несколько раскладных стульев. Похоже, врачи мирно выкупались и только потом поехали искать теплоход, где вот-вот забушует эпидемия неустановленной этиологии. И о какой таинственной заразе может идти речь, если «врачи» назвали вирус по номеру?

От досады я стукнула кулаком по креслу. Впервые я оказалась такой дурой! В свое оправдание могу сказать лишь одно: люди, облаченные в защитные костюмы, подействовали на мой мозг парализующе. Могу признаться честно: я перепугалась и потеряла способность мыслить трезво. Еще мне очень не хотелось выглядеть в глазах Юры паникершей и истеричкой, поэтому я с огромным трудом взяла себя в руки и изобразила спокойствие. Да и какой у меня был выбор? Теплоход причалил к острову. Куда деваться? Отправиться вплавь к берегу? Ну, я не настолько уверенно держусь на воде, не могла бросить Шумакова и не исключала возможности заражения. Вероятно, после всего услышанного я кажусь вам абсолютной дебилкой, но совесть не позволила мне притащить в прибрежный населенный пункт заразу!

Чем дольше я обдумывала историю с вирусом, тем сильнее хотелось высказать в лицо Ивану Васильевичу свое далеко не лестное мнение о нем! Впрочем, если разобраться, жадный владелец теплохода тут ни при чем, он лишь выполнял каприз клиента. Зачем Василию Олеговичу этот спектакль? Ну, кондитер, погоди! Как только сядем обедать, я задам тебе парочку вопросов!

Мое негодование достигло точки кипения. Чтобы не заорать от бешенства, я вылетела в коридор, сделала несколько шагов, не сдержалась и стукнула ногой по стене.

Послышался тихий щелчок. Полированная панель откинулась, получилось сиденье, на котором лежала черная подушка. Злость моя растаяла, словно снег, политый кипятком. Я ощупала подушку и поторопилась к каюте, где умерла Лиза Суханова. Внимательное изучение стены около ее двери дало положительный результат. Не знаю, зачем в коридоре сделали откидные сиденья, но они имелись возле каждой каюты, и, чтобы их открыть, вовсе не обязательно было колошматить ногой по панели, требовалось лишь нажать на довольно большую красную кнопку со стрелкой, направленной вниз. Почему я раньше не обратила на нее внимания? Спросите что-нибудь полегче! Я ведь не один раз здесь пробегала и не заметила, может, потому, что меньше всего ожидала обнаружить откидное сиденье в коридоре. Интересно, кому-нибудь придет в голову читать книгу или вязать в столь неудобном месте?

Охваченная азартом, я стала нажимать на все кнопки и очень скоро выяснила: каждое сиденье обтянуто тканью цвета сажи, а на нем при помощи липучек держится подушка. И только одно сиденье, самое близкое к двери каюты, в которой случилось несчастье с Сухановой, оказалось пустым. Я нашла место, где Катя взяла черную подушку, но так и не обнаружила красную, ту самую, которой, предположительно, удушили Лизу.

— Несите ее в гостиную! — вдруг раздался голос Василия Олеговича.

— Осторожно, не уроните, — добавила Катя.

— Мама, мамуля, очнись, — ныла Тина. — Что делать? Она умирает!

— Надеюсь, ничего страшного, — как всегда, бодро заявила Аня.

— Очень душно, — подхватил Никита, — у меня самого голова кружится!

Я встряхнулась, быстро захлопнула открытые сиденья и поспешила навстречу неожиданно вернувшимся экскурсантам с вопросом:

— Нагулялись?

Юра и художник осторожно укладывали Манану на диван, поэтому мне ответил Леонид:

— Манана вдруг стала жаловаться на тошноту, боль в желудке, затем лишилась чувств.

— Это солнечный удар! — уверенно поставила диагноз Аня. — Мы довольно долго шли под открытым солнцем, Манане голову напекло. Необходимо обернуть бедняжку в мокрую холодную простыню, накапать сердечных капель, дать чаю, чтобы восполнить недостаток жидкости в организме.

— Ты врач? — налетела на жену художника Тина.

— Нет, — растерялась Редька.

— Вот и молчи! — взвизгнула девушка. — Раскомандовалась тут! Вызывайте скорее доктора!

— Разумное, но, увы, неосуществимое предложение, — сказал Василий Олегович. — Пока мы дозвонимся до медиков, объясним, где находимся, и потребуем помощи, пройдет немало времени.

— С ума сошел? — заорала Тина и, сжав кулаки, шагнула к кондитеру. — Давай сюда твой сотовый! Мой куда-то пропал!

— Пожалуйста, — пожал плечами Василий Олегович, протягивая девушке дорогую трубку, — можешь сколько угодно пытаться дозвониться. Кстати, я недоговорил, имейте в виду...

— Заткнись! — забыв о вежливости, прошипела Тина. — Моей маме плохо! Не желаю никого слушать!

Глава 29

Самойлов усмехнулся. Тина прижала сотовый к уху, потом потрясла его.

— Блин! Ноль три не срабатывает! Там отвечают «номер недействителен».

— Ты пользуешься московским номером! — воскликнула Аня. — Попробуй два ноля три!

Самойлов крякнул и сел в кресло, Тина с отчаянием крикнула:

— Снова недействителен!

— Правильно, — со странно довольным видом кивнул директор конфетного производства, — в провинции свои комбинации. Даже в Московской области кое-где требуется набирать сто десять. Ни ноль три, ни два ноля три, ни еще сколько-нибудь нолей и трешка не подойдут.

— Девять один один! — выпалил Никита.

— Насмотрелся американских сериалов, — хмыкнул Василий Олегович. — Ловко у них получается: обратятся на пульт, и через пару минут у дверей и полиция, и врачи, и пожарные. Вот у нас, в районе забытого богом и людьми Козловска, по-другому выйдет! Сначала долго номер спасательной службы проищем, в конце концов, прорвемся к диспетчеру, а тот заявит: «У нас на ходу всего одна машина, и она на вызове. Ждите, ваша очередь семнадцатая, дней через пять окажем помощь».

Но даже если доктор прибудет, у него при себе окажутся анальгин, но-шпа и аппарат для измерения давления. И я изложил самый радужный вариант развития событий. Скорее всего, узнав про Козловск, на подстанции отрежут: «Район не обслуживается». Поэтому лучше не тратить зря время!

Тина набросилась на Василия Олеговича:

— Мерзавец! Где капитан? Пусть немедленно заводит мотор, плывем туда, где есть больница! Моя мама без сознания!

— Нет, — без малейшей обеспокоенности заявил Самойлов. — Если сейчас спокойно меня выслушаете, все останутся в полном здравии.

Тина закрыла лицо руками.

Василий Олегович встал и вышел на середину гостиной.

— Хотите умереть?

Нелепость вопроса поразила. Наверное, поэтому ему никто не ответил.

— Онемели? — скривил губы кондитер. — Или не поняли? Повторю для особо непонятливых: хотите лишиться жизни в ближайшие часы? Если «да», то спокойно расходитесь по каютам, если «нет» — навострите уши. Так как?

— Я собираюсь дотянуть до глубокой старости, — призналась я. — Меня в свое время за это желание выгнали из пионеров. Учительница рассказывала о героях-подпольщиках времен Великой Отечественной войны, а потом задала сочинение на тему «Как бы я храбро сражался в партизанском отряде». Одноклассники написали о своих гипотетических подвигах, а я, не знающая тогда, что откровенность не самое лучшее качество, заявила: «Не хочу умирать, не пойду в партизаны, лучше спрячусь от врагов на чердаке или в подвале». Поднялся такой скандал!

— У нас вечер воспоминаний? — разозлилась Тина.

Самойлов окинул меня оценивающим взглядом.

— Ну, вам с Юрой ничего не грозит. Вы единственные из всех не принимали «омолодитель».

— Не понял! — насторожился Юра. — Что здесь происходит?

Василий Олегович обвел рукой гостиную:

— Прошу садиться и начнем разговор. Вчера вечером каждый из вас получил волшебную пилюлю. Леонид Зарецкий чуть ли не на коленях вымолил две штуки, одну для себя, другую для жены.

— Которой из них? — не сдержалась Аня. — Кого он собрался одарить бессмертием: Марфу или Вику?

Зарецкий вскинул голову:

— Тебе завидно? Живешь с лентяем и неудачником, а я счастлив, молод душой! Что-то мне подсказывает, ты с мужем тоже не отказались от пилюль! И зачем вам бессмертие? Земляные черви не способны ощущать радости.

Никита сжал кулаки, Аня швырнула в Леонида выхваченный из газетницы журнал.

— Сволочь!

— Брэк! — велел Юра. — Возьмите себя в руки, дайте Самойлову высказаться, потом сведете счеты.

— Разумное решение, — одобрил Василий Олегович. — Никита тоже получил лекарство. При всех Редька сделал вид, что «омолодитель» чушь, но потом приполз ко мне. Интересно наблюдать, как меняются люди, если у них появляется возможность получить таблетку от смерти. Мне впору писать книгу по психологии, получится бестселлер.

Вот тут нервы сдали и у меня:

— Вы подлый человек! Знали, как много лет они мечтают о ребенке, и пообещали Никите, что Аня после употребления пилюли непременно забеременеет. Кстати, она совсем даже не хотела принимать неизвестное средство. Муж в качестве последнего довода выдвинул аргумент про ребенка. И Анечка сдалась! Подло манипулировать людьми, используя их заветные желания!

Аня закрыла ладонями лицо, Никита обнял супругу, Василий Олегович вздернул бровь.

— Вы присутствовали при нашей беседе?

— Совершенно случайно стала свидетельницей разговора Никиты и Ани, — призналась я.

Василий Олегович погрозил мне пальцем:

— Нехорошо подслушивать!

Я смутилась:

— Я была в своей каюте, а они слишком громко беседовали в коридоре.

— Фу, — скривилась Тина. — Приличный человек в таком случае выглянет и скажет: «Господа, нельзя ли потише, ваш спор мешает моему отдыху». А ты!

Я собралась оправдываться, но Тина ткнула пальцем в Юру и засмеялась.

— Думаете, он племянник босса? Фигу! Наняτый мент! Я слышала, как Юрий хозяину отчитывался. Его сожительница права: стены на теплоходе фиговые, звук хорошо разносится. Этот субъект за нами следит, а «звезда» у него в подручных!

Теперь растерялся и Шумаков.

— Это правда? — буркнул Леонид, отодвигаясь от меня. — Очень мило! Обожаю стукачей!

— Я думала, здесь собрались порядочные люди, — воскликнула Аня.

— Виола, вы пишете книги, — всплеснула руками Катя. — Очень хорошие, я их читала. Ну как вы могли согласиться на роль соглядатая!

Я решила прекратить эту комедию:

— Уважаемая Екатерина Максимовна, у меня другие сведения о вашем отношении к творчеству Арины Виоловой. Госпожа Самойлова весьма презрительно высказывалась за спиной литераторши об ее «книжонках». Не стоит кривить душой.

— Да, я отпускала вам комплименты исключительно из вежливости, — заявила супруга хозяина тусовки. — Но лучше уж быть лицемеркой, чем доносчицей.

— Никогда не поверю, что муж не посвятил вас в свой план! — отрезала я. — Похоже, вы в курсе его как больших, так и мелких шалостей!

В круглых глазах Кати мелькнул испуг, и я удостоверилась, что рассказ Светы о забавах педофила — правда. Я набрала в грудь побольше воздуха, но тут Юра наступил мне на ногу и мрачно сказал:

— Я присутствую здесь лишь по одной причине: кто-то из вас, безупречно честных, в высшей степени интеллигентных людей, слил информацию о новом проекте Самойлова конкурентам. Как в вашей среде относятся к вульгарному шпиону, действующему из чисто экономических интересов?

— Упс! — сказал Никита. — Удар в нос! Я не имею ни малейшего отношения к произошедшему.

— Я тоже, — хором заявили Аня и Леонид.

Юра наклонил голову.

— Каждый из вас испытывает потребность в деньгах. Никита Редька мечтает писать картины, но вынужден работать фантикописцем, чтобы прокормить семью. Правда, их с Аней всего двое, но до последнего времени супруги тратили огромные средства на лечение от бесплодия. Ане не везло, все попытки заканчивались неудачей. Сейчас банковский счет семьи пуст. Я не прав?

Аня схватила мужа за руку:

— Нет! Все не так!

— А как? — с любопытством осведомился хозяин кондитерского холдинга.

Аня ответила:

— Да, мы в долгах, но никогда не станем подличать!

Василий Олегович удовлетворенно кивнул:

— Все врут, и вы не исключение!

— У Леонида Зарецкого патологическая страсть к молодым блондинкам, — продолжал Шумаков. — Его жена весьма привлекательна, отлично выглядит для сорока девяти лет, но для Леонида Марфа — ископаемое.

— Враки! — по-детски возмутился Зарецкий. — Я ценю и уважаю свою супругу!

— Согласен, — не стал спорить Шумаков. — Полагаю, и цените, и уважаете, но вот спать с ней вам безрадостно. Поэтому вы ждете, когда Марфа отправляется на дайвинг, и оттягиваетесь в приятной компании.

— Дайвинг? — удивилась я. — Леонид недавно говорил, что его супруга увлекается горными лыжами. Живо описывал, как сам боится даже стоять на «узких досках и отталкиваться хлипкими палками».

— Да? — изумился Юра.

— Именно так, — кивнула Аня. — Я отлично помню его слова.

Шумаков развел руками.

— По моим сведениям, она увлекается подводным плаванием, позволяет себе три-четыре раза в год слетать на Карибы или Сейшелы. Марфа зарабатывает намного больше мужа и бдительно следит за семейными счетами. Леонид примерный супруг, да он и не может быть другим. Марфа психолог, ее конек — примирение супружеских пар, стоящих на грани развода. Ну, согласитесь, такой специалист обязан иметь образцовую семью, иначе он потеряет свой авторитет. Никто не пойдет к стоматологу, у которого нет зубов, парикмахер с грязной головой останется без клиентов, а кому нужен советчик по вопросам личного счастья, если он не смог создать собственную семью? Повторяю, благополучие Зарецких зависит исключительно от жены, поэтому обычно Леня — образец для подражания. Но только не в те дни, когда Марфа находится в компании с аквалангом! Ученого можно похвалить за осторожность, он не водит девочек к себе домой, не кутит с ними в московских ресторанах, боится попасться на глаза знакомым. Зарецкий уезжает в провинцию и там оттягивается. Он несколько раз плавал на «Летучем самозванце», не удивлюсь, если именно Леня подсказал Василию Олеговичу идею нанять судно. Узнал о его желании устроить веселый отдых и рассказал про услужливого Ивана Васильевича. Все бы хорошо, но, увы, на блондинок надо тратиться: цветы, подарки... Лене не нравятся проститутки, ему нужна обычная девушка. Залезть в семейную кассу Зарецкий не может, поэтому он весь в долгах. Так?

Леонид замотал головой:

— Нет.

Юра цокнул языком:

— Глупо отрицать очевидное. Вы пользуетесь услугами одного барыги, его кличка Акула. Так уж получилось, что мы с Акулой один раз столкнулись, и я его выручил. Долг платежом красен. Назвать общую сумму вашей задолженности?

— Нет, — повторил Зарецкий. — Вы не имеете права совать нос в чужую частную жизнь.

— Согласен, — спокойно ответил Юра. — Но уже засунул и понял: вам позарез нужны бабки. Акула не зря свое погоняло получил, счетчик щелкает, каждый день сумма возрастает.

— Это мое дело! — заорал Зарецкий.

— Ладно, — миролюбиво согласился Юра. — Зарплату вам не повышали, премий не выписывали, то есть ваши доходы не возрастали. Но Акула получил полный расчет. Напрашивается логичный вопрос: откуда пиастры, сэр?

На секунду в гостиной стало тихо, первым опомнился Никита:

— Предатель! Из-за тебя всех подозревали!

— Нет, нет, нет, — в испуге замахал руками Зарецкий. — Мне помогли!

— Кто? — зло спросил Василий Олегович.

Леонид потер виски:

— Марфа.

— Всякое вранье должно иметь предел, — поморщилась молчавшая до сих пор Бортникова. — Ни одна жена не станет оплачивать походы муженька налево.

— Вы не поймете! — в отчаянии заявил Зарецкий.

— Попробуй объяснить, — предложил Самойлов.

Леонид беспомощно огляделся по сторонам.

— Любовь и секс — разные вещи. Мы с Марфой вместе много лет, она лучшая жена на свете, я не могу без нее и месяца провести. Но секс для нас давно стал обыденным, привычным, затем Марфе сделали операцию...

— Можешь не объяснять, почему по б... бегаешь, — остановил подчиненного начальник. — Ты про деньги давай.

— Акула совсем обнаглел, — чуть не рыдая, продолжил свой рассказ Зарецкий. — Требовал долг, не хотел ждать, я нервничал, дергался, Марфа это заметила и вытрясла из меня всю правду. Сначала она меня отругала...

— Я бы тебя убила, — не к месту заявила Аня.

Леонид высокомерно посмотрел на жену художника:

— Стандартная реакция быдла, не способного понять трагедию чужой души.

Никита вскочил из кресла:

— За быдло ответишь!

— Я хамка, а ты белый лебедь-потаскун, — засмеялась Аня.

— Всем молчать! — приказал Василий Олегович. — Слово получил один Зарецкий. Говори, Леонид.

Заведующий лабораторией неожиданно успокоился:

— Марфа попросила меня больше не связываться с девушками и оплатила долг. Кстати, это легко проверить, жена разорила свой накопительный депозит. Сделайте запрос в банк — и снимете с меня подозрения. Марфа спасла нашу семью!

Алина издала короткий смешок:

— Дурачок! Она заботилась о своем бизнесе и карьере.

— Хорош тонко чувствующий интеллигент, — завелась Аня. — Пообещал супруге верность, воспользовался ее кровными рубликами и снова на теплоходе с Викой! Да еще выдал шлюшку за законную жену. Ну и кто ты теперь? По-любому сволочь!

Зарецкий раздул ноздри и с большим трудом выдавил:

— Я в последний раз веселился. Все! Забито до конца дней! Но я не предатель, могу объяснить, откуда взялись деньги для Акулы. А вы, незабудки, готовы свои финансовые отчеты предоставить?

Юра сердито кашлянул:

— Хватит собачиться. В денежных проблемах тонет и Алина Бортникова. Она решила создать центр «Здоровое тело», набрала нехилых кредитов в разных банках, построила здание, наняла персонал, открылась и... прогорела. На дворе экономический кризис, людям не до диеты, когда жрать нечего. Теперь за Бортниковой гоняются комиссары деньгохранилищ.

— Супер, — зааплодировал Зарецкий. — У всех жопа, только я один благодаря Марфе на белом коне. Ну, субчики, кто из вас Штирлиц?

— Прекратите, — взмолилась я. — Понимаю,

что денежный вопрос очень важен, но что будет с Мананой? Ей же плохо! Физически!

— Она тоже в финансовой яме, — протянул Юра. — Тину лечили в специнтернате. Уж не знаю, кому по карману содержать там инвалида, в месяц бешеные суммы улетают. У дамы начались проблемы с оплатой, трения с заведующим заведения, Тину хотели вытурить, но внезапно Манана погасила долг и оплатила счета вперед до Нового года.

— Необходимо отправить Манану к врачу, — настаивала я.

— Нет! — стукнул кулаком по столику Василий Олегович. — Жизнь Мананы и всех, кто проглотил «омолодитель», зависит от того, признается ли предатель в содеянном! Роль бога сегодня исполняю я!

Глава 30

— Чего? — вытаращила глаза Алина. — Вася, ты как себя чувствуешь?

— Шикарно, — ответил хозяин, — лучше не бывает! Слушайте, дети, папу. Когда ко мне попал «омолодитель», я понял, как найти негодяя. Эй, Никита, Аня, Леня, Алина, думаете, получили от меня таблетку бессмертия? Три ха-ха! Вы проглотили медленно действующий яд. Средство старое как мир, но от этого не переставшее быть убойным.

Аня повернулась к Никите:

— Что он несет?

— Врет, — без особой уверенности промямлил художник. — Берет на понт! Забудь.

— Дурачье, — с жалостью объявил Василий Олегович. — Я предполагал, что правду будет трудно узнать, поэтому и пошел ва-банк! Полагаю, все слопали «омолодитель»?

У гостей вытянулись лица, Катя бросилась к мужу:

— Я тоже приняла пилюлю! Зачем ты мне ее предложил?

Василий Олегович потер ладони.

— Ты сама таблетку схватила. Помнишь, что вчера случилось? Ты потребовала лекарство, я отказал, велел: «Даже не приближайся к нему». Зачем ты ночью встала и сцапала «омолодитель»? Сказал же русским языком: «Не трогай, хуже будет»!

Екатерина вцепилась в супруга и начала трясти его, приговаривая:

— Почему ты не посвятил меня в свой план?

Василий Олегович вывернулся из рук взбешенной жены:

— Ты тоже на подозрении!

Катя от неожиданности села на ковер:

— Я?! Я???

Кондитер насупился:

— Я знаю про твой план! Кто дом в селе Марково строит?

Катя встала:

— Мне неприятен разговор в подобном тоне!

— Откуда у тебя в июне появились средства? — насел на нее муж. — Чего моргаешь? Здание в Маркове возводится давно, ты много из приюта своровать не можешь, поэтому по крохам тырила. В последний год там вообще все замерло, кризис подпер, я стал меньше на благотворительность давать. И тут! Бах! В Маркове рабочих толпа, куплена немецкая черепица! Молчишь? Думала, я не узнаю? Дура! Если ты инфу слила, с землей тебя смешаю и в навозной куче жить оставлю. Никто не имеет права обманывать Самойлова, и ты, дрянь, в первую очередь! Забыла, из какого дерьма я тебя вытащил? Отмыл, накормил, одел, в приличные люди вывел! Где деньги на стройку взяла, отвечай?

Очевидно, служащие никогда не видели начальника в подобном состоянии. Катя застыла посреди гостиной, а мне стало совсем не по себе. Приятный отдых на воде превратился в опасное приключение.

— Каким ядом нас накормили? — прохрипел Никита.

Василий Олегович довольно засмеялся:

— Зачем тебе название? Главное другое: у меня в кармане антидот. Как только предатель сознается, я раздам вам противоядие, и все останутся живы. Не захочет крыса объявиться — подохнете. Могу рассказать, что вас ждет. На каждый организм отрава действует по-разному, один помрет быстро, другой промучается неделю. Сначала человек испытывает сонливость, укладывается в кровать и спит несколько часов. Прямо как Манана! Потом наступает прилив сил, переходящий в эйфорию, резко поднимается давление, начинается тахикардия. Дальше как повезет: инфаркт, инсульт. Антидот применяется и помогает на любой стадии. Ваше слово.

Алина нервно зевнула.

— Начинается, — тоном лаборанта, наблюдающего за мухами-дрозофилами, отметил Василий Олегович. — Ну? Пойте песню.

— Мы не предатели, — хором ответили Аня и Никита.

— Вы ничего не говорили мне про яд! — опомнился Юра. — Это безумная затея! Немедленно раздайте людям противоядие! В противном случае я вызову сюда ОМОН, вас арестуют!

Василий Олегович засмеялся:

— Сомневаюсь! У всех этих людишек, включая тебя самого, есть гадкие тайны! Поверь: я знаю много интересного. Вы меня умолять будете, в ногах валяться, чтобы я молчал. Все тут в Козловске и решим, кстати, твой ОМОН опоздает. Пока он сюда доберется, останутся одни трупы. Эхма, трулядя! Да ты когда-нибудь бывал на Пятой Радиальной улице? Увы, мой мальчик, твой отец стал к старости слишком болтлив!

Лицо Шумакова мгновенно осунулось, глаза ввалились, рот превратился в нитку.

— Можете болтать сколько угодно, — глухо сказал он. — Это касается только нашей семьи.

— Думаешь, после этого она с тобой останется? — ткнул в меня пальцем Василий Олегович. — Хренушки! Уйдет, как Танька!

Следовало спросить, о чем говорит Самойлов, но я сдержалась.

— Поверьте: я никогда ничего не рассказываю ни о делах клиентов, ни о том, что слышу в домах у приятелей, — жалобно сказала Алина.

— Марфа! — вдруг закричал Леонид и выбежал из гостиной.

— Дико предполагать, что я могла продать невероятно значимую для мужа информацию на сторону, — всхлипнула Катя.

— Я вообще не в курсе, — потрясенно подхватила Тина. — Спасите мою маму!

Василий Олегович постучал пальцем по своим наручным часам:

— У вас мало времени!

— Почему? — в ужасе спросила Аня.

— Яд уже циркулирует в крови, — вкрадчиво сказал директор и хищно улыбнулся.

Я покрепче прижалась к Юре, Василий Олегович ведет себя как псих. Он впадает в гнев и через минуту улыбается, будто сытно закусивший кот, а затем вновь топает ногами от злости.

— Я ни при чем, — еле слышно произнесла Бортникова.

— И мы, — ответил за двоих Никита.

— После всего... ты... смеешь меня обвинять? — горько спросила Катя. — Я не имею ни малейшего отношения к произошедшему. Василий, ты психически болен. Налицо мания преследования плюс другие проблемы!

— Я тебя тоже люблю, — засмеялся директор.

— Марфа! Марфа!!! — заорал в коридоре Леонид. — Помогите! Кто-нибудь! Сюда! Марфа! Моей жене плохо! Эй! Эй!!

Юра быстро пошел на зов, я отправилась следом.

Леонид был в своей каюте. Он стоял на коленях около кровати и тряс за руку ту самую непонятно откуда взявшуюся блондинку средних лет, лежавшую на постели.

— Марфа! Марфа! На помощь!

Шумаков легко оттеснил Зарецкого, посмотрел на незнакомку и удивился:

— Это кто?

— Марфа, — заломил руки Зарецкий.

— Она же в горах! — подскочил Никита.

— Нет, занимается дайвингом, — поправила Аня. — Хотя, право слово, не понимаю, за фигом врать про лыжи? Плавание с аквалангом не позорно.

— Она принимала «омолодитель»? — резко спросил Юра.

— Да, — прошептал Зарецкий, — вчера. Мы долго разговаривали, я поклялся... мы решили, что это наш шанс... Марфа выпила пилюлю, а я... я... я съел свою после завтрака. Было страшно, но все равно проглотил. Марфа умерла?

— Она спит, — заверил Василий Олегович. — Если предатель признается, все получат антидот, он стопроцентно поможет!

— Только не ей! — возразил Шумаков. — Ей-богу, не знаю, каким образом здесь очутилась законная жена Зарецкого, но она мертва, тело коченеет.

— Не может быть, — рявкнул Василий Олегович.

— Марфа коченеет? — неожиданно спокойно спросил Леонид. — Она... того... самого... все?

Шумаков кивнул.

— Стойте, а где Вика? — ожила Алина.

— Неправда! — закричал Леонид и свалился на ковер.

Слава богу, что с нами в этот непростой момент находился Юра. В отличие от всех он не потерял самообладания и стал наводить порядок. Сначала Шумаков приказал женщинам вернуться в кают-компанию. Никто не спорил — Алина, Аня, Тина, Катя и я, сбившись группой, вновь очутились в комнате отдыха. Туда же через пару минут вошли Никита и Василий Олегович.

— Уложили Леонида в нашей каюте, — сказал Редька, — он внезапно заснул.

— Это шок, — пояснил Юра, посмотрел на нас и сказал: — Шутки закончены. Василий Олегович, ваше желание найти предателя зашло слишком далеко. Умерла абсолютно ни в чем не замешанная женщина. Марфа не имеет ни малейшего отношения к делам кондитерской фабрики. Я хотел вызвать сюда специалистов, но не смог этого сделать, мой мобильный бесследно исчез, он пропал еще до нашего выхода на причал. Я не стал его разыскивать, не хотел всех задерживать.

— И я свой не нашла, — подскочила Аня, — и Никита где-то сотовой оставил.

Самойлов молчал.

— Игорь! — воскликнула я. — Это он! Мой телефон тоже пропал.

— Ты о чем? — прошептала Алина, держась за грудь. — Фу, тошнит.

— Я осталась на корабле, чтобы найти... — начала я и осеклась. — В общем, ходила по теплоходу, ощутила чье-то присутствие, услышала шаги и нашла на кухне рыжего матроса Игоря...

— Нечеловеческого ума блондинка, — сквозь зубы процедил Василий Олегович. — Но меня тебе обвинить не удастся, неравные силы. Ваши аппаратики тю-тю, вы их кто где побросали и не нашли, гулять отправились. Короче, теперь трубки на дне реки.

— Правда? — вдруг испугалась Алина. — Но у меня там нужные номера, их сложно восстановить!

— Дура! — беззлобно ответил Самойлов. — И всегда ею была!

— Он не хотел, чтобы кто-нибудь вызвал сюда ментов, — протянул Никита.

— Приз «Умница года» твой, — хмыкнул Василий. — Связи с Большой землей нет. Капитану приказано увести команду в глубь острова и не возвращаться до двух часов ночи. Еще Иван Васильевич вывернул из рации малюсенькую деталь и унес ее с собой. Крохотная штукенция, но без нее передатчик просто мертвая коробка.

— У хозяина остался мобильный! — заорала Аня. — Василий давал его Тине позвонить! Девушка не вернула ему трубку, опустила ее в карман. Тина, дай скорее аппарат, нам необходима помощь!

Дочь Мананы похлопала себя по бокам, вынула телефон, внезапно уронила его на пол, потом покачнулась и наступила на него. В гостиной раздался характерный звук ломающейся пластмассы.

— Ой! — взвизгнула Тина. — Как это я? Теплоход качнулся, я чуть не упала.

Юра присел на корточки.

— Да уж, за убийство телефона не судят. И как это вы так? Мы не в открытом море, судно и не шевельнулось! Непременно проконсультируйтесь у невропатолога по поводу внезапной потери равновесия. Василий Олегович, до того как ваш подручный лишил нас средств связи, у меня зародились некоторые подозрения. Я позвонил своим коллегам, а те успели быстро сделать кое-какие запросы и доложить мне о результате. Интересный, знаете ли, момент. Вот у Мананы дочь Тина. С самого рождения ребенок отстает в умственном развитии, вылечить девочку невозможно, наука в ее случае бессильна. Но мать надеется на лучшее, Тина постоянно находится под наблюдением специалистов. Два года назад Манана поместила ее в очень дорогое заведение, где Тина добилась поразительных успехов. И вот что интересно — больная и сейчас там. Она не способна путешествовать с матерью, а у Мананы, как я уже говорил, очень ограничены средства...

Я вскочила с дивана:

— Черт побери! Я обратила внимание на некоторые шероховатости, но не придала им значения. Почему Василий Олегович разрешил Манане взять с собой умственно отсталую дочь? Директор фабрики должен был категорически возражать против присутствия на борту больной девушки. Почему Манана решила поехать вместе с Тиной? Она же знает, что бедняжка будет всех раздражать! Отчего мать не беспокоится о дочери? Та хватает со стола любую еду, уходит вместе с Ирой в ее каюту, а Манана даже не вздрагивает. Когда объявили о неизвестной вирусной инфекции, она не бросилась к дочери, не потребовала немедленно отправить ее в больницу, а отреагировала на ситуацию поразительно спокойно! Все перепугались, а Манана нет! Еще один момент. Василий Олегович упомянул о тяжелой доле Мананы: она совсем одинока, не имеет родственников, тянет дочь-инвалида самостоятельно. Но когда на палубе обнаружились куриные перья, Тина вспомнила, как в детстве видела дроздов, попавших в бурю, и сказала: «Моя бабушка их во дворе заметала». Если Манана круглая сирота, откуда у ее дочери бабушка?

— Если добавить к твоему наблюдению сообщение о больших деньгах, пролившихся дождем на голову пиар-директора, то можно сделать вывод, — перебил меня Юра. — Тина — не Тина. Волшебных таблеток не существует. Василий Олегович, вы сами придумали сценарий, или Манана тоже участвовала в написании пьесы?

— Глупости! — вскипела Тина. — Мы с мамочкой...

— Стоп! — приказал Василий Олегович. — Надо уметь проигрывать. Ты прав! Эй, Маня, очнись!

Пиар-директор открыла глаза, села и сердито сказала:

— Деньги не верну, свою роль я исполнила блестяще!

— Офигеть! — ахнула Аня. — Ты нас водила за нос!

Манана посмотрела на нее:

— Тебе меня не понять! Детей у тебя нет, ты не знаешь, каково это, днями и ночами думать, как помочь малышке.

— Ничего не понимаю, — прошептала Алина. — Дениска... ангел... меня обманули? Мой сын... он не в раю?

Юра посмотрел на Василия Олеговича.

— Вам придется рассказать всю правду!

Аня схватила Шумакова за плечо:

— Значит, Манана здорова? Но она приняла «омолодитель»! Пилюля не ядовитая?

Юра сел в кресло:

— Предполагаю, нет. Директор хотел лишь напугать вас. Так?

— Сукин сын! — кинулся на начальника Никита. — Мерзавец!

— Скунс вонючий, — завизжала Аня, — а вы свиные фрикадельки!

Можно было бы рассмеяться, услышав странное ругательство, адресованное Манане и Тине, но мне почему-то стало жутко.

— Гнида, — не успокаивался Никита. — Придушить тебя мало!

— Мне не сказал ни слова, — медленно произнесла Катя. — В голове не укладывается.

— Мешок на башку и в воду, — кипятился Никита. — Дайте я его убью.

— Не надо, — пискнула Света. — Василий Олегович очень хороший. Не трогайте его! Я вас за него покусаю!

Поскольку присутствующие не заметили тихо сидевшую в укромном уголке девочку, ее слова произвели эффект выстрела. Взрослые примолкли, Светлана испугалась и захлюпала носом.

— Спасибо, солнышко, — нарушил молчание директор. — Ты замечательная девочка. Но сейчас быстро уходи в каюту, не надо участвовать в разговоре взрослых.

Светлана проворно выскользнула в коридор. Самойлов положил ногу на ногу.

— Ладно, забудем! Сейчас все честно расскажу, я ничего плохого не сделал. Любой, окажись он в моем положении, поступил бы так же!

Глава 31

Василий Олегович сгорал от желания найти предателя. Поскольку под подозрение попадал довольно широкий круг людей, кондитер задумал спектакль. Самое интересное, что идею нанять «Летучий самозванец» подал ему Леонид. Мужчины любят хвастаться своими победами, но Леня находился в финансовой зависимости от Марфы, поэтому не распространялся о своих приключениях. Язык у Зарецкого развязался лишь один раз, когда они с Василием Олеговичем обсуждали план летнего отдыха. Самойлов поделился желанием слетать на остров в океане, который славится гостиницей со стеклянным полом: идешь по холлу и видишь под ногами подводное царство.

— Сутки в воздухе... — скривился Леня. — Шикарно оттянуться можно и в России! Сесть на теплоход, где капитан исполняет любые твои прихоти. М-да! Уж поверь: в небольших городках встречаются такие персики! Юные блондинки, готовые на все!

— А ты откуда знаешь? — прищурился Василий.

— Приятель рассказывал, — опомнился Зарецкий.

Спустя некоторое время хозяин попросил ученого:

— Дай телефон фирмы, которая сдает пароход с на редкость услужливым капитаном. Хочу всем сюрприз преподнести.

Зарецкий поделился с ним информацией.

— Ну и глупость! — перебила я Василия Олеговича. — Леонид тщательно скрывал свои загулы, он никак не должен был знакомить кого бы то ни было с Иваном Васильевичем. Хотя капитан имеет репутацию человека, умеющего крепко держать язык за зубами, рисковать опасно.

Самойлов исподлобья глянул на меня.

— Тем не менее Леонид нас свел. Я сказал Зарецкому, что хочу устроить семейную поездку, дескать, в последнее время сотрудники жили на нервах, надо расслабиться. Лучше всего поплавать на теплоходе с любимыми людьми. А с Иваном Васильевичем был другой договор. Мы решили, что по дороге судно «сломается», пришвартуется в укромном месте, и там будет разыгран спектакль.

— Козловск подошел идеально, — снова не выдержала я. — На острове одни развалины, земля тут заросла, полное впечатление необитаемости, да еще Иван Васильевич изложил местную легенду, правда, наврал с три короба. Небольшую научную лабораторию превратил в целый завод, живописал страшную катастрофу, наболтал о «жителях, которые ходят на поиски «омолодителя». Люди любят подобные истории и в глубине души верят в них.

Василий повернулся к Юре:

— Твоя баба молчать умеет?

Шумаков обнял меня и прижал к себе. Хозяин кондитерского производства неожиданно улыбнулся:

— Впрочем, Виола права. Козловск — идеальная декорация. А теперь оцените хитрый психологический ход. Кто первым предложил искать «омолодитель», разве я?

— Манана, — мрачно ответила Аня. — Я еще

подумала: бедная мать, может, еще и не так плохо, что я не имею детей, родится такая, как Тина, вот где горе-то!

Самойлов поднял указательный палец:

— Во! А кто принес «омолодитель»?

Никита повернулся к Алине:

— Блин! Ты тоже с ним заодно?

— Нет, — покачала головой диетолог. — Я видела ангела!

Василий Олегович засмеялся, а я вскочила на ноги.

— Поняла! Алина очень критична, постоянно поучает людей, делает всем замечания и не терпит возражений. Реакция, извините, как у подростка: вместо того чтобы не обратить внимание на поведение другого человека, она начинает обсуждать чужие ошибки. Бортникова считает себя истиной в последней инстанции, не упустит возможности высказаться. Василий Олегович расчудесно об этом знал и не ошибся в своих расчетах. Едва в воздухе повисло слово «омолодитель», как Бортникова кинулась в бой. Она в пух и прах разбивает одноклассника, смеется над его коллегами-дураками, готовыми поверить в чепуху. В конце концов, мы все же отправляемся на прогулку, и Василий Олегович предлагает разделиться на группы. Немного странная идея: бродя по незнакомому месту без проводника, лучше держаться вместе, но наш хозяин дробит компанию. Более того, он так умело строит разговор, что Алина обижается и уходит в глубь острова одна. Самойлов достигает своей цели: ему и нужно, чтобы Бортникова осталась без спутников.

— Зачем? — пискнула Аня.

— Ей предстояла встреча с ангелом, — пояснила я. — Вдумайтесь в ситуацию. Алина бредет по лесу, кругом тишина, остров «овеян легендами», тут обитают то ли мутанты, то ли бессмертные люди. Бортникова не верит в охотничьи истории, но даже самый храбрый человек испытает в Козловске небольшое смятение. Мы ведь все суеверны, просто одни честно признаются в своих страхах, а другие их тщательно скрывают. Алина наверняка ощутила легкую тревогу. Внезапно она натыкается на ангела. Устроитель спектакля решил не оригинальничать: херувим выглядит так, как его принято рисовать на картинках: белая одежда, крылья и нимб. Впрочем, я не уверена, положен ли ангелочку по статусу светящийся круг над головой, от кого-то я слышала, что этот знак отличает лишь святых, но Алина не церковный человек, поэтому и застывает в удивлении.

— Откуда нимб? — прошептала Бортникова. — Если все это подстроил Василий, то как он устроил свечение? Поверьте: я отлично рассмотрела посланца неба. Он был настоящим.

Мне стало почти до слез жаль Алину:

— Увы, никто не знает, как выглядит настоящий ангел. Вероятно, у него вовсе нет крыльев. Может, мы каждый день сталкиваемся со своими хранителями и не понимаем, кто они. Но существует, как я уже говорила, стереотип. Вы увидели человека. Вопрос о нимбе несущественный, предполагаю, это некая конструкция на прозрачном креплении, работает от батареек. В столице открыта сеть магазинов, торгующих маскарадными костюмами, если обойти их все, то в каком-нибудь опознают по фото Василия Олеговича.

— Умна не по годам, — издевательски заметил директор. — Юра, на сколько лет твоя любовница старше тебя?

Я не обратила внимания на этот выпад.

— Но главное у ангелочка — не одежда, а его слова про Дениса. Манана недавно говорила, что мать больного ребенка поверит любому шарлатану, обещающему помочь. А мать умершего мальчика? Поставьте себя на место Алины, которой в свое время пришлось принять ужасное решение. Денис был обречен. Продлить его бесполезные мучения или... Не дай бог никому оказаться перед таким выбором. И тут херувим! С таблетками! С сообщением от сына! Даже самый оголтелый атеист получит шок.

— Никто, ни одна душа не знала о том уколе, — прошептала Алина. — Это моя страшная тайна! Я сумела уговорить себя: Денис скончался сам, ушел без страданий и страха. Не было ничего, ни шприца, ни инъекции, ни моих переставших трястись рук. Вообще ничего! И вдруг — серафим, который знает все.

— «И шестикрылый серафим на перепутье мне явился», — вдруг заявила Тина. — Простите, не уверена, что точно цитирую Пушкина. Хочу лишь сказать, что херувим, серафим и ангел — это разные существа!

— Лучше заткнись, — велел Никита.

— Поосторожней, я могу и ответить, — набычилась Тина.

— Вы вкололи Денису морфий, — вздохнула я. — Это строго учетное средство. Просто так его в аптеке не приобрести. Где вы взяли ампулу?

— Купила, — ощетинилась Алина, — у кого, не скажу! Человек мне помог, он не имеет отношения к наркодилерам.

— Нам не нужна фамилия, — пояснил Юра. — Но, если вы проследите цепочку, вспомните, кто посоветовал вам продавца, и поймете, где течь.

— Это я! — воскликнула Катя. — Алина пришла к нам в очень плохом состоянии, ее колотило, как под током. Василия не было дома, я налила Але сто граммов, она выпила и начала плакать, все повторяла: «Не могу видеть его мучения. Разве это жизнь? Врачи говорят — сыну осталась максимум неделя. Почему Денис должен так умирать?» Ну, я и дала ей телефон доктора, который людям помогает.

— Не помню, — прошептала Бортникова. — Ей-богу, позабыла. Утром очнулась дома, смотрю — в сумочке бумажка, на ней номер и слова «сильное обезболивающее». У меня тогда в голове туман клубился.

— Избирательная амнезия, — кивнул Василий Олегович. — Я давно психологией увлекаюсь, книжки почитываю. Наш мозг — хитрая машина, он нацелен на самосохранение и если понимает, что хозяину плохо, ставит блок. Алина могла вспомнить тот разговор с моей женой лишь после сеанса у гипнотизера!

Я скривилась.

— Катерина поделилась со своим мужем чужим секретом, Василий Олегович это запомнил.

Вот уж кто не страдает нарушением памяти, так это он. В нужный момент он сразу понял, как действовать. Не зря Самойлов изучает литературу по душеведению. Он четко рассчитал эффект: Алине, отрицавшей существование «омолодителя», всегда резко и бескомпромиссно говорящей правду, поверят быстрее, чем Манане. И мы попались на этот крючок!

— Как куры в лапшу, — заржал директор. — Едва только Тина стала нормальной, у вас башку снесло. Начали ко мне потихоньку стучаться и таблетки выпрашивать. Вот уж я повеселился! Даже Катя клюнула!

— Знала, что ты сукин сын, но не представляла, до какой степени, — грустно произнесла Катя. — Значит, Манане по сценарию следовало изобразить умирающую, и тут ты выступаешь с заявлением про яд и антидот?

— Класс, да? — потер руки Василий Олегович. — Чтобы не умереть, человек живо в чем угодно признается!

— Да это не сработало! — злорадно отметила Катя. — Никто на коленях за спасительным антидотом не пополз. Может, теперь ты поймешь, что предателя не существует?

— Идиотка, — затряс кулаками Василий Олегович. — Дура, блин! Меня на дикие бабки кинули! И эта гадина здесь!

Алина схватилась за голову:

— Так яда нет?

— Нет, — буркнула я. — Это спектакль, красиво разыгранный вашим начальником при помощи Мананы и посторонней девицы. Все для того, чтобы люди слопали таблетки. Потом остается напугать их и вычислить «крота».

— Зачем так издеваться над нами? — всхлипнула Аня. — Я ведь на короткое время поверила в волшебное средство, понадеялась, что забеременею.

Алина тихо плакала.

— Не увидеть мне Деню! Глупо, ой, как глупо я поступила!

— Вас вынудили, — попытался утешить Бортникову Юра, — сыграли на нервах. На то и был расчет. Василий Олегович мог поступить без затей: собрать всех за ужином, а к концу вечера объявить про яд, дескать, он в салате был, но Самойлов хотел еще и поиздеваться, отсюда и спектакль.

— Меня предали! — в гневе заорал директор. — Я понес огромные убытки! Весь мой бизнес под угрозой, я вложил в новый продукт кучу денег и сейчас нахожусь на грани краха!

— Нечестный человек один, — перекричал его Никита, — а досталось всем! За что?

— А чтоб боялись! — в запале признался Василий Олегович. — Откуда мне знать, может, вы все сообща действовали!

— Ублюдок, — выплюнул Никита. — Увольняюсь с фабрики.

— От тебя никакой пользы нет, — презрительно объявил директор. — Найду сто таких, как Редька, но, пока не обнаружу сволочь, никого не отпущу!

— А при чем здесь Марфа? — спросила Аня.

Все повернулись к жене художника.

— В каюте Леонида нет Вики, — продолжала

Анна. — В постели, если верить Зарецкому, лежала Марфа. Как она туда попала?

Катя подлетела к мужу и начала трясти того за плечо:

— Что ты еще задумал?

— Я сам удивился, — похоже, честно ответил Василий. — Я Ленькину жену никогда не видел. Даже имени ее не знал.

— Врешь, — не успокаивалась Катя.

— Так она правда умерла? — насторожился Василий Олегович. — Я тут ни при чем!

— Леонид сказал, что супруга приняла «омолодитель», — напомнила Аня. — А сам он слопал пилюлю под утро.

Самойлов оперся руками о колени:

— Сказал же, мы разговариваем честно. Да, я замутил историю с ангелом, хотел щелкнуть по носу гадов, которые получают хорошие зарплаты, работают спустя рукава, да еще продают своего хозяина! Но убивать? Позвольте, я интеллигентный человек. «Омолодитель» — всего лишь таблетка из сахара в яркой глазури. Если кому-то стало на некоторое время плохо, то это эффект плацебо. Железная коробочка куплена на блошином рынке, она старая, ей лет сорок. Никакого яда нет!

— Меня тошнит, — простонала Алина.

— Ты психопатка, — пожал плечами Василий Олегович. — У истеричек слишком бурная реакция на любой стресс!

— Марфа-то умерла, — пробормотала Катя.

— Ерунда, — отмахнулся Василий Олегович. — Она спит.

— Нет, — покачал головой Юра. — Тело уже почти окоченело.

— Я тут ни при чем! — отрубил директор.

— Яд был! — взвизгнула Аня. — Ты хотел нас убить! Говори, где антидот!

Василий Олегович сложил фигу:

— Накося выкуси! Кто инфу слил? Твой Никита?

— Отрава действует, — стонала Алина. — Руки-ноги парализует!

Манана подошла к Бортниковой и пощупала у той ступни:

— Холодные! Прямо лед!

— Вас арестуют как сообщников, — мстительно вякнул Никита.

— Кого? — подскочила Манана.

— Тебя, — издевательски повторил художник, — и эту сучонку.

— Меня нельзя, — с убеждением сказала пиар-директор, — я рощу дочь-инвалида.

— Ее в приют, тебя на зону, — поддержала мужа Аня.

Манана бросилась к Василию Олеговичу:

— Скажи, что они врут!

— Естественно, — пожал плечами Самойлов. — Мы ничего противозаконного не совершали, устроили небольшой розыгрыш.

— Марфа умерла, — прервала я дискуссию. — Вы не поняли?

— Значит, трясите Леньку, — взвыл Василий Олегович. — Это его рук дело. Привез шлюху, назвал женой, потом невесть куда ее дел, приволок взамен супругу. Зарецкий крутую кашу заварил, у него тут свой интерес! Правильно она сказала, правильно! — Он ткнул мне в лицо указательным пальцем. — Почему Ленька контакт с Иваном Васильевичем мне дал? Ему о теплоходе молчать надо было! Какого хрена он разоткровенничался? Мы только по работе близки, расходимся по домам и друг о друге не вспоминаем! Что он задумал? В коробке сахар был! Хотите, докажу?

Василий Олегович живо вскочил, убежал в коридор. Через пару секунд он вернулся, держа в руках жестяную тару, и открыл ее. На дне каталась ярко-красная пилюля.

— А теперь подумайте, — снисходительно заявил Самойлов. — Находись тут яд, я бы либо выбросил пилюлю, либо тщательно спрятал ее. А коробка стояла в каюте, на тумбочке. Черт!

— Что? — моментально отреагировал Юра.

— После того как я дал таблетки Леониду, тут оставалось четыре штуки, — нахмурился Василий Олегович. — Зарецкий хапнул две, я не стал возражать, чем больше народу испугается, тем лучше, вручил ему «омолодитель» и лег спать. Отлично помню: в коробке было четыре пилюли. Куда они подевались?

— Не все ли равно, где они, — напряженным голосом ответила Катя. — Лекарство не представляет собой опасности, так?

— Так, — закатил глаза Василий Олегович. — Так! Так!

— Докажи! — топнула ногой жена.

Супруг протянул ей коробку:

— Можешь отнести это в лабораторию.

— Есть лучший способ, — отозвалась Катя. — Проглоти ее на наших глазах.

— Легко, — пожал плечами ее муж.

— Лучше не надо, — предостерег Юра, — мало ли что.

— Что? — гаркнул Василий Олегович. — Ты мне не веришь!.. Брехуном считаешь? Сто раз говорил: я хотел найти предателя. Тебя нанял! А толку? Нарыл, козёл, сведений про их долги! Я и без тебя про эти проблемы знал! Хренов следователь! Работать не умеешь! Приволок сюда свою бабу на дармовщину гулять! Где результат? Мусор поганый!

Юра сжал кулаки, я повисла у него на шее.

— Стой. Приятель твоего отца — провокатор, мы не знаем, что еще он задумал. Василий Олегович просчитывает на десять ходов вперед. Он не зря сейчас говорит гадости.

— Умненькая стерва, — похвалил меня директор. — Да все равно тупая! Фу, устал я! Ну, глядите!

Быстрым движением он запихнул в рот таблетку, запил ее водой, потом поманил пальцем Аню:

— Хочешь мне в глотку заглянуть, чтобы удостовериться, что я сожрал пилюлю?

Алина резко вскочила:

— Там правда сахар! Меня перестало тошнить! Ноги теплеют!

Василий Олегович сел на диван.

— Все! Третья часть марлезонского балета исполнялась на японском языке. Можно и передохнуть!

— Балет не пишется на каком-либо языке, — продемонстрировала привычное занудство Алина.

Самойлов вяло похлопал в ладоши:

— Браво, ты перестала умирать!

Катя опустилась на пол.

— Тебе плохо? — заботливо спросила Тина. — Давай, отведу тебя в каюту.

Катя посмотрела на девушку:

— Тебе не стыдно зарабатывать обманом?

Тина пожала плечами:

— Каждый устраивается как может, это всего лишь работа.

В гостиной стало тихо.

— Так кто из вас сука? — спросил Василий Олегович, зевая. — Все равно докопаюсь, и...

Дверь распахнулась, на пороге возник Зарецкий.

— Явление третье. Те же и благородный принц, — съязвил Никита.

Зарецкий обвел присутствующих лихорадочным взглядом, подошел к Юре и протянул ему руки.

— Арестуйте меня.

— Не имею права, — ошарашенно сказал Шумаков. — Я нахожусь здесь как частное лицо.

— Вы мент? — распространяя запах спиртного, спросил Леонид.

— Да, — согласился Юрасик.

— Так арестуйте меня!

— Пьяная морда, — фыркнула Аня. — Нам после всего не хватает только драки.

— Сотрудник органов не имеет права... — начал Юра, но Зарецкий перебил его:

— Арестуйте меня. Я убийца!

Глава 32

— Вы пережили стресс, — деликатно сказал Юра, — и, похоже, пытались снять его алкоголем. Лучше вам пойти поспать. До следующего утра.

— Утра не будет, — икнул ученый. — Я убил Вику! Марфа умерла сама! Мне без нее плохо!

— Так в каюте лежит ваша законная жена? — уточнила я.

— Да, — согласился Зарецкий. — Марфа!

— А где Вика? — спросила я.

Леонид ткнул пальцем в иллюминатор:

— Там! В реке! Марфа ее утопила!

Василий Олегович издал кудахтающий звук:

— Кто еще считает меня выдумщиком? Всего-то хотел найти предателя. Ясно теперь, кто здесь псих? Леня, ты убил не Вику, а Марфу!

— Нет, Вику, — покачиваясь, ответил Зарецкий. — Мы с ней план придумали! Отличный! Но не срослось. Марфа! Почему она умерла?

— Он не в себе, — сказал Никита.

— Спиртное плюс сильный стресс — убойное сочетание, — кивнула Аня.

— Я абсолютно трезв! — не согласился Леонид.

— Запах! — отметила Алина. — От тебя водкой несет.

— Пятьдесят граммов для храбрости. Я хочу признаться! При всех! Сейчас! Немедленно! — бубнил Зарецкий. — Жизнь кончена. Ангел был прав! Он мне грозил!

— Что ты несешь! — разозлился Василий Олегович. — Уведите дурака вон!

И тут я вспомнила, как мы все, стоя на палубе, увидели фигуру в белом, и бросилась к ухмыляющемуся Самойлову:

— Как можно быть таким подлым! Вы велели человеку Ивана Васильевича, тому, кто изображал ангела, показаться нам на глаза. Скорее всего, позвонили исполнителю на мобильный, и тот стал расхаживать по берегу, чтобы его увидели пассажиры!

— Точно! — хлопнул себя по бедрам Юра. — Василий Олегович креститься начал и на херувимчика указывать.

— Прохиндей! — прозвенел голос Ани.

— Леонид решил, что посланец небес упрекает его в чем-то, — сказала я. — Зарецкий тогда убежал сам не свой.

— Да, — безропотно согласился Леонид. — Божий помощник дал мне понять, что я плохое дело совершил! Его ко мне господь послал! Но Марфа меня успокоила!

— Ангела не существует, — промямлила Аня.

— Леонид не присутствовал при нашем разговоре, — напомнил Юра, — и он не адекватен.

— Марфа сказала: «Мы должны быть вместе», — со странным, каким-то замороженным выражением на лице говорил Леонид, — но она умерла. У меня руки в крови!

— На трупе нет следов ранений, — попытался вразумить Леонида Никита. — Я не понимаю, как здесь очутилась Марфа, но, похоже, она скончалась от сердечного приступа или инсульта.

— Все воды Аравии не очистят этих рук... Извините, вероятно, я не совсем точно процитировала «Леди Макбет» Шекспира, но, полагаю, что про кровь он тут нес аллегорически, — высказалась Тина.

Я покосилась на девицу. Это уже вторая цитата из классики, в правильности которой Тина сомневается. Но, несмотря на плохую память, девушка хорошая актриса. Я ей поверила, в особенности в первый день пребывания на борту, за завтраком, когда лицедейка изображала умственно отсталую дочь Мананы.

— Марфа приплыла, — сказал Зарецкий.

— Ага, — кивнул Никита, — с аквалангом?

— Да, — согласился ученый.

— Из Карибского моря? — развеселился художник. — Не ближний путь.

— Нет, — возразил Леонид, — из Конакова, тут близко.

— Осетр! — подскочила я. — Ночью на палубе находился не Антон!

— Есть что-то, о чем я не знаю? — строго спросил Юра.

Я попыталась внятно рассказать о небольшом инциденте, случайным свидетелем которого стала.

— Я увидела, как на палубу вылезает чудовище, сначала решила, что это мутант из Козловска.

— Ой, дура! — покачал головой Василий Олегович.

Но меня не так-то просто сбить с курса.

— Потом поняла: на судно поднялся аквалангист. Гидрокостюм, ласты, маска начисто обезличивают. Затем появилась еще одна фигура, похожая на мужскую. Дайвер нырнул в воду, помощник сбросил ему длинный сверток, который незваный гость увез на резиновой лодке. Я решила, что это браконьеры! Официант Антон торгует черной икрой, банки спрятаны в столовой, я застала парня в тот момент, когда он опустошал свои запасы, и подумала: тюк в лодке — осетр, эти рыбины порой достигают двух метров!

Василий Олегович скорчил гримасу:

— Снимаю шляпу! Наш пострел везде поспел, и рыбку съел, и косточкой не подавился! Вилка, у тебя есть запасные уши на спине? Или глаза на заднице? Все увидела, услышала, разнюхала, лапами раскопала!

— Это случайно вышло, — смутилась я. — Просто оказывалась в нужном месте в час икс.

Леонид обхватил колени руками и заговорил. Речь Зарецкого состояла из коротких рубленых фраз. Так говорят дошкольники — без красочных эпитетов, деепричастных оборотов и прочей цветистости, излагая исключительно информацию по делу. Выглядел Леонид странно, он раскачивался из стороны в сторону, глаза его остекленели, а губы кривила гримаса. Похоже, Леониду не требовался слушатель, он говорил так, словно выбрасывал из себя нечто лишнее, мешающее, и производил неприятное впечатление. Через пару минут я растерялась окончательно и посмотрела на Юру. Шумаков опустил руку мне на плечо. Похоже, его тоже шокировало бесстрастное изложение фактов и холодный их комментарий.

Леонид не раз изменял жене и всегда выходил сухим из воды. Провинциальные красавицы не знали ни адреса, ни телефона своего кавалера. Зарецкий чувствовал себя в полнейшей безопасности. Девицам он давал оговоренную сумму и не предвидел сложностей. Но на всякого охотника найдется сотый медведь. Однажды, приобретая в магазине пиджак, ученый обратил внимание на симпатичную продавщицу, как раз в его вкусе: очаровательная блондиночка двадцати лет от роду.

Девчонка была так хороша, столь зазывно улыбалась Зарецкому, что ловелас дрогнул и нарушил правило не затевать интрижек в Москве.

Вика казалась очаровательно глупенькой, с ней Зарецкому было весело, но, в конце концов, восторженная дурочка ему приелась, и Леня попросту перестал ей звонить. Он выбросил симку с номером, который знала Вика, и жил спокойно до той поры, пока в его московской квартире не зазвенел телефон и он не услышал знакомый капризный голосок, протянувший:

— Папочка, ты про меня забыл?

Испуганный Зарецкий помчался на свидание к Вике. Девушка без всякого стеснения призналась:

— Я твои права на вождение открыла и все оттуда списала. Не бросай меня, я беременна! Папочка! Почему ты не радуешься? У нас родится маленький!

Вот когда у Лени затряслись поджилки: меньше всего он хотел стать отцом. В далекой юности Леонид уже совершил ошибку: в девятнадцать лет женился на своей однокурснице, в двадцать получил сына. Постоянно кричащий младенец, финансовые проблемы и теща, безостановочно воспитывающая юного зятя, не укрепили молодую семью. Едва новорожденному исполнилось полгода, как Зарецкий сбежал и от супруги, и от отпрыска. С тех пор Леня никогда не встречался ни с мальчиком, ни с его матерью, хотя и вынужден был восемнадцать лет платить алименты. Неудачная первая женитьба навсегда отбила у Зарецкого желание размножаться. Слава богу, Марфа тоже не хотела детей и не имела гиперзаботливой матушки — второй брак оказался счастливым. И тут сообщение от Вики!

Сначала Леня подумал, что глупая блондинка легко согласится на аборт. Он предложил ей простой выход:

— Я оплачиваю все расходы, ты ложишься на день в шикарную клинику, и вопрос решен. Как только поправишься, я куплю тебе машину.

— Убить малыша? — испугалась Вика. — Никогда! Мне в метро дали листовку, в ней сказано, что во время операции маленький все чувствует!

Проклиная противников абортов, Леня повторил:

— Получишь симпатичную малолитражку и забудешь про поездки в подземке. Ты хочешь колеса?

— Ага, — призналась Вика, — круто сидеть за рулем. Но убивать Сашеньку я не стану.

— Сашеньку? — вытаращил глаза Зарецкий.

Любовница погладила абсолютно плоский живот.

— Его так зовут, он живой! Ты способен убить нашего ребеночка?

Леонид чуть не заорал в ответ: «Запросто!» — но сдержался. Несколько недель Зарецкий пытался уломать бывшую подругу. Теперь в придачу к машине он обещал ей еще и квартиру, но Вика упорно твердила:

— Нет! Сашенька нас любит, не говори так, ему страшно.

Леонид использовал все аргументы. Он приводил Вике все мыслимые и немыслимые доводы:

— Ты не получишь образования, вечернее отделение института придется бросить. Где возьмешь деньги на жизнь? Ты не сможешь нанять няню, а ребенок не щенок, его одного дома не оставить. Кстати, ты ютишься в коммуналке. Не дай бог, заболеешь, кто ухаживать за вами будет?

Вика моргала и отвечала:

— Ты! Это же наш Сашенька!

У Зарецкого возникло странное ощущение: он вязнет в патоке, делает много интенсивных движений, но вязкая масса не дает ему продвинуться вперед. Вика давно перестала нравится Лене, долг Зарецкого Акуле рос не по дням, а по часам, на работе накопились проблемы, и вдобавок Леонид, ставший в последнее время рассеянным, попал в аварию, разбил дорогой автомобиль.

Как-то раз, придя домой после очередного бестолкового разговора с Викой, Леонид услышал звонок телефона, схватил трубку и обомлел. С той стороны провода оказался Акула, процентщик вкрадчиво сказал:

— Мое терпение заканчивается.

— Подождите еще неделю, — зашептал Зарецкий — и никогда больше не звоните мне домой, только на мобилу.

— А что изменится через семь дней? — засмеялся кредитор. — Не можешь расплатиться, отдавай квартиру.

— Жилплощадь принадлежит жене, — попытался отбиться Леня.

— Заберу ее вместе с бабой, — усмехнулся Акула. — Хотя нет, она у тебя старая. Короче — три дня, потом приму меры.

Едва Леонид положил трубку на столик, Марфа спросила:

— Что случилось?

Зарецкий разрыдался и покаялся во всем супруге. Марфа не стала закатывать скандал. Для начала она обналичила все свои сбережения и отвезла Акуле долг, расплатилась до копеечки, вернула не только основную сумму, но и грабительские проценты, а потом сказала мужу:

— Попытайся решить ситуацию с Викой.

— Она не хочет делать аборт, — простонал Леонид, — требует развода.

— Никогда, — отрубила Марфа. — Я потеряю клиентов, мы оба станем нищими, конкуренция среди психологов огромна. Едва пойдет сплетня о нашей семейной проблеме, как «друзья» раструбят — Зарецкая не может справиться с личными делами, где уж ей в чужих разобраться. Я всегда на виду, ко мне в центр ходят представители шоубизнеса, за ними тянутся простые люди. Всякому приятно исповедоваться в кабинете, где до тебя плакался селебретис. Журналисты меня ненавидят, сколько раз подкатывались, просили нарушить врачебную тайну, обещали деньги и полнейшую секретность. Я всех посылаю. И теперь мне отомстят, устроят на тебя охоту, разберут по косточкам, вытащат на свет божий твои похождения. Звезды не любят шума, переметнутся к другим психотерапевтам, за ними уйдет и не пафосная клиентура. На дворе кризис, мой банковский счет обнулен. Леня, Виктория обязана сделать аборт. Будь мужчиной. Раз кретинка не повелась на материальные блага и упорно желает произвести на свет ребенка, напугай ее!

Зарецкий поехал к любовнице и заявил:

— Задумала меня восемнадцать лет доить? Знаю, проходил. В первый раз я был молодой идиот, но сейчас поумнел. Малыша я не признаю, мою фамилию он не получит, на алименты не рассчитывай.

Вика растерянно заморгала:

— Мне подружка сказала, что сейчас делают анализ, который стопроцентно подтверждает отцовство, затем идут в суд, и все. Я не для себя постараюсь, для Сашеньки.

Узнав от мужа планы Вики, Марфа разгневалась:

— Хорошо, мы с ней разберемся.

Спустя десять дней жена предложила Леониду план.

— Ты говорил, что Василий Олегович рассказывал о своих планах собрать сотрудников с семьями на отдых?

— Да, — кивнул Зарецкий. — Но только он пока не знает, где устроить тусовку, планирует поездку дней на десять.

— Отлично, — обрадовалась Марфа. — Предложи ему тот теплоход, где сам развлекался!

Леонид воскликнул:

— Идиотская идея! Капитан, правда, гарантирует строжайшую секретность и до сих пор никогда не подводил, но мало ли что! Вдруг растреплет Василию про мои вояжи.

— Очень хорошо, — сказала Марфа. — Ты сядешь на теплоход вместе с Викой, представишь ее всем как свою жену.

— Ты заболела? — с тревогой спросил Леонид. — Наша задача скрыть адюльтер, а не выпячивать его.

— Наша задача не платить восемнадцать лет алименты, не попасть на судебный процесс по установлению отцовства и не стать ньюсмейкерами для желтой прессы, — повысила голос Марфа. — Ты готов содержать ребенка и его мать? Имей в виду: я ни копейки не дам из своих заработков. Ты не умеешь выделять главное. Да, очень плохо, если об измене моего мужа узнают посторонние, но остальное еще хуже. В конце концов, мы сумеем выйти сухими из воды, объявим Вику психически больной. Но, полагаю, шума не будет, твой Василий Олегович уладит конфликт, у него полно бабок.

— Не надо ничего говорить Самойлову, — испугался Леонид.

Марфа снисходительно посмотрела на ловеласа:

— Я и не собиралась. Он сам не захочет быть причастным к самоубийству.

Глава 33

— Самоубийству? — пролепетал Леонид. — Но... как?

— Слушай, — приказала жена.

План оказался непрост, зато сулил хороший результат. Леня сядет с Викой на теплоход. Корабль ночью окажется в районе местечка Котлово. Там его будет поджидать Марфа, одетая в гидрокостюм и снабженная резиновой лодкой. После ужина Леня напоит Вику вином с убойной дозой снотворного, завернет тело в кусок брезента, пронесенный на борт в одном из чемоданов, перевяжет его веревкой, оттащит на палубу и сбросит в воду. Марфа положит труп в лодку, отбуксирует ее на самое глубокое место, прицепит груз, выдернет затычку, подождет, пока весь воздух выйдет и останки Вики утонут, и поплывет назад, к Лене.

У Вики с Марфой одинаковые фигуры. Если законная супруга Лени нарастит себе волосы, выкрасит их в золотисто-медовый цвет и сделает химическую завивку, издали женщин можно перепутать.

Чтобы осуществить задуманное, Марфе предстояло потом сутки не высовываться из каюты Зарецкого, а когда теплоход доплывет до самого безлюдного участка реки, где вокруг нет ни одного села и берега представляют собой отвесные обрывы, Марфа с воплем бросится в реку. Задача Леонида — в определенный час собрать пассажиров на средней палубе, куда выходят двери столовой. Марфа же, переодетая в вещи Вики, сиганет с верхней. Несколько секунд «самоубийца» побарахтается в реке, потом уйдет под воду.

Марфа плавает как рыба, она заранее спрячет в реке акваланг. Пока пассажиры очнутся от шока, пока позовут капитана, пока начнут поиски Вики, Марфа отплывет подальше, выберется на берег, возьмет положенный в укромном месте рюкзак, переоденется и спокойно уедет.

Тело Вики не найдут. Все присутствующие подтвердят: женщина сама бросилась в воду. Чтобы ни у кого не возникло подозрений, Леониду нужно провести подготовительную работу с пассажирами. Он должен покаяться, сообщить правду о любовнице, пожаловаться на истеричность своей подруги, ее эгоизм и собственную глупость, сказать:

— Я, идиот, повелся на свежую мордашку. Моя жена — святая, я никогда ее не брошу! Заявлю Вике, что наши отношения исчерпаны, я обожаю Марфу!..

Леонид закашлялся, Аня быстро подала Зарецкому бутылку воды.

— Ясно, — произнес Никита. — Взбалмошная девица якобы услышала об отставке и свела счеты с жизнью.

— Я знаю, как милиция любит заниматься такими делами, — подхватила я. — Сплошная головная боль, отчетность портят, славы не приносят. Да еще в провинции небось работает один патологоанатом, и у него вскрытий по горло. Живо бы оформили этот случай как суицид. И до прессы дело не дойдет: несчастье случилось в медвежьем углу, слава богу, в России папарацци кучкуются в крупных городах, что им делать в деревне? Самойлову тоже огласка не нужна. Солидные чаевые от Леонида и Василия Олеговича заставят капитана и членов команды держать язык за зубами. Насколько я поняла, Вика сирота, искать ее некому. А ведь девушка была права, он ее толкнул!

— Кто? — не поняла Аня.

Я посмотрела на Зарецкого, который, закрыв глаза, полулежал в кресле.

— Как выдать Марфу за Вику? Фигуры похожи, прическу легко изменить, другой тембр голоса можно объяснить внезапной простудой, но лицо? Как ни накладывай грим, никто не примет даму за юную барышню. Значит, Марфе необходимо спрятаться в каюте и сидеть там, пока теплоход не придет в условленное место. Организаторы «самоубийства» столкнулись с нешуточной проблемой: тело настоящей Вики надо утопить глубокой ночью, иначе могут появиться неожиданные свидетели преступления. А прыгать с палубы нужно днем, чтобы этих свидетелей было побольше. Но если Вика не выйдет к завтраку и обеду, пассажиры забеспокоятся. Леонид может сказать, что у его спутницы мигрень, но вдруг кто-то из женщин захочет принести девушке фрукты, чай? Зарецкий должен быть начеку, а если произойдет накладка? И парочка убийц придумала еще один трюк. Красавица упадет, расквасит себе нос, повредит лоб, ей придется заклеить раны пластырем, а еще лучше — замотать бинтом. Если кто-то паче чаяния вломится в каюту с соболезнованиями, Марфа быстро прикроется полотенцем и застонет: «Уходите, не смотрите, я уродина».

Леонид не первый раз на корабле, он знает, что в столовой, некогда бывшей палубой, есть два железных крепления, прикрытых тонким паласом. Надо лишь умело толкнуть Вику, и та повредит лицо. Если девушка шлепнется мимо «гайки», ей все равно будет больно, Леонид быстро утянет бедолагу в каюту, а потом соврет окружающим про травму и нежелание подруги кого бы то ни было видеть. Зарецкий блестяще привел план в исполнение. Когда мы сели за стол, он попросил Вику принести ему мобильный. Чтобы она упала, ей надо было не сидеть, а стоять! Но любовница реагирует на его просьбу не так, как ожидал Леня: она не вскакивает, не бежит на палубу, а отправляет официанта на поиски аппарата. Однако Зарецкий не сдается, он просит «любимую» передать ему кофейник. Вика опять ленится встать, тянется к буфету и... падает вместе со стулом. Со стороны происшествие выглядит случайностью. Девушка шлепается лицом прямо на крепление, ей больно, по щеке течет кровь.

— Ты меня толкнул! — обвиняет она Леню.

Все воспринимают ее заявление как очередную демонстрацию глупости. Но теперь-то ясно: Зарецкий действительно толкнул свою любовницу — и ему повезло, Вика приложилась прямо о железку.

Аня бросилась на шею Никите:

— Куда мы попали? Увези меня домой!

Редька отстранился от жены:

— Непонятка выходит! Зачем Леониду убивать Марфу?

Манана уставилась на Василия Олеговича, который сидел, закрыв глаза, с ухмылкой на губах.

— Скажи, что это тоже спектакль! Марфа — коллега Тины?

Директор не счел нужным отвечать, зато занервничал Леонид:

— Марфа моя жена!

— И на хрена ты ее убил? — заорала Алина.

— Она... сама... того, — прошептал Леонид. — Мы вечером немного повздорили. Я принес от Василия лекарство и говорю жене: «Давай примем, вдруг про омоложение правда!» Она ни в какую, обозвала меня идиотом, впала в ярость, налетела на меня, шипела, как кошка: «Кретин полоумный!» И швырнула пилюли в унитаз.

— Вашей жене нельзя отказать в благоразумии, — кивнул Юра.

Леонид съежился и стал похож на больного воробья.

— Мы поцапались, наговорили друг другу гадостей, я ушел в ванную, просидел там долго, выхожу, Марфа плачет. Никогда ранее не видел ее рыдающей.

— Иногда в убийцах просыпается совесть, — заметил Шумаков. — Они даже с повинной приходят.

— Марфа мне сказала: «Мне страшно! Нас могут поймать, посадят, жизнь закончится. Вдруг ты прав и таблетки работают? Сходи к Василию и возьми для нас новую дозу!» Ну я и пошел!

— Ты к нам не заглядывал! — сразу отреагировала Катя.

Леонид скорчил гримасу:

— Вы спали. Сначала я тихонько постучал, потом понял: дверь не заперта, заглянул — вы оба в отключке, дрыхнете. Коробка на тумбочке стоит, я открыл и вытащил пилюли. Их там всего четыре было, после моего ухода осталось две.

Екатерина возмутилась:

— Разве красиво брать чужое?

Леонид оскалился:

— Ишь ты! Хозяйка жизни! Коробку ангел отдал Алине, а Василий ее экспроприировал. И я же не все хапнул, пара штук осталась! Их порция! — Зарецкий ткнул рукой в нас с Юрой: — Я специально все пересчитал и понял: никого не обижу.

Катя молчала, зато Юра велел:

— Дальше! Марфа первой приняла «омолодитель» и...

— Мы еще немного поговорили, потом она заснула, — с трудом произнес Зарецкий. — Я выпил пилюлю после нее, а утром не стал жену будить. Решил, что она поздно легла, мы очень перенервничали...

— Конечно, — кивнула я, — было от чего. Весь тщательно разработанный план чуть не пошел прахом. Вместо того чтобы плыть намеченным маршрутом, теплоход бросил якорь у Козловска. Оставить в живых Вику вы не могли, еще пару недель — и ее беременность могла стать заметной. Марфе пришлось попотеть!

Зарецкий свесил голову на грудь.

— Я позвонил ей, рассказал про форс-мажор, жена велела ждать ее ночью у Козловска. Мы переделали сценарий, «самоубийство» запланировали на сегодняшний вечер! Но... но... я больше не могу! Устал.

— Не надо, — спокойно сказал Юра.

— Василий Олегович устроил нам спектакль, — влезла Алина, — а Зарецкий, ничего не зная о его планах, надумал решить свои проблемы!

— Так кто убил Марфу? — громко спросила Тина. — Зачем? Не вижу смысла!

— Леонид тут ни при чем. — Бортникова взяла ученого под свою защиту. — Он без жены пустышка, нищий, голый и босой. В интересах Зарецкого было заботиться о долголетии Марфы.

— Убийца здесь, — объявил Никита. — Мы

ушли на остров, а на теплоходе оставалась только Вилка!

Я вцепилась в Юру:

— Бред! Я никогда не встречалась с Зарецкой. Когда вошла в каюту, Марфа уже была мертвой!

— Я не судебный медик, — быстро подхватил Шумаков. — Но, исходя из своего опыта, предполагаю: Марфа скончалась рано утром, часов в шесть. Леонид не будил жену, он решил, что та крепко спит, но Марфа уже умерла.

— Значит, Ленька ее и пристукнул, — взвизгнула Манана.

— А смысл? — прищурился Никита. — За фигом уничтожать дойную корову?

— Вам этого не понять! — взъерепенился Зарецкий. — Я любил жену!

— Мальчик девочку любил, мальчик девочку убил, — кривляясь, пропела Тина.

В ту же секунду Леонид кинулся на наглую комедиантку. Я попыталась остановить его, но не смогла. Тина, поняв, что перегнула палку, с визгом бросилась к двери, споткнулась о вытянутые ноги Василия Олеговича и упала. Юра успел схватить Зарецкого за брючный ремень, тот стал изворачиваться ящерицей.

— Мама! — вдруг заорала Тина. — Ой, мамочка!

— Да, доченька, — машинально откликнулась Манана и прикусила язык.

— Кое-кто заигрался, — хохотнул Никита. — Манана, ты хотела нормального ребенка? Забирай! Вот он сидит!

— Василий Олегович, — в ужасе заверещала Тина. — Что с ним?

Юра отпустил Леонида, тот, забыв про желание наподдать девице, сделал шаг назад.

— Он странно лежит! На боку! Голова запрокинулась! А-а-а-а!

Никто из нас не мог пошевелиться. Леонид закатил глаза и, как растаявшее мороженое, стек на ковер и замер.

— Василий Олегович, — окликнул Никита, — ты спишь?

— Дорогой, проснись, — проговорила Катя.

— Он умер, — объявила Алина, — летальный исход.

— Чушь, — не согласился Никита. — Он только что разговаривал и выглядел на миллион евро.

— Мама, мама, — повторяла Тина. — Мама!

Аня, зажав рот рукой, выскочила из кают-компании. Катя продолжала смотреть на мужа. Алина подошла к Тине и протянула ей руки:

— Вставай, пошли в столовую.

— Угу, — согласилась девушка, но тут же спросила: — Он умер?

Алина проявила не свойственную ей деликатность:

— Вероятно, но мы можем и ошибаться.

— Деньги! — возмутилась Тина. — Мне дали только предоплату, тридцать процентов от суммы! Как я получу остальное? Иван Васильевич жмот, соврет теперь, что клиент с ним полностью не расплатился, оставит мой гонорар в своем кармане! Невезуха!

Шумаков решил взять ситуацию в свои руки:

— Внимание! Всем разойтись по своим каютам. Леонид, ступайте в нашу с Виолой. Никита, отыщи Аню. Алина и Тина пусть сидят в столовой. Вилка! Найди матроса, которого тут оставили на хозяйстве, и срочно отправь его на берег за Иваном Васильевичем и командой. Самойлов уничтожил наши мобильные, а нам необходимо наладить связь.

Я помчалась в камбуз, но Игоря там не обнаружила. Пришлось спускаться на самый нижний уровень в каюту экипажа. Матрос лежал на койке, укрытый до подбородка тонким одеялом.

— Хватит дрыхнуть, — приказала я, — на борту два трупа. Беги за капитаном.

— Не могу, — выдохнул Игорь. — Мне плохо! Еле дышу!

Поверьте: никогда ранее я не носилась с такой скоростью, как сейчас. Не прошло и секунды, как я оказалась около Алины, которая в столовой поила Тину чаем.

— Где ваша сумка с лекарствами? — заорала я. — Игорь умирает!

Несмотря на гадкий характер, Алина, очевидно, была хорошим врачом. Она вихрем кинулась в свою спальню, и мы вскоре очутились в каюте команды.

Диетолог наклонилась над матросом:

— Объясни, что с тобой?

— Дышать не могу, совсем.

Алина отломила головку ампулы:

— Ты страдаешь аллергией?

— Не знаю.

— У тебя есть хронические заболевания? — деловито задавала вопросы Бортникова.

— Двойка в году по немешу, — невпопад ответил парень.

Алина всадила иглу в ягодицу матроса.

— Что вы ему колете? — прошептала я.

— Преднизолон, — ответила диетолог. — Эй, ты как? Не спи!

Игорь приоткрыл глаза и захрипел.

— Сейчас, сейчас, помогу — пообещала Алина. — Вилка, у тебя есть шариковая ручка? Знаешь, бывают такие прозрачные пластиковые трубочки, из них вытаскивается стержень.

— Зачем тебе? — поразилась я.

— Неси скорей, — приказала Бортникова. — Еще прихвати водку из столовой. Живее.

Я снова развила сумасшедшую скорость и принесла требуемое. Алина держала Игоря за руку и пыталась выяснить, что случилось.

— Ты ел сегодня что-нибудь необычное?

— Нет.

— Может, полакомился никогда ранее не пробованной конфетой?

— Нет.

— Побрызгался чужим одеколоном?

— Нет. Я... я... я...

— Что? Говори скорей, от твоих слов зависят мои дальнейшие действия!

Игорь с трудом разлепил губы:

— Таблетку. Красную! Съел!

— Где ты ее взял?

— В коробке. Железной. В каюте. Утром! Рано! Все спали!

— Ты залез в спальню к Василию Олеговичу, чтобы взять «омолодитель»! — осенило меня.

— Да.

— Зачем? — возмутилась я.

— Я слышал. Говорили: кто съест, будет жить вечно. Я тоже хочу, — признался дурень.

Алина положила парню руку на лоб:

— Не нервничай. Никто тебя ругать не станет. Ты проглотил пилюлю. Когда?

— Почистил картошку. Убрал. Отдохнул. Съел.

— Давно это случилось? — нахмурилась врач.

— Не помню.

— Попытайся.

— Десять минут. Пять. Хотел ночью. Испугался. Хочу и страшно! Думал! Думал! Съел.

Игорь закрыл глаза.

— Не спи, — велела Алина, — нельзя, держись.

— Сколько пилюль было в коробке, когда ты ее открыл? — спросила я.

— Две, — выдавил из себя Игорь и начал синеть.

Бортникова скинула жакет и вытащила из сумки тонкий стальной нож.

— Вилка! Освободи ручку от стержня, облей ее водкой, дай мне скальпель. На счет три подашь мне прозрачную трубочку. Ну.

Ничего не понимая, я выполнила ее приказ. Алина перекрестилась:

— Господи, помоги, делала это всего один раз в жизни. Ну, спаси и помилуй. Раз!

Скальпель вонзился в горло Игоря, потекла кровь.

— Два, три, — скомандовала доктор.

По непонятной причине я сохранила живость реакции и моментально вложила в руку Алины прозрачную трубочку от ручки. Алина воткнула ее в рану на горле Игоря и выдохнула:

— Фу! Получилось!

Глава 34

— Что ты сделала? — стараясь не упасть в обморок, просипела я.

Алина рухнула на табуретку.

— Трахеотомию в полевых условиях. На принятие решения были считаные минуты. Надеюсь, я права. У мальчика отек гортани, еще немного, и он бы задохнулся. Сейчас воздух поступает через трубку. Парня необходимо срочно отправить в больницу. Я провела вмешательство без должной обработки операционного поля, в антисанитарных условиях. Водка лучше, чем ничего, но от нее не так уж много толка. Иди в гостиную, объясни Юре ситуацию.

— Ты спасла ему жизнь, — прошептала я.

— Давай без патетики, — отмахнулась Алина. — И не делай скоропалительных выводов, все еще может закончиться плохо.

Я побежала к Юре и по дороге наткнулась на... Ивана Васильевича, который невозмутимо шагал по коридору. Никогда и никому в жизни я так не радовалась.

— Вы вернулись! Скорее помогите вызвать сюда врачей, а еще лучше заводите мотор и спешно рулите к населенному пункту с больницей!

Капитан скосил глаза к носу.

— Рация сломалась. А где ваш женщина-доктор? Меня укусила какая-то дрянь, руку раздувает!

— Какое счастье! — сказала я. — Желаю той дряни долгих лет жизни! Юра! Юра! Капитан вернулся!

На мой вопль примчался Шумаков.

— Посиди с Катей в ее каюте, — походя велел он мне.

Я быстро рассказала Юре про беду с Игорем и пошла к Самойловой.

Она сидела в кресле с книгой в руках.

— Можно, я побуду с вами? — спросила я.

Самойлова кивнула и уставилась на меня. Я тупо смотрела на нее. Проведя в подобной позе минут пять, Екатерина потрясла головой и швырнула том на пол.

— Можешь уходить, я в порядке.

— Представляю, как вам тяжело, — выпалила я. — Внезапно потерять мужа!..

Катя засмеялась:

— Да уж! Освободилась!

— Вы не любили Василия Олеговича?

— Обожала! — с вызовом выкрикнула Самойлова. — Много лет счастливого брака! Он замечательный человек! Добрый! Детей очень любил.

— Я поговорила со Светой и думаю, что любовь Василия Олеговича к девочкам была весьма специфической, — не вытерпела я.

Екатерина вздрогнула:

— Что?

— Светлана утверждает, что ваш приют — клубничная грядка для Василия Олеговича. Самойлов увлекался одной девочкой ненадолго, максимум на полгода, а потом находил себе новую фаворитку. Тех, кто был с ним мил, ждало хорошее будущее. Василий Олегович имел деньги, связи, возможности. Галину Степанову пристроил в театральное училище. Но некоторые девочки, к примеру Лиза Суханова, влюблялись в богатого папеньку, и...

— Ох, стерва, — покачала головой Катя. — Я говорю о Свете. Виола, вы кому-нибудь рассказывали о беседе с Глаголевой?

— Конечно, — разочаровала я новоиспеченную вдову. — Юрий в курсе.

— Что хотите за молчание? — быстро осведомилась Катя.

— Навряд ли у вас получится скрыть столь вопиющие факты, — покачала я головой. — Шумаков взяток не берет, мне рта вы не заткнете. На вашей совести две убитые девочки: Лиза и Ирина.

— Ты ничего не знаешь! — горько сказала Катя.

— Хватит и того, что мне Светлана сообщила, — парировала я. — Отлично понимаю, как обстояло дело: Василий Олегович потерял самообладание, обнаружив в постели вместо Ирочки Лизу, и задушил девочку подушкой.

— Господи! — подпрыгнула Катя. — Конечно, нет! Василий обращался с мерзавками как с хрустальными вазами! Он их обожал! Засыпал подарками, устраивал их судьбу, давал образование!

— На языке Уголовного кодекса связь взрослого мужчины со школьницей называется растлением малолетних и строго наказывается! — сурово отчеканила я.

Катя положила ногу на ногу:

— Закон! Ну-ка, вспомни одного нашего весьма известного режиссера, который уложил в свою койку юную актрису, которой не исполнилось и тринадцати? Правда, он потом на ней женился и некоторое время жил с ней, но суть дела брак не меняет. Киношник соблазнил девочку, и ему даже пальцем не погрозили, он спокойно рассказывает журналистам о романе с малолеткой. Другой пример. Актер средней руки, маменькин сынок, проживший с мамашей почти до пенсии, после ее кончины женился на старлетке, и борзописцы узнали: роман лицедея и Лолиты завязался, когда последняя еще в школу ходила. Думаю, брак оформили лишь после того, как актер понял — ему нужна после смерти матери дармовая прислуга, заодно и пиар не помешает, поэтому не постеснялся продать кое-какие биографические подробности глянцу[1]. Продолжать этот список или остановиться? Есть у нас политик...

— Хватит, — поморщилась я. — Мне совершенно не нравятся дедушки, которые забавляются с тинейджерами. Только в приведенных тобой примерах, хоть и с большой натяжкой, можно говорить о любви, а Василий Олегович...

— Содержал приют, помогал никому не нужным детям и уж точно никого не убивал! — разозлилась Катя.

— Вскрытие показало, что Суханову задушили подушкой, — перебила я. — Красной, взятой в ее каюте с дивана. Теперь скажи, зачем ты унесла думку и приволокла на ее место другую, черную?

---

[1] Истории выдуманы автором, любые совпадения случайны.

— Кто? — с отлично разыгранным удивлением заморгала Катя. — Я?

— Точно, — подхватила я. — Ты! Взяла ее со стула в коридоре.

— В коридоре есть стулья? — продолжила изображать святую невинность Самойлова.

— А то ты не знала, — ехидно прищурилась я.

— Нет, — помотала головой Катерина.

— Я имею в виду раскладные сиденья!

Катя прижала руки к груди:

— Да ну!

Слишком много ужасных событий случилось за последние дни на теплоходе, а мои нервы не стальные канаты, поэтому я не смогла держать себя в рамках:

— Хватит ломать комедию! Светлана мне все рассказала! Она видела тебя в коридоре, наблюдала за тем, как многоуважаемая госпожа Самойлова утаскивала из каюты, где должна была состояться оргия ее мужа с малолеткой, вещи, которые могли вызвать изумление у тех, кто будет осматривать помещение. Своевременная предосторожность! И зачем современному подростку школьная форма советских лет? Откуда у сироты деньги на роскошное белье? Но ты так торопилась, что оставила галстук, флакон с элитной туалетной водой, тапочки и еще кое-что.

— Верно, — кивнула Катя. — Я приводила в порядок каюту! Василий Олегович приказал! Он очень испугался! Да только девочка уже умерла, когда Самойлов вошел к ней! Муж приблизился к кровати, увидел труп и сразу позвал меня.

— Ты всегда зачищаешь за педофилом его

охотничьи угодья? — спросила я. — Хозяйка интерната сексуальных услуг!

Катя встала:

— Если ничего не знаешь, лучше не говори. Я спасала девочек от ужасной судьбы.

— Точно, — подхватила я. — Забирала их из приютов, где малышки жили в неподобающих условиях, селила в уютных спальнях, кормила-поила-одевала-учила-помогала найти работу. Но, как известно, бесплатный сыр бывает лишь в мышеловке, девочкам приходилось расплачиваться за свое «счастливое детство». Кстати, затея с монахинями — отличный ход. Российский человек почему-то уверен: все священнослужители хорошие люди. Наверное, это верная мысль. Воцерковленный, истинно верующий человек никогда не нанесет другому вреда. Но ведь одежда монашки — это форма, ее может купить и надеть любой. Тихие женщины в черных платьях до полу и косынках на голове не имеют никакого отношения ни к одному из монастырей. Во время нашей беседы Светлана несколько раз повторила: «Мы с Ирой видели. Спросите у Иры». Она тоже была свидетелем преступления, могла проболтаться. И что случилось с бедной девочкой? Она умерла. Правда, здорово? Теперь Ирина ничего никому никогда не расскажет!

Катя махнула рукой:

— Виола, попробуй на мгновение забыть о своем нелестном мнении обо мне и подумать о ситуации отстраненно. Значит, и Светлана, и Ирина наблюдали, как я выношу вещи?

— Да, — согласилась я.

— Чтобы тайна не раскрылась, — медленно продолжала Самойлова, — я, по твоему мнению, убила Ирину?

— Получается так, — кивнула я. — Мертвые неразговорчивы.

— Но почему тогда я оставила в живых Светлану? — спросила Катя. — Логично убрать обеих воспитанниц.

Я заморгала. Черт возьми, и правда! По какой причине Свету не постигла судьба подруг?

Катя сняла трубку местного телефона и сказала:

— Света, зайди в мою каюту.

Воспитанница поспешила выполнить ее приказ. Скромно опустив глаза, она прошмыгнула в комнату.

— Садись, — предложила Катя.

Света безропотно устроилась в кресле и сложила руки на коленях.

— А теперь повтори то, что ты рассказала Виоле, — почти ласково попросила Катерина.

Света широко распахнула наивные глаза:

— Мы не разговаривали!

От такой наглости я оторопела, потом воскликнула:

— Не ври!

Света умоляюще посмотрела на Катю:

— Что вы от меня хотите?

— Правду, — приказала Самойлова. — Очень скоро сюда приедет милиция, истина выплывет наружу, я не смогу тебе помочь.

— Не понимаю, — заплакала девочка. — Я не сделала ничего плохого! Никого не видела, ничего не слышала!

— Ну ты и нахалка! — не выдержала я. — Старательно внушала мне, что Катя убийца! Дескать, история про шаурму выдумана, Лиза не отходила от подруг ни на шаг, вы с Ирой видели, как Самойлова уносила вещи. А еще ты мимоходом намекнула, что Катя считает мои книги глупыми. Ты что, хотела, чтобы я прониклась к Самойловой не лучшими чувствами?

Светлана истерически зарыдала, Катя сходила в ванную, принесла полотенце и приказала:

— Успокойся, вытри лицо, пригладь волосы. Ты опять причесалась абы как, поэтому разлохматилась. Где второй «краб»?

— Потеряла, прямо сразу на пристани, — всхлипнула воспитанница. — Не ругайте меня!

Я вцепилась в ручки кресла.

— Катя, у ваших воспитанниц одинаковые заколки для волос, с божьими коровками. Вы приобретаете мелочи оптом?

Катя развела руками:

— Василий Олегович баловал девочек. Едва мы приехали в порт, Самойлов купил всем мороженое, затем приобрел три набора «крабиков», по две штуки в каждом. Девочки сразу закрепили их на волосах, дети любят всякую ерунду. Мне и в голову не придет ругать Светлану.

— Если только не знать, что дешевый прибамбас был в санузле каюты, где убили Лизу, — медленно сказала я. — Отлично помню, как за завтраком вы просили Свету аккуратно причесаться, а у той была лишь одна заколка. Ирина щеголяла в двух, Лизины лежали на тумбочке. Света, зачем ты заходила в чужую ванную? Ну? Ведь это твоя заколка валялась около унитаза.

Находись сейчас на месте Светы взрослая женщина, она бы могла спокойно ответить: «Ничего особенного. Перед сном я забежала в каюту, посмотрела, как устроилась подруга, и обронила «краба».

Но Светлана очень испугалась.

— Я не хотела, — заплакала она. — Это вышло случайно! Она орать стала!

— Кто? — сурово спросила Екатерина. — Рассказывай все последовательно и не лги, я в отличие от Виолы легко поймаю тебя на вранье.

Глаголева вытерла нос полотенцем.

— Я его любила! Василий Олегович замечательный! Он добрый, ласковый, он самый лучший!

Мне стало трудно дышать. Тут же вспомнилось, как совсем недавно, когда между пассажирами стихийно вспыхнул скандал и Никита в запале заорал, указывая на Василия Олеговича: «Я его убью!» Светлана бросилась на защиту Самойлова со словами: «Не надо. Василий Олегович очень хороший».

— Он это знал, — ревела Светлана. — Говорил: «Ты мое солнышко». Я думала... хотела... а тут Василий Олегович Ирку выбрал!

Катя закрыла лицо руками, а ее воспитанница, заливаясь слезами, наконец-то рассказала неприглядную правду, весьма отличающуюся от версии, которую раньше выдала мне.

Василий Олегович несколько месяцев состоял со Светой в нежных отношениях, он делал ей подарки, и девочка привязалась к Самойлову. Он посеял в ее душе надежду на обеспеченное будущее, был очень ласков с ней, но вдруг все кончилось. Из уютной квартиры «папочки» Светлану опять переселили в интернат. Никто не обижал воспитанницу, но она ощущала себя брошенной. Если Василий Олегович приезжал в приют, Света неслась встречать его, обнимала, целовала, хватала за руки. Самойлов гладил ее по голове и говорил:

— Солнышко, все отлично! Я тебя люблю, учись прилежно, помогу, чем сумею.

Но в гости к себе больше не звал.

— Значит, ты «зайка»? — не выдержала я. — Помнится, ты с большим презрением говорила о Лизе Сухановой и Гале Степановой!

Глаголева вытерла щеки ладонью.

— Да! Они «зайки»! А я Василия Олеговича люблю! Лизка с Галкой только притворялись! Вечно ему в ноги кланялись, лицемерки! Боялись, что он их забудет и Аглая дур к Роману отправит!

Катя издала протяжный вздох, Светлана ткнула в меня пальцем:

— Вы слушайте! Раз папочка умер, мне на остальных насрать! Роман — сын Аглаи, никакая она не монашка, это все знают, кроме проверяющих! Ой, пусть Катя сама расскажет!

Светлана свернулась клубочком на диване и спрятала голову под подушку, Самойлова подсела к девочке и стала гладить ее по спине.

— Василий Олегович был страшный человек, — внезапно сказала она. — В нем самым странным образом соединились щедрость, агрессивность, нежность и извращенность. Никаких полутонов.

Если муж ненавидел человека — то до смерти, если помогал — нес в зубах через любые препятствия. У Самойлова было странное понятие о порядочности. Секс с маленькой девочкой он считал естественным, но лишь в случае добровольного согласия ребенка, никакого принуждения, все исключительно по любви.

Больше шести месяцев Василий ни с кем из девочек не жил, но, прекратив сексуальные отношения, брал их под свою опеку. Многие из выросших и ушедших из приюта девочек были благодарны Самойлову, общались с ним, советовались, просили помощи и всегда ее получали.

— Идиллическая картина, — фыркнула я. — Самойлову следовало присвоить звание «Благодетель десятилетия».

— Есть и вторая сторона медали, — мрачно продолжала Катя. — Не все девочки соглашались на сексуальные отношения. Некоторые категорически отказывались от предложенной чести, и тогда Василий Олегович в гневе избавлялся от них. Самых строптивых отдавали Роману, а тот продавал детей богатым высокопоставленным педофилам, которые в отличие от Василия Олеговича любили грубый секс и насилие. Сутенеру отдавали и детей, которые не нравились Самойлову.

— Потрясающая картина, — возмутилась я. — Конечно, девочки знали: полюбишь папочку — получишь пряник, показываешь характер — считай, ты покойница. Теперь у меня возникло еще больше сомнений в искренности чувств Светы к Самойлову. Глаголева боялась оказаться у Романа, Суханова тоже. Мало ли что взбредет в голову благодетелю, понадобятся новые воспитанницы, вот он и избавится от прежних. Конечно, несчастные девочки клялись в любви к развратнику и мечтали снова очутиться с ним в койке, получить, так сказать, охранную грамоту.

— Василий никогда не обижал бывших любовниц, — вздохнула Катя. — Он...

— ...был отличным человеком, — язвительно перебила ее я. — Добрым волшебником, королем, награждавшим за верность, и убивавшим тех, кто его не любит. А ты ему помогала!

— У Самойлова был на меня компромат, — понизила голос Катя. — Не спрашивай какой, не расскажу. Я была его служебной собакой. Да, помогала, но спроси, скольких девочек я спасла от Романа! Что я могла поделать? Только беседовать с подростками, растолковывать им происходящее, объяснять, как следует себя вести в нашем приюте!

Я зажала руками уши:

— Бред! Понимаешь, в чем ты признаешься? Ты толкала девочек в лапы мужа-извращенца!

— В противном случае они бы очутились в когтях педофилов-садистов, — приняла удар Екатерина. — Как мне следовало поступать?

— Обратиться в милицию, — гаркнула я.

Самойлова засмеялась:

— Вынырни из тумана. Клиенты Романа очень богаты и влиятельны, любое дело замнут, уж поверь.

— Что ты за человек! — горько сказала я. — Боялась, что на свет выползут твои личные мерзкие тайны, ради собственной безопасности потакала преступнику. Василий Олегович не один год издевался над детьми. Надо же до такого додуматься — основать приют на потребу сексуальному маньяку!

— Ты ничего не поняла и никогда не поймешь, — возразила Катя. — Наоборот, я спасала девочек. Сколько бы из них умерло в детдомах или пропало без вести после того, как их вытолкнули во взрослую жизнь? А я вручала воспитанницам ключи от светлого будущего!

— В особенности тем, кто попал к Роману, — уточнила я. — Им очень повезло. А теперь посмотри на Свету! По-твоему, она нормальна?

— Я не псих, — зашипела Глаголева. — Это Лизка была с кривой крышей! Ирка ко мне приперлась ночью, говорит: «Суханова оборзела, выгнала меня из каюты, силой вытолкала и приказала: «Молчи, иначе с палубы завтра тебя сброшу, ты плаваешь стилем «топор», вмиг потонешь. Мне надо с папочкой без посторонних поговорить, рассказать ему о своей любви». Я возмутилась! Какого хрена она на себя одеяло тянет! Я папочку люблю больше всех, но мне и в голову не придет так хамить. Ну я и побежала в каюту, где Лизавета без спроса расположилась! Та заорала, а я ей подушку на лицо кинула и прижала! Я не хотела убивать! Ей-богу! Случайно все вышло!

— Ты задушила Суханову, — потрясенно сказала я. — Потом забежала в туалет...

— Меня тошнило, — жалобно уточнила Света.

— ...потеряла заколку, — медленно говорила я, — решила замести следы, выбросила красную подушку, притащила черную. Это глупо, но ты почему-то подумала, что количество думок на диване должно остаться прежним. Управилась ты быстро, а потом затаилась в коридоре, увидела, как Катерина спешно убирает все, что может намекнуть на пребывание в каюте Василия Олеговича, и решила свалить свою вину на Самойлову!

Света заколотила кулачками по дивану:

— Она не любила папочку! И Лизка тоже! Он должен был остаться со мной!

Я повернулась к Кате:

— Можешь полюбоваться на дело своих рук! Стокгольмский синдром! Глаголева безумна! Наверное, и Иру она убила.

Светлана потухла, словно задутая ветром свечка:

— Нет, ей правда плохо стало. Я вернулась к себе и рассказала Поповой: «Катя Лизу задушила. Нам надо сказать, что мы обе директрису видели!» А Ирка прям посинела... потом захрипела... я ее еле водой отпоила. Но утром за завтраком она мне нормальной казалась.

Катерина начала ломать пальцы. Света бросилась ей на шею:

— Я не виновата! Я не хотела! Лиза папочку не любила, она боялась, что он про нее забудет и ее Роману отдадут! Простите меня!

Самойлова обняла рыдающую девочку:

— Конечно, солнышко, я с тобой. Больше никому ни слова!

Глава 35

Пока я сидела в каюте Кати, теплоход плыл в сторону Вакулова и, в конце концов, пришвартовался. На причале нас ждали две машины «Скорой помощи» и местные милиционеры, все, как на подбор, пузатые, одышливые, со вспотевшими лбами. Один из них моментально ринулся к Юре и отрапортовал:

— Виталий Матвеевич уже седьмой раз из Москвы звонит, волнуется, ваш сотовый недоступен.

Шумаков, подавив улыбку, ответил:

— Спасибо, вы разрешите мне соединиться с начальством из отдела?

— Не вопрос, — кивнул пузан.

Тела Василия Олеговича и Марфы погрузили в одну машину, во вторую впихнули носилки с Игорем, пассажиры и члены экипажа побрели в местное отделение пешком.

— Мы с Виолой Ленинидовной запрем все каюты и придем следом, — сказал Юра. — Обеспечьте охрану места происшествия.

— Ясно, — подобострастно ответил главный Шерлок Холмс из Вакулова.

Мы с Юрой решили обойти весь теплоход. Я спустилась на нижний уровень, тщательно закрыла каюту экипажа, прошла по коридору до конца и нашла еще одну дверь, без замочной скважины. Я толкнула ее и втиснулась в узкое пространство, пошарила рукой по стене и нажала на выключатель. Скупой Иван Васильевич ввернул в патрон слабую лампочку, но после темноты свет показался мне ослепительно-ярким. Я зажмурилась, пошатнулась, инстинктивно уцепилась за нечто, весьма удачно оказавшееся под рукой, и удивилась. Полное ощущение, что я схватилась за влажную тряпку. Глаза открылись, я поморгала и... обалдела.

Кладовка оказалась неожиданно длинной. Две ее стены были заняты железными стеллажами с разной лабудой, к третьей, торцевой, крепилась кровать, на которой в странной позе лицом вниз лежал мужик. Неизвестный был одет в мятую рубашку и грязные джинсы, одна его рука безвольно свисала, пальцы мертвеца — а человек, несомненно, был мертв — почти касались пола.

Чуть поодаль от трупа сидела... сидело... сидел... Извините, но я не могла определить ни вид, ни пол ужасного создания. Это был монстр, покрытый серо-розовой кожей, из которой пробивались короткие, едва ли двухмиллиметровые волосы. Если представите себе младенца со щетиной на щечках, тогда поймете, как выглядело это существо. Маленькая деталь: новорожденный редко весит более пяти килограммов, а чудище, восседавшее в кладовке, тянуло пуда на три, обладало мощными лапами с впечатляющими когтями, здоровенными, похожими на чебуреки ушами, длинным хлыстообразным хвостом, кровожадными черными глазками... И вот он, главный момент! Я держала страшилище за высунутый язык. То, что на ощупь показалось мне влажной материей, свисало из клыкастой пасти. Наверное, гоблин ошалел от хамства незнакомки, схватившей его за язык, поэтому сидел смирно.

Дверь в кладовку открылась.

— Ты здесь? — спросил Юра.

Я оцепенела, пальцы, сведенные судорогой, не разжимались, ноги вросли в пол.

— Ох и ни фига себе! — присвистнул Шумаков. — Кто это?

— Не знаю, — прошептала я.

— Зачем ты его держишь? — тоже понизил голос Юра.

— Не могу отпустить, — призналась я. — Сделай что-нибудь.

— Фу, — приказал Шумаков. — Фу!

— Ты это мне или ему говоришь? — уточнила я.

Юра приблизился к монстру.

— Хорошая собачка! Глупая, злая Вилка сделала мальчику больно. Сейчас дядя разожмет цепкие пальчики, и ты освободишься.

— Лучше не прикасайся к ней, — испугалась я. — Эта тварь сидит тихо, пока я ее держу.

— Вовсе нет, — возразил Юрасик, отдирая мою руку от языка чудовища. — Он бы давно тебе лапу отгрыз. Милый, испуганный пес! Спокойно дрых в чулане, вдруг откуда ни возьмись появляется тетка — и цап за язык! Тебе бы понравилось очутиться на месте барбоса?

— Почему ты решил, что это собака? — нервно спросила я.

— Ну не кошка же, — ответил Юра. — И на лошадь непохож! Просто ласковый бобик!

Я ткнула пальцем в кровать:

— Там труп! Ласковый бобик загрыз человека!

Шумаков спокойно обогнул страшилище, наклонился над кроватью и воскликнул:

— Невзоров! Ты что здесь делаешь?

«Труп» рывком сел, стукнулся головой о стену и заорал:

— Дежурный по части докладывает: за время дежурства дежурного по части никаких происшествий в части не отмечено.

Из моей груди вырвалось глупое хихиканье, Юра похлопал начальника отделения милиции деревни Паново по плечу:

— Андрей! Ты не в казарме дежуришь!

Страшилище встало на тонкие лапы, подошло к Невзорову и тихо заскулило.

— Что? Где? Кто? — озирался Андрей. — Уже Москва?

— Нет, Нью-Йорк, — не выдержала я.

— Я не туда ехал, — поразился Невзоров. — Вау! Вспомнил! Простите меня, если я крепко засну, то чумею!

— Это кто? — спросила я, показывая на чудовище.

Невзоров попытался пригладить взъерошенные волосы.

— Баултас. Он еще щенок, одного нельзя оставить. Пришлось с собой взять! Сто разов уж пожалел, что его прихватил, а куда деть? Вы сами, кстати, разрешили!

— Я? — удивился Юра. — Когда?

Невзоров откашлялся:

— Помните, я в «Скорой» не поместился? Местные с болячками набились, мне пришлось на «Летучий самозванец» проситься. Спросил у вас: «Можно Баултаса взять?»

— Мне послышалось «баул», — растерялся Шумаков. — Подумал, что ты чемодан прихватить хочешь!

— Не, — замотал головой Невзоров. — Я про Баултаса говорил.

— Что за кретинская кличка! — вскипел Юра. — Он у тебя что, латыш?

— Не знаю, — честно признался Андрей. — Мать местная, а кто отец? Может, и из Риги прибежал! Баултасом его при рождении назвали.

— Почему? — спросила я.

Невзоров пожал плечами:

— Не отвечу. Наверное, так понравилось Егоровым, он у их собаки на свет появился. У них вся живность интересно обзывается. Корова — Стефания-Мария, кошка — Родерика, петух ваще Педро Христофорович Американец пятый. Баултас — шкодный! Я думал, он тихо сидеть будет, куда там! Удрапал от меня, забежал в чью-то каюту, спер полупердон меховой, поскакал в столовую... Такой трам-тарарам устроил! Еле-еле его дозвался!

— Вот кто нас напугал! — подпрыгнула я. — Но мутант, орудующий в столовой, был мохнатый, а твой Баул похож на ежа, больного тифом.

— Его зовут Баултас, — поправил меня Андрей. — Обидно ж, когда имя коверкают. Он имел густую шкуру, пальцы в нее не пропихивались. Да только ночью мне в туалет понадобилось, живот у меня прихватило, а щенок утек невесть куда, я долго в сортире сидел, возвращаюсь... — Невзоров хлопнул себя по коленям. — Елы-палы! Баултас на мумию похож! Весь в серую накидку замотался! Хотел я ее снять — не получается, прилипла! Прикольно, конечно, но пришлось ножницы брать.

Я покосилась на пса. Во время нашего ночного разговора со Светой в иллюминаторе каюты девочки появилось привидение. Значит, это был Баултас!

— Уж я его стриг, стриг, весь вспотел, — пожаловался Андрей. — Ваще кучу времени потратил.

Знаете, чего оказалось? Он повалялся спиной в моментальном клее! «Буренка Зина»! Не слыхали? Клей — зверь! Застывает на лету, держит насмерть.

— «Буренка Зина» — клей? — ахнула я. — Не сгущенка?

Невзоров кивнул:

— Все путают. Один тюбик называется «Корова Маша», там молоко с сахаром, другой «Буренка Зина», супер-пупер средство! Стекло к железу присобачивает! Навсегда!

У меня в голове все сложилось. Я отлично помню, как захотела есть, пошла на кухню, взяла из холодильника «Буренку Зину» в количестве двух штук, вернулась в каюту, из жадности открыла обе упаковки, и тут в дверь постучал Юра. Не желая выглядеть в его глазах обжорой, я швырнула одну, как полагала, сгущенку в кресло, вторую — вот уж всем глупостям глупость! — сунула под подушку Шумакову. Мы заснули, содержимое тюбика вытекло, приклеило несчастного Юрасика к наволочке, а последнюю к спинке кровати. Пока мы с Юрой возились на палубе, в нашу незапертую каюту пролез Баултас, пошуровал в кресле и превратился в «привидение».

— Эй, Вилка, очнись, — велел Юра. — Что с тобой?

Я вздрогнула. Ни за какие пряники не расскажу ему правду! И вообще, я совершенно не виновата в произошедшем! Кому пришло в голову назвать клей «Буренка Зина»? Сумасшествие какое-то! А если вспомнить, что сгущенка именуется «Корова Маша», то становится ясно: кто-то из членов экипажа перепутал упаковки, положил в холодильник абсолютно несъедобную вещь. Хорошо, что я не успела полакомиться бутербродиком. Так вот какую змею на лапах видел Игорь, вот кто, вселяя ужас в отдыхающих, плавал вокруг корабля — этот веселый щеночек!

— Теперь он временно лысый, — болтал Невзоров. — А я тут познакомился с такой женщиной! Ух! Она меня старше, совсем бабка, но чума! С головой у нее, правда, плохо, зато такая страстная! Уконтрапупила меня насмерть! Вот, прилег отдохнуть и отпал! Спасибо, вы разбудили! Можно на берег сходить? Карантин сняли?

— Ступай в райотдел, — приказал Шумаков. — У твоего Баула поводок есть?

— Он Баултас, — терпеливо поправил Невзров. — Не, зачем ему! Маленький еще! Так потрусит, он не кусается!

Мы вышли на палубу, Андрей и щеночек размера кинг-сайз сбежали по трапу на причал.

Юра проводил взглядом парочку и со вздохом сказал:

— Боже, спаси местное отделение милиции и все Вакулово в целом. Баул наступает на город!

Эпилог

Всем произошедшим на «Летучем самозванце» занимались сотрудники отделения Вакулова. Следствие затянулось, и, в конце концов, дело тихо рассыпалось. Смерть Василия Олеговича признали естественной, у него приключился инфаркт. При токсикологическом исследовании крови директора кондитерской фабрики ничего подозрительного не обнаружили. Как по мановению волшебной палочки, возникла пухлая история болезни бизнесмена, набитая анализами, после изучения которых стало абсолютно ясно: Самойлов давно страдал неполадками в «моторе». Избыточный вес, отсутствие физической активности, нездоровое питание, повышенный холестерин... Что еще вы хотите?

Кончина Ирины Поповой тоже была не криминальной. Девочка давно болела, она наблюдалась у академика Тимофея Андреевича Брюсова, в профессиональной пригодности которого никто не сомневался. Ирина испытала сильный стресс, вот больное сердце и не выдержало. В момент смерти Ира находилась рядом с актрисой, которая изображала умственно отсталую Тину. В процессе следствия, когда отпала необходимость играть роль, подручная Ивана Васильевича честно призналась:

— Ирина неожиданно потеряла сознание, а я пошла в столовую за помощью. Девочке никто ничего плохого не сделал.

Никаких претензий не было и к капитану. Ушлый Иван Васильевич показал договор, подписанный Василием Олеговичем. В документе говорилось, что господин Самойлов нанимает сотрудников плавучего развлекательного центра «Летучий самозванец» для «увеселительной прогулки с элементами постановочного шоу». Клиент заплатил за услуги, Иван Васильевич их предоставлял. Когда Самойлов на ходу велел переделать сценарий, вызвать «эпидемиологов» и поставить теплоход на якорь возле Козловска, капитан выполнил его приказ. Иван Васильевич привык к капризам заказчиков. Если клиент просит утопить в реке мобильные своих товарищей, объявить на борту карантин, рассказать об аварии на заводе, бывший циркач подчиняется, не моргнув глазом. Бизнес Ивана Васильевича базируется на умении гибко подстраиваться под желания туристов. И в чем его можно обвинить? Сейчас модно разыгрывать приятелей, затевать для них вечеринки с похищениями, катастрофами и прочими приключениями.

Тело Лизы Сухановой Юра успел отправить в Москву к своему приятелю патологоанатому Тельману Руфову, поэтому представить смерть подростка как естественную у людей, тщательно скрывающих истину, не получилось. Чтобы информация о высокопоставленных педофилах не просочилась, не дай бог, в прессу, всю вину взвалили на Светлану. В кратком изложении отретушированная ситуация выглядела так: Глаголева и Суханова поругались из-за какой-то детской глупости, начали драться, Света прижала к лицу подруги подушку. Смерть Лизы она не планировала, все произошло случайно. На языке Уголовного кодекса это называется убийство по неосторожности. Если вспомнить, что в момент совершения «шалости» Светлане еще не исполнилось четырнадцати лет, то станет понятно, отчего ее поместили в кризисный центр, где лечатся подростки, перенесшие сильный стресс.

Тело Вики нашли в реке водолазы, Зарецкий был задержан, но до суда не дожил: Леонид погиб во время драки, вспыхнувшей в прогулочном дворе тюрьмы. В связи со смертью основного подозреваемого дело сдано в архив.

Матрос Игорь благополучно поправился, следствие «не заметило» рассказа парня об украденной и проглоченной красной таблетке. В истории болезни Игоря местный эскулап написал: «Ураганный отек гортани вследствие укуса невыявленного насекомого».

Сыщики из Вакулова не стали перечить столичным начальникам, подсказавшим провинциальным подчиненным, как нужно разобраться со щекотливым делом, и через некоторое время получили две новые машины для служебных нужд.

Как живут Манана, Алина Бортникова и супруги Редьки, я не знаю. Зато мне известно, что Невзоров женился на Рите Некрасовой. Несмотря на то что жена намного старше Андрея, они вполне счастливы, роль ребенка у них исполняет безумный Баултас.

Сразу после Нового года мне пришлось отправиться в Нью-Йорк. Самым неожиданным образом одно американское издательство заинтересовалось моими детективами и предложило заключить весьма выгодный контракт. Я боюсь летать на самолетах, а перспектива болтаться в воздухе больше десяти часов казалась особенно пугающей, но альтернативы не было, поэтому, проглотив пару таблеток валерьянки, я прошла все необходимые формальности, поднялась на борт авиалайнера и сразу приуныла. Мне предстояло сидеть на самом неудобном месте. Справа находилась дверь в туалет, чуть поодаль, в кухню, впереди — небольшая откидная скамеечка, на которой устраивается во время взлета и посадки одна из стюардесс, ноги вообще не вытянуть, окошка нет. Вдобавок в ряду было всего два кресла. Мне предназначалось крайнее у стены; если я захочу в туалет, придется перелезать через соседа.

В тоске я посмотрела по сторонам, увидела, что аэробус набит пассажирами, словно банка шпротами, и поняла: нет никакой надежды перебраться на другое место. Чтобы не расстроиться еще больше, я отвернулась к стене и начала проводить сеанс аутотренинга. Вилка! Тебя не на всю жизнь поселили у туалета, через десять часов ты очутишься в Америке! Думай лучше о договоре, получении аванса и нью-йоркских магазинах. Говорят, там все намного дешевле, чем в Москве.

— Простите, — произнес мягкий голос. — Придется вас побеспокоить, хочу взять с подвесной полки плед.

Я обернулась и увидела свою соседку, стройную симпатичную женщину. Та ахнула, и мы обе хором воскликнули:

— Это ты?

Первой в себя пришла Катя Самойлова.

— Летишь в Нью-Йорк? — растерянно спросила она.

— Да, — сухо ответила я и демонстративно отвернулась.

Вот оно, мое глобальное невезение! Мало того что мне досталось самое неудобное место, так еще придется провести десять часов около малоприятной особы. В Америку из Москвы каждый день вылетает несколько лайнеров. Угораздило же меня очутиться именно в этом!

— Как дела? — спросила Катерина после того, как погасло табло, приказывающее пристегнуть ремни.

— Хорошо, — буркнула я.

— Юра здоров?

— Да.

— Ты по делам или отдыхать?

— Да, — невпопад ответила я, надеясь, что Самойлова сообразит: с ней не хотят общаться, и заткнется.

Но не тут-то было. Катя вдруг спросила:

— Тебе неприятно со мной разговаривать?

— Да, очень, — наплевав на светские церемонии, отрезала я и демонстративно надела наушники от плеера.

В середине полета нам подали горячий ужин, мне пришлось поднять спинку кресла и взять у стюардессы поднос.

— В других обстоятельствах мы могли бы стать подругами, — тихо произнесла Катя.

— Если бы да кабы, — скривилась я. — Незачем гадать на кофейной гуще. Все сложилось так, как сложилось! Извини, я во время еды предпочитаю молчать.

— Знаешь, кто продал информацию о новой разработке холдинга Самойлова конкурентам? — спросила Катя. — Я!

Пластиковая вилка выпала из моих рук.

— Ты?

— Ага, — кивнула Катерина. — Василий, конечно, и меня подозревал, но как-то невсерьез. Наверное, полагал, что жена не в курсе его рабочих дел. Не так просто зайти в кабинет и ночью, когда муж крепко спит, пошарить в служебных документах! Самойлов считал меня кем-то вроде дрессированной обезьянки — щелкнешь пальцами, она и прыгает. В юности я совершила один нехороший поступок, Василий узнал о нем и шантажировал меня. Как муж с женой мы перестали жить спустя несколько месяцев после свадьбы. Но уйти от Самойлова я не могла, он превратил меня в помесь прислуги с личным секретарем и был абсолютно уверен: страх приковывает к нему жену крепче цепи.

— И ты решила ему отомстить? — предположила я.

— Нет, — мягко улыбнулась Катя. — Вначале я задумала удрать, стала потихоньку строить в укромном месте дом, влезла в долги, наивно считала, что как-то выкручусь. Ну а потом пришла мысль: я много лет пахала на муженька, грубо говоря, за миску каши, неужели не имею права на некоторую часть его денег? Могла бы прихватить с собой кое-кого из девочек, спасти их.

Я потеряла аппетит. Василий Олегович был хитер, он, кстати, знал и кое-что про Шумакова. Отлично помню, как помрачнел Юра, когда услышал из уст Самойлова фразу про Пятую Радиальную улицу и некую Таню. Я не стала задавать любимому никаких вопросов, а сам он на эту тему не заговаривает. У каждого человека в прошлом имеется скелет, который лучше поглубже закопать в землю.

— А потом, — продолжала Катя, — я поняла: он меня не отпустит, рано или поздно докопается до истины, узнает, что инфу слила я, и убьет. Мне не страшно умирать, но что станется с сиротами, которых я, по мере сил и возможностей, защищаю от педофилов? Василий Олегович был очень странный человек. Он во всем потакал бывшим любовницам, а остальных легко продавал Роману! Девочек покупали высокопоставленные люди, представь связи Василия! Понимаешь теперь, почему это дело спустили на тормозах?

— Любители молодой клубнички спасали свою репутацию, — кивнула я.

— Василий был хитрым, но одновременно и глупым, — с чувством явного превосходства улыбнулась Катя. — Замутил историю с Иваном Васильевичем, обсуждал по телефону детали, полагал, что дома он в полнейшей безопасности! Но я-то имею уши! Гениальная идея: повернуть дело таким образом, чтобы народ у тебя «омолодитель» выпрашивал, а потом его съел. Самойлов и потешился, и подозреваемых напугал! Только я знала, что пилюли из сахара, и молчала. Когда Василий раздал таблетки, у него осталось четыре штуки в коробке. Муж заснул, я их вынула и подменила на свои, в них был не сахар, а протоплан[1].

— Средство, способное остановить дыхание! — воскликнула я. — Его иногда используют во время операции, когда больной находится на аппарате «сердце — легкие». Отследить протоплан в крови практически невозможно, он аналогичен веществу, которое вырабатывает сам организм человека.

— Его не продают, — улыбнулась Катерина, —

---

[1] Из этических соображений автор не указывает настоящее название препарата, который относительно легко можно приобрести в больницах.

но если очень захочешь — достанешь. Я думала, во время ужина сыпану мужу в еду, он слопает и уедет в мир иной на глазах у всех. Начнут расследование, все разболтают про «омолодитель», оставшиеся таблетки возьмут на анализ, а в них протоплан. И какой сделают вывод?

— Дурацкая идея, — фыркнула я. — Все, кто принял лекарство, живы, а Самойлов умер. Или... Марфа с Игорем тоже...

— Что ты! — вздрогнула Катя. — Я не хотела никому причинить зла! Не знала, что задумал Зарецкий, не слышала, как в нашу каюту заходили посторонние, и насторожилась лишь тогда, когда Василий открыл коробку, а там всего одна таблетка. Смотрю на Самойлова и понимаю: нужно использовать этот шанс! Ему надо сейчас пилюлю на глазах у всех слопать, и делу конец! Потом соображу, что ментам сказать! Совру: «Муж решил убить предателя, он подозревал Зарецкого, приготовил для него яд, но перепутал пилюли и отравился сам».

— Очень глупо! — сказала я.

— Я нашла бы лучшие аргументы, — оправдалась Самойлова.

— И ты так повела разговор, что Василий Олегович принял отраву! Он-то считал, что глотает спрессованный сахар!

— Ага, — весело отозвалась Катя. — Зато сиротам больше ничего не грозит!

Я подавила желание стукнуть Катерину по башке подносом.

— Значит, ты богатая вдова и летишь в Нью-Йорк?

— Скажем так, женщина со средствами, — поправила Самойлова. — Прощай, Россия, больше не вернусь. Я купила небольшой дом в, так сказать, одноэтажной Америке, хочу осесть в захолустье.

— А как же приют? — не успокаивалась я.

Катя отхлебнула кофе из стаканчика.

— Много лет я заботилась о чужих детях, устала. Интернат закрыт, у меня не хватает сил на девочек, да и здоровье пошатнулось!

— Зачем ты рассказала мне правду? — прошипела я.

Катя аккуратно вытерла пальцы салфеткой.

— Ты сидела с таким видом, словно находилась около кучи дерьма. Обидно мне стало. Я спасла мир от шантажиста и педофила, мне, по-хорошему, положена награда, а не презрение. Не о себе думала, о бедных девочках!

— Прошу внимания, — заговорило радио. — Через несколько минут наш самолет начинает посадку, просьба к пассажирам не покидать свои места и пристегнуть ремни.

— В хорошей компании время пробегает незаметно, — констатировала Катя.

— И ты не боишься, что я побегу с заявлением в полицию? — протянула я.

Самойлова усмехнулась:

— Полиции Нью-Йорка до меня дела нет, а в Москве я больше никогда не появлюсь. Кстати, в России остались мои приятели, они мне помогли без проблем получить грин-карту, весьма влиятельные люди. И что я тебе рассказала? Не помню! Зря ты не хочешь со мной дружить! Впрочем, теперь это уже не имеет значения, мы будем жить в разных странах. Просто... мне неприятно выглядеть в твоих глазах сволочью.

Колеса самолета коснулись земли, и он, подпрыгивая, понесся по взлетной полосе. Можно ли назвать Катю сволочью? Сначала она помогала педофилам, потом убила Василия Олеговича, стала богатой вдовой, ликвидировала бизнес, теперь собирается вести безбедную жизнь в Америке. Сироты, очевидно, попали в руки Романа. Думаю, сутенер продолжает поставлять детей любителям несовершеннолетних. Так можно ли назвать Катю сволочью? Нет, она намного хуже. Трудно подобрать слово, точно характеризующее Самойлову.

Аэробус заглушил мотор, пассажиры начали вставать. Катя схватила меня за плечо:

— Да! Совсем забыла! После кончины мужа я обнаружила в его сейфе несколько интересных документов. Хочешь узнать, что произошло много лет назад между Юрой и его сестрой Таней на Пятой Радиальной улице?

— Нет, — быстро ответила я. — Чужими секретами не интересуюсь!

Катя засунула в карман моей куртки небольшой прямоугольник из глянцевого картона.

— Вилка, ты мне правда нравишься, спрячь мою визитку и знай: никому, кроме тебя, я не открою тайну Шумакова. Если тебе станет любопытно — звони. А для остальных мой рот на замке. Поверь: на свете больше хороших людей, чем плохих, и я принадлежу к первым! Ну! Чмок!

Я не успела опомниться, как Катя, поцеловав меня в щеку, ушла.

Из лайнера я выбралась последней и оказалась

в хвосте соотечественников, державших в руке паспорта. Прямо передо мной стояла пожилая дама с крохотным йоркширским терьером. Собачка безостановочно злобно лаяла на другую женщину, полную блондинку в многочисленных ожерельях.

— Фу, Муся, фу, — твердила хозяйка. — Да что с тобой случилось, перестань! Не подумайте ничего плохого, Мусенька ласковая собачка!

Поскольку последняя фраза была, без сомнений, адресована мне, я улыбнулась и вежливо сказала:

— Многочасовой перелет утомит любого, у песика просто сдали нервы!

— Муся почему-то невзлюбила мою соседку, — заговорщицки прошептала старушка. — Мы познакомились в самолете, очень хорошая женщина! Но Мусенька злится! Фу, фу, как не стыдно, лаешь на достойного человека.

Продолжая укорять собачку, дама прошла пограничный контроль. Я посмотрела ей вслед. Катя Самойлова права в одном: хороших людей на свете во много раз больше, чем плохих, но если пес кого-то невзлюбил, может, и хозяину тоже не стоит доверять этому человеку.

Донцова Д.

Д 67 Летучий самозванец : роман / Дарья Донцова. — М. : Эксмо, 2009. — 384 с. — (Иронический детектив).

Я, Виола Тараканова, отправилась в плавание на теплоходе «Летучий самозванец» в компании моего бойфренда Юры Шумакова. Плавсредство зафрахтовал его дядя Василий Самойлов для сотрудников своей кондитерской фабрики, которых он якобы ужасно хотел видеть одной дружной семьей... Напрасно я поверила в эту идиллию! Оказалось, конкуренты стащили у Самойлова идею нового сорта конфет, и он решил во время отдыха разоблачить предателя. Прежде чем искать конфетного вора, нам с Юрой пришлось расследовать внезапную смерть девочек из приюта, курируемого женой Самойлова. А вскоре на нашем «Летучем самозванце» объявились жуткие монстры-мутанты... И, видимо, чтобы окончательно доконать несчастную Вилку, кухарка, оказавшаяся моей бывшей одноклассницей, заявила, что наше путешествие — маршрут в ад!

УДК 82-3
ББК 84(2Рос-Рус)6-4

ISBN 978-5-699-37657-5

Оформление серии *В. Щербакова*

Литературно-художественное издание

ИРОНИЧЕСКИЙ ДЕТЕКТИВ

Дарья Донцова

ЛЕТУЧИЙ САМОЗВАНЕЦ

Ответственный редактор *О. Рубис*
Редакторы *В. Калмыкова, Т. Семенова*
Художественный редактор *В. Щербаков*
Художник *В. Остапенко*
Технический редактор *Н. Носова*
Компьютерная верстка *А. Щербакова*
Корректор *И. Гончарова*

ООО «Издательство «Эксмо»
127299, Москва, ул. Клары Цеткин, д. 18/5. Тел. 411-68-86, 956-39-21.
Home page: **www.eksmo.ru** E-mail: **info@eksmo.ru**

Подписано в печать 01.08.2009. Формат 84×108 1/32.
Гарнитура «Таймс». Печать офсетная. Бумага тип. Усл. печ. л. 20,16.
Тираж 250 100 (1-й завод – 100 100) экз. Заказ № 7504.

Отпечатано в ОАО «Можайский полиграфический комбинат».
143200, г. Можайск, ул. Мира, 93.